JAYNE ANN KRENTZ

Jayne Ann Krentz, la reine du roman populaire aux États-Unis, a fait ses études en Californie. Après avoir suivi des cours d'histoire, elle obtient un diplôme de bibliothécaire, métier qu'elle exerce à la Duke University, avant de se consacrer entièrement à l'écriture. Jayne Ann Krentz commence à écrire dans les années 70 dans des genres très différents et signe sous de nombreux pseudonymes. C'est avec ses romans féminins qu'elle connaît un très grand succès. Parmi la cinquantaine de romans qu'elle a écrits, 21 sont sur la liste des best-sellers du *New York Times* et plus de 20 millions d'ouvrages ont été vendus aux États-Unis et dans le monde.

Une dizaine de ses livres ont été traduits en français : *Coup de folie* (Pocket, 1998), *Passionnément, à la folie* (Belfond, 1999), *Un mariage blanc* (J'ai lu, 1999) ou encore *Les yeux de l'amour* (Belfond, 2001) et *Le feu aux poudres* (Belfond, 2001).

PASSIONNÉMENT, À LA FOLIE

JAYNE ANN KRENTZ

PASSIONNÉMENT, À LA FOLIE

*Traduit de l'américain
par Michel Ganstel*

BELFOND

Titre original :
ABSOLUTELY, POSITIVELY

publié par Pocket Books, a division of Simon & Schulster,
Inc., New York.

Ce livre est une œuvre de fiction. Les noms, les personnages,
les lieux et les événements sont le fruit de l'imagination de
l'auteur ou utilisés fictivement. Toute ressemblance avec des
événements ou des lieux réels, ou des personnes vivantes ou
mortes serait pure coïncidence.

© Jayne Ann Krentz 1996. Tous droits réservés.
© Belfond 1999 pour la traduction française.
ISBN 2-266-11002-0

Pour Edna et J.L. Krentz,
avec ma plus profonde affection

1

Harry Stratton Trevelyan ne s'accordait pour ainsi dire jamais la facilité de s'appuyer sur des certitudes. Pourtant, depuis un mois, il était absolument certain d'une chose : il désirait Molly Abberwick. Et, ce soir-là, il avait la ferme intention de lui proposer sans détour de devenir sa maîtresse.

Pour Harry, c'était là une décision cruciale. Mais, à vrai dire, il ne prenait jamais ses décisions à la légère.

La première phrase de son dernier ouvrage aurait pu lui servir de ligne de conduite : « *Une certitude absolue est la plus grande de toutes les illusions.* »

En règle générale, il mettait ce principe en œuvre autant dans son travail que dans sa vie privée. Selon lui, un homme ne dispose que d'une seule défense valable contre les périls de l'illusion : la prudence. Chez Harry, l'extrême prudence était devenue une seconde nature.

Ses occupations passées et présentes l'avaient amené à considérer le monde avec ce que certains qualifiaient de cynisme. Il préférait, quant à lui, le terme de scepticisme éclairé, ce qui revenait d'ailleurs au même. Cette attitude lui offrait l'avantage de se laisser rarement rouler ou escroquer. Elle présentait aussi l'inconvénient de le faire passer, aux yeux de beaucoup de gens, pour un robot sans cœur – ce dont Harry ne se souciait pas le moins du monde.

Tant par sa formation que par goût personnel, Harry exigeait en tout des preuves solides, indiscutables. Il n'acceptait rien qui n'ait été confirmé au préalable. Il ne raisonnait que selon les lignes d'une logique rigoureuse.

De temps à autre, néanmoins, il arrivait à Harry d'omettre les stades intermédiaires de son habituel processus méthodique pour parvenir directement à une perception intuitive, si claire et si précise qu'il en avait parfois peur – une peur viscérale. En dehors de ces rares occasions, il prenait plaisir à exercer pleinement ses exceptionnelles facultés intellectuelles. De fait, il se savait plus doué pour la réflexion que pour les rapports humains.

Jusqu'à présent, il avait progressé avec la plus grande circonspection vers son objectif : séduire Molly. Il ne voulait surtout pas commettre avec elle la même erreur qu'avec son ex-fiancée. Il ne chercherait pas auprès de cette femme les réponses aux questions angoissantes qu'il se posait sur lui-même et qu'il ne pouvait ni ne voulait formuler avec précision.

Cette fois, il se bornerait à des rapports de bonne intelligence, fondés sur le sexe et la camaraderie.

— Ce sera tout pour ce soir, Harry ?

Il leva les yeux vers Ginny Rondell, sa gouvernante-cuisinière-factotum à la quarantaine replète et souriante, qui l'interpellait de derrière le long comptoir de granit séparant la cuisine du living.

— Oui, merci, Ginny. Excellent dîner, au fait!

— Délicieux ! renchérit Molly Abberwick, du canapé de cuir noir où elle était assise face à la baie vitrée.

Ginny rosit de plaisir.

— Merci, mademoiselle Abberwick. Le thé est prêt, Harry. Vous ne voulez vraiment pas que je le serve ?

— Inutile, Ginny, je m'en occuperai.

— Eh bien, dans ce cas, je vous dis bonsoir.

Ginny contourna le comptoir et partit en trottinant vers le hall d'entrée dallé de marbre vert. Avec un sentiment d'impatience inhabituel chez lui, Harry attendit qu'elle prenne son sac à main dans le placard, endosse son sweater et referme derrière elle la porte de l'appartement.

Le silence retomba.

Enfin seuls ! pensa Harry, que sa propre réaction amusa. Il n'avait pas éprouvé une telle excitation depuis si longtemps qu'il ne se souvenait même pas de la dernière fois, sans doute au cours de son adolescence. S'il n'avait que trente-six ans, il se sentait pour ainsi dire centenaire depuis une bonne huitaine d'années.

— Je vais chercher le thé, dit-il en se levant.

Molly se contenta d'un signe de tête. Harry discerna comme une attente dans ses grands yeux verts, expression dont il espéra qu'elle augurait bien de ses projets pour la soirée. Il avait coupé la sonnerie de ses deux téléphones, action tellement inattendue de sa part que Ginny en avait été stupéfaite. D'habitude, quand il voulait être tranquille le soir ou s'absorber dans un travail ardu, il ne coupait que sa ligne professionnelle. Mais jamais, au grand jamais, il ne débranchait sa ligne privée, car il voulait rester en permanence disponible pour les clans antagonistes de sa famille.

Il prit sur le comptoir le plateau préparé par Ginny, avec la théière et les deux tasses. S'étant informé des préférences de Molly, il avait acheté du Darjeeling de la variété la plus rare. Ni sucre, ni lait. Quand il s'agissait de soigner les détails, Harry n'avait pas son pareil.

En revenant vers le canapé, Harry observa discrètement Molly. Il sentit bouillonner en elle une sorte de fébrilité, dont les ondes vinrent accroître sa propre fièvre.

Assise dans une attitude un peu guindée, Molly regardait Seattle, dont les lumières bordaient la vaste tache sombre de la baie d'Elliott. En été, dans le Nord-Ouest, le crépuscule semblait durer éternellement. Mais il était plus de dix heures du soir, et la nuit, enfin tombée, apportait à Harry l'occasion tant attendue de lancer son offensive de charme.

Ce n'était pas la première fois que Molly admirait la vue que l'on découvrait de l'appartement de Harry, au vingt-cinquième étage. Comme il travaillait chez lui, elle avait eu souvent l'occasion d'y venir parler affaires. Ce panorama nocturne était néanmoins pour elle une nouveauté.

— Vous avez d'ici une vue extraordinaire ! lui dit-elle pendant qu'il posait le plateau sur la table basse.

— Elle est superbe, c'est vrai.

Harry s'assit et tendit la main vers la théière. Du coin de l'œil, il vit que Molly souriait. Encore un bon signe, pensa-t-il.

Molly avait des traits extrêmement expressifs. Harry aurait pu la regarder des heures durant sans se lasser. L'angle de ses sourcils évoquait pour lui les ailes d'un oiseau en plein vol. L'image était d'ailleurs appropriée : celui qui voudrait l'attraper devrait se montrer diablement habile et capable d'agir très vite – qualités dont il se savait pourvu.

Ce soir-là, Molly portait un sobre tailleur-pantalon vert mousse et des escarpins de daim. Si jusqu'alors Harry n'avait guère prêté attention aux pieds des femmes, il se surprit à se laisser captiver par la cambrure parfaite de ceux de Molly et par la finesse de ses chevilles. Une pure merveille.

Le reste du corps de Molly, il est vrai, était en tout point parfait.

Après avoir étudié la jeune femme avec une minutie discrète et avoir mûrement réfléchi plusieurs jours, Harry était parvenu à la conclusion qu'elle était mince mais pas maigre. Elle respirait la santé et la vitalité. Il était lui-même en excellente santé, et ses réflexes avaient l'acuité de ceux d'un chat – acuité que la présence de Molly avait pour effet de multiplier par dix, voire davantage.

Certaines parties de l'anatomie de Molly présentaient des rondeurs attirantes. Ainsi, la veste de son tailleur se tendait sur des seins hauts et fermes dont Harry savait, grâce à une grande sûreté de coup d'œil, qu'ils tiendraient à merveille au creux de sa main. Quant au pantalon, il s'épanouissait sur des hanches résolument et admirablement féminines. Cependant, même si Harry jugeait les formes de Molly dignes du plus grand intérêt, c'était son visage qui retenait tout particulièrement son attention. Molly était spectaculaire. Pas spectaculairement belle, non, simplement spectaculaire. Unique. Spéciale. Différente.

Les lignes délicates mais fermes du nez et des pommettes dénotaient de la force de caractère. L'intelligence pétillait dans ses yeux verts, et, de toutes les qualités d'une femme, c'était celle à laquelle Harry n'avait jamais su résister. Ses cheveux châtains, couleur de miel ambré, la nimbaient d'une auréole mousseuse qui soulignait l'intensité de son regard. Avec des yeux pareils, jugeait Harry, Molly aurait pu devenir voyante extralucide. Elle n'aurait eu aucune peine à persuader le client le plus blasé ou le plus réticent qu'elle était capable de percer les secrets de son passé, de son présent et de son avenir.

Cette dernière réflexion provoqua en lui un sursaut de prudence : il n'avait certes pas besoin d'une femme sachant plonger le regard au plus profond de son âme. La folie serait à coup sûr au bout du chemin.

Il retint sa respiration le temps de trois battements de cœur et se demanda s'il était sage de vouloir se lier à une femme dotée d'un regard aussi pénétrant. Les femmes promptes à sonder les profondeurs de son mental ne lui réussissaient pas, l'exemple de son ex-fiancée en constituait la preuve. D'un autre côté, il ne supportait pas les gourdes… Pendant quelques secondes, Harry hésita sur l'orientation qu'il allait donner à son avenir.

Molly lui décocha un sourire interrogateur, dévoilant deux dents légèrement de guingois.

Ces deux dents ont quelque chose d'attendrissant, pensa Harry, qui reprit son souffle et balaya ses appréhensions avec une insouciance qui aurait dû l'inquiéter. Cette fois, se dit-il, tout ira bien. Molly est une femme d'affaires, pas une psychologue. Elle considérera ma proposition de manière rationnelle et objective. Elle ne sera pas tentée de me disséquer ou de m'analyser.

— Il y a un sujet dont j'aimerais vous entretenir, dit-il posément en versant le thé dans la tasse de Molly.

— Ah ! J'en étais sûre !

Harry leva les yeux, déconcerté.

— Vraiment ?

— Oui. Et si vous me permettez de le dire sans prendre de gants, il était grand temps.

Chez une femme, l'enthousiasme et la spontanéité sont des qualités précieuses, se rassura Harry.

— Euh… oui. Je veux dire, je ne me doutais pas que nous étions déjà sur la même longueur d'onde.

— Les grands esprits se rencontrent, vous devriez le savoir.

— Bien sûr.

— Quand vous m'avez invitée à dîner ce soir, j'ai tout de suite compris qu'il ne s'agissait pas d'une simple discussion d'affaires.

— En effet.

— Je savais que vous étiez enfin arrivé à une décision.

— C'est exact, répondit-il en la regardant avec attention. En fait, j'ai longuement réfléchi à la question.

— Cela ne m'étonne pas. Si j'ai appris une chose depuis les quelques semaines que nous nous connaissons, c'est que vous réfléchissez toujours beaucoup. Vous avez donc conclu que le dossier de Duncan Brockway justifie l'octroi d'une subvention. Mieux vaut tard que jamais.

Une fraction de seconde, Harry se sentit égaré.

— Le dossier Brockway ?

— Je savais que vous finiriez par l'approuver ! déclara Molly avec un éclair de satisfaction dans le regard. J'en étais sûre. C'est tellement original ! Et il a un potentiel pratiquement illimité.

Harry avait eu le temps de se ressaisir.

— Ce dont je veux vous parler n'a rien à voir avec le dossier Brockway.

L'enthousiasme de Molly parut un peu douché.

— Vous l'avez quand même étudié, j'espère ?

— Le dossier Brockway ? Oui. Il ne présente aucun intérêt. J'entrerai plus tard dans les détails si vous y tenez mais, pour le moment, il s'agit d'une question autrement importante.

— Qu'y a-t-il de plus important ? s'étonna Molly.

D'un geste précis, Harry reposa sa tasse.

— Nos rapports personnels.

— Nos… quoi ?

— Vous m'avez fort bien compris.

La tasse de Molly atterrit avec fracas dans sa soucoupe.

— Cette fois, c'est le comble !

— Qu'est-ce qui ne va pas ? s'enquit Harry.

— Après m'avoir déclaré que vous n'approuviez pas la demande de subvention de Duncan Brockway, vous avez l'audace de me demander ce qui ne va pas ?

— Écoutez, Molly, je m'efforce d'avoir avec vous une conversation intelligente. Je regrette de constater que je n'y parviens pas. En ce qui concerne nos rapports…

— Nos rapports ? s'exclama Molly en se levant d'un bond. Je vais vous dire ce qu'ils sont, moi : un désastre ! Absolu ! précisa-t-elle pour faire bonne mesure.

— Je ne savais pas qu'ils avaient commencé.

— Hélas, si ! Et considérez qu'ils prennent fin en cet instant même. Je refuse de continuer à vous payer des honoraires d'ingénieur-conseil, Harry Trevelyan. Je n'ai encore rien obtenu pour mon argent. Pas ça !

— J'ai l'impression qu'il y a entre nous comme un malentendu…

— Moi aussi ! l'interrompit Molly, les yeux étincelants de colère. Je croyais que vous m'aviez invitée à dîner pour que nous examinions le dossier Brockway à tête reposée.

— Pourquoi diable vous aurais-je conviée uniquement pour vous dire que la prétendue invention de Brockway n'est qu'une fumisterie ? Pire, une escroquerie.

— Ce n'est pas une escroquerie !

Harry n'avait pas l'habitude qu'on mette en doute ses verdicts, et encore moins sa compétence d'expert.

— Si. Elle ne vaut pas un clou.

— Selon vous, les quelque cent demandes de subvention soumises jusqu'à présent à la Fondation Abberwick relèvent toutes de la tentative d'abus de confiance !

— Pas toutes, corrigea Harry, qui préférait l'exactitude aux généralisations hâtives. Certaines se contentent d'être techniquement absurdes ou mal conçues. Écoutez, Molly, je m'efforce d'aborder un sujet tout à fait différent…

— Nos rapports, disiez-vous. Eh bien, docteur Trevelyan, je vous répète qu'ils sont terminés. Vous avez gâché votre dernière chance. Vous êtes renvoyé.

Harry se demanda s'il n'avait pas été catapulté par hasard dans un univers parallèle. Rien ne se déroulait comme prévu.

Il avait pris sa décision concernant Molly avec le plus grand soin. Certes, dès leur première rencontre, il s'était senti attiré par elle, mais il n'avait pas voulu se laisser guider par le seul désir physique. Depuis le naufrage de ses fiançailles, un an auparavant, il s'était livré à de profondes réflexions, comme à son habitude, afin de définir la direction qu'il imprimerait dorénavant à sa vie affective.

Il voulait donc nouer des rapports avec une femme ayant des centres d'intérêt assez absorbants pour ne pas exiger de sa part une constante attention. Une femme qui ne se vexerait pas s'il lui arrivait de la délaisser afin de se consacrer à ses recherches. Une femme qui ne lui en voudrait pas de s'enfermer dans son bureau pour travailler à un livre. Une femme capable de comprendre et de tolérer les impératifs de sa vie personnelle.

Mais surtout et avant tout, une femme qui ne le harcèlerait pas à sa moindre saute d'humeur ni ne l'inciterait à tout bout de champ à se faire psychanalyser.

Molly Abberwick paraissait correspondre en tout point à ce portrait-robot de la compagne idéale. À vingt-neuf ans, c'était une femme d'affaires compétente et qui avait réussi. Selon ce que Harry savait d'elle, elle avait élevé sa jeune sœur pratiquement seule après la mort de sa mère, plusieurs années auparavant. Son père avait eu la réputation d'être un génie, cependant, comme il est courant chez les personnages de son espèce, il consacrait son temps à ses inventions plutôt qu'à ses enfants. Harry avait pu observer que Molly n'était pas une fragile petite fleur de serre mais une robuste plante de pleine terre, armée pour résister aux pires tempêtes, peut-être même à celles qui venaient parfois dévaster l'âme tourmentée de Harry Trevelyan.

Propriétaire d'une affaire florissante, l'Abberwick Tea & Spice Company, Molly avait démontré sa capacité de survivre et de prospérer dans l'univers impitoyable du commerce de détail. Nom contente de diriger sa boutique, elle était l'unique administrateur de la Fondation Abberwick créée par son père, feu Jasper Abberwick, dont les inventions avaient fini par apporter la fortune à la famille après l'avoir ruinée. C'était pour les affaires de la Fondation que Molly avait pris contact avec Harry un mois plus tôt.

— Vous ne me congédierez pas, déclara Harry.

— Je n'ai pas le choix, rétorqua Molly. Notre association n'aboutit à rien, la prolonger serait absurde.

— Qu'attendiez-vous de moi, au juste ?

Molly poussa un soupir excédé.

— J'espérais que vous vous montreriez plus coopératif. Moins négatif. Que vous accorderiez au moins une certaine indulgence aux propositions qui nous sont soumises. Sans vouloir vous vexer, attendre que vous en approuviez une est aussi captivant que de regarder pousser un arbre.

— Je désapprouve la précipitation brouillonne. J'aborde mon travail de manière réfléchie, je pensais que vous l'aviez compris. N'est-ce pas précisément la raison pour laquelle vous avez fait appel à mes services ?

— Votre « manière réfléchie » me fait plutôt penser à l'inertie d'un mur de pierre ! s'écria Molly en faisant les cent pas le long de la baie vitrée. Avec un conseiller tel que vous, j'ai la pénible impression d'avoir perdu mon temps.

Fasciné, Harry ne la quittait pas des yeux. De la pointe des cheveux au bout des pieds, le corps entier de Molly frémissait – non, *vibrait* d'indignation. Harry découvrait dans cette réaction excessive, eu égard à son objet, une facette encore plus étonnante de la passionnante personnalité de la jeune femme.

19

Passionnante ? L'idée lui fit froncer les sourcils.

— Je me doutais que vous seriez difficile, poursuivit-elle en lui lançant par-dessus l'épaule un regard incendiaire. Je n'allais pas jusqu'à prévoir que vous seriez impossible.

Passionnant est pourtant bien le terme adéquat, décida Harry après l'avoir soupesé avec soin. Il ne gardait cependant pas le souvenir d'avoir été passionné par une femme. Pour lui, ce mot convenait mieux à d'autres domaines. Une controverse sur la prétention de Leibniz d'avoir inventé le calcul intégral avait de quoi *passionner*. Les implications des travaux de Boole sur la logique symbolique étaient en tout point *passionnantes*. Mais une femme ?…

Ce soir-là, Harry comprit sans l'ombre d'un doute que Molly Abberwick devrait désormais figurer dans la liste des sujets propres à le passionner. Tout en exacerbant l'attirance que Molly lui inspirait, accepter cela lui donna un profond sentiment de malaise.

— Je suis désolé que vous me trouviez difficile…, commença-t-il.

— Pas difficile. Impossible.

— N'est-ce pas là une manière exagérément subjective de porter un jugement sur mes décisions professionnelles ?

— Qualifier de frauduleuse la demande de subvention présentée par Brockway me semble une manière « exagérément subjective » de porter un jugement sur ce pauvre Duncan !

— Ne parlons plus du dossier Brockway, voulez-vous ? Je n'ai fait que ce pour quoi vous me payez, Molly.

— Vraiment ? Dans ce cas, je vous surpaie !

— Non. C'est vous qui réagissez mal.

— Moi, réagir mal ?…

Au comble de l'indignation, Molly buta contre le comptoir de granit, pivota sur ses talons et repartit au pas de charge vers la cloison opposée.

— J'en ai par-dessus la tête, je l'admets volontiers, reprit-elle. Si pour vous c'est « mal réagir », d'accord, je réagis mal. Mais cela ne change rien au fond du problème. Nos rapports ne fonctionnent pas du tout comme je l'espérais. Quelle déception ! Et que de temps perdu !

— Je ne parlerais pas de « rapports », grommela Harry. Tout au plus de relations de travail.

— Qui ont pris fin, compléta Molly d'un ton catégorique.

Contre toute logique, Harry se sentit soudain submergé par un sentiment calamiteux qu'il ne connaissait que trop.

Il aurait dû remercier sa bonne étoile de l'avoir échappé belle, tant il était patent qu'il ne pourrait jamais établir avec Molly les rapports gratifiants qu'il avait envisagés. Or, au lieu de se sentir soulagé, il éprouvait une sorte de désespoir.

Comment en était-il arrivé là ? Il se remémora le jour où, pour la première fois, Molly était apparue dans son bureau. Elle lui avait annoncé son souhait de l'engager à titre d'ingénieur-conseil de la Fondation Abberwick.

Établie par son père, la fondation avait pour objet de subventionner des inventions prometteuses, dont les créateurs ne pouvaient trouver d'autre financement. Jasper Abberwick connaissait mieux que personne les problèmes des inventeurs impécunieux, car son frère Julius et lui avaient passé la plus grande partie de leur vie à se débattre dans les pires embarras financiers. Leurs difficultés de trésorerie, pour user d'un euphémisme, n'avaient été résolues que quatre ans auparavant grâce à la mise au point d'une nouvelle génération de robots industriels, que Jasper avait réussi à protéger par des brevets mondiaux.

Jasper n'avait pas eu le loisir de profiter longtemps de sa fortune toute fraîche. Son frère et lui s'étaient tués deux ans plus tard en expérimentant le prototype de leur dernière création, un aéroplane à propulsion musculaire.

Ensuite, il avait fallu un an pour rendre la fondation opérationnelle. Molly en avait habilement investi les capitaux et avait maintenant hâte d'en utiliser les revenus, selon le souhait de son père, pour distribuer aux inventeurs méritants les subventions qui leur ouvriraient les portes de la renommée, de la fortune, ou des deux.

Unique administrateur, responsable de la fondation, Molly devait donc faire face à des sujets d'une grande diversité. Si elle était tout à fait apte à traiter la plupart des problèmes, particulièrement dans le domaine financier, elle ne possédait pas, comme son père, une tournure d'esprit scientifique et n'avait pas bénéficié d'une formation d'ingénieur.

Évaluer les mérites des dossiers soumis par les inventeurs aux abois exigeait au moins une connaissance approfondie des principes de la science et des technologies de pointe, considérées dans la perspective de leur évolution. De tels jugements de valeur ne pouvaient donc être prononcés que par un esprit rompu à ce genre de processus. C'est ainsi que la Fondation Abberwick avait été amenée à requérir les services d'une personne de confiance, capable de juger une invention en se fondant moins sur son potentiel immédiat d'exploitation industrielle que sur sa valeur à long terme.

Ladite personne devait plus encore pouvoir éliminer les fausses inventions et détecter les fraudeurs, car une fondation richement dotée éveille les convoitises comme un pot de miel attire les mouches.

Molly possédait de remarquables qualifications dans bien des domaines, Harry n'avait jamais songé à le nier, mais pas dans celui des techniques. Une femme devant distribuer chaque année une manne d'un demi-million de dollars avait donc besoin d'aide. De celle, plus précisément, de Harry Stratton Trevelyan, docteur ès sciences.

Jusqu'à ce jour, Harry avait étudié pour le compte de Molly une bonne centaine de demandes de subvention et n'en avait pas approuvé une seule. Il se rendait maintenant compte, non sans chagrin, qu'il n'avait pas compris à quel point Molly perdait patience depuis plusieurs semaines.

À l'évidence, il avait eu tout autre chose en tête…

Dès leur première rencontre, Molly avait piqué sa curiosité. Son nom lui était familier, la famille Abberwick ayant produit, au fil des générations, une longue lignée d'inventeurs excentriques mais indéniablement doués. À peu près inconnu du grand public, le patronyme Abberwick était réputé, en revanche, dans les milieux industriels, où on l'associait depuis longtemps à une variété de machines-outils, de systèmes de commande et, plus récemment, d'appareils faisant appel aux techniques de la robotique et de la cybernétique.

Expert incontesté dans le domaine quelque peu abscons de l'histoire et de la philosophie des sciences, Harry avait eu maintes occasions de se pencher sur les diverses contributions des Abberwick aux progrès de la technologie.

23

Car l'histoire de cette famille remontait aux origines mêmes du pays.

Ainsi, au cours du XVIIIe siècle, l'un des premiers Abberwick avait apporté aux presses à imprimer une amélioration considérable. Son invention avait permis de doubler la production des tracts et journaux séditieux ayant préparé l'opinion publique des colonies d'Amérique à la révolte contre l'Angleterre et à la conquête de l'indépendance.

Dans les années 1870, un autre Abberwick avait inventé un dispositif destiné à accroître le rendement de la machine à vapeur. Aussitôt adopté par les compagnies ferroviaires, ce mécanisme avait eu une influence décisive sur la conquête et le développement des territoires de l'Ouest américain.

Vers la fin des années 1930, un Abberwick – encore un – avait mis au point un système de contrôle des chaînes de montage, auquel la production de matériel militaire a dû sa remarquable efficacité pendant la Seconde Guerre mondiale.

Quel que soit le champ d'application, les inventions des Abberwick parsemaient donc l'histoire américaine comme les emballages de chewing-gum jonchent le sol d'un cinéma à la fin d'une séance. Elles étaient traitées de la même manière par le public, qui ne prend conscience des choses que par hasard, quand il se trouve en leur présence.

Harry Trevelyan faisait profession de débusquer ces éléments ignorés du plus grand nombre. Pour lui, l'Invention infléchissait le cours de l'Histoire qui, réciproquement, déterminait l'évolution de l'Invention. Observateur attentif de leur imbrication et de leur influence mutuelle, il donnait sur ce sujet des conférences dans les universités. Il écrivait des ouvrages, considérés comme des classiques, sur l'histoire de la science. C'est ainsi que, peu à peu et presque sans l'avoir voulu, il était devenu une autorité incontournable dans le domaine de la fraude scientifique.

En voyant Molly fulminer, il s'étonnait et s'inquiétait de chercher encore un prétexte à nouer avec elle des rapports, disons… affectifs. À ce stade, un homme intelligent se serait hâté de battre en retraite. Or, Harry n'avait rien d'un imbécile borné.

— Soyons réalistes, Molly. Me renvoyer serait une grosse bêtise, vous le savez aussi bien que moi.

Molly se retourna pour mieux le fusiller du regard :

— Vous osez me traiter d'idiote ?

— Je ne vous ai pas traitée d'idiote. J'ai simplement dit que ce serait une erreur de vous priver de mes services. Vous avez besoin de moi.

— J'ai de sérieux doutes à ce sujet ! déclarat-elle en pointant sur lui un index vengeur. Vous êtes censé me donner des conseils. Or, jusqu'à présent, toutes vos consultations se résument en un seul mot : *non*.

— Écoutez, Molly…

— Il ne faut pas un grand talent pour dire non, docteur Trevelyan ! Je trouverais sans mal beaucoup de gens capables d'en faire autant. La plupart, ajouterai-je, me demanderaient des honoraires nettement moins exorbitants que les vôtres.

— Et vous diraient oui quand cela vous plairait ?

— D'accord, admettons qu'un autre se trompe de temps en temps et me fasse accorder une subvention à quelqu'un qui ne la mérite pas, dit-elle en balayant l'hypothèse d'un geste désinvolte. Nous aurions au moins accompli quelque chose ! On ne fait pas d'omelette sans casser des œufs, affirme le proverbe.

— Un demi-million de dollars tous les ans n'est pas une vulgaire douzaine d'œufs. Croyez-vous vraiment dénicher ici, à Seattle, un autre spécialiste aussi qualifié que moi ? cela dit en toute modestie, bien entendu.

Elle le toisa d'un air de défi.

— Je ne vois pas où serait la difficulté.

À deux doigts de se mettre en colère, Harry parvint de justesse à se dominer. Il ne pouvait accorder à Molly la satisfaction de lui faire perdre son sang-froid.

— Eh bien, cherchez, je vous en prie, dit-il avec une politesse glacée.

Une moue déforma la bouche harmonieuse de Molly, qui tapa du pied en dardant sur Harry un regard irrité. Harry resta muet. Ils savaient l'un et l'autre que les chances de Molly de *dénicher* quelqu'un possédant un ensemble de qualifications aussi rares et exceptionnelles étaient, à tout le moins, fort minces.

— Diable…, grommela-t-elle enfin.

Harry sentit combien sa victoire était fragile.

— Il vous faudra encore un peu de patience, Molly, se borna-t-il à ajouter avec une modestie méritoire.

— Vraiment ? Je suis seule responsable de la fondation, je peux être aussi impatiente qu'il me plaira.

— La discussion dégénère, Molly.

— C'est aussi mon avis. Et vous savez quoi ? J'en suis ravie. Depuis plusieurs jours, je brûlais d'envie de vous dire en face un certain nombre de choses, docteur Trevelyan !

— Harry suffira.

— Oh, mais non ! rétorqua-t-elle avec un sourire froid. Je m'en voudrais de vous appeler Harry tout court. Ce serait indigne du docte Harry Stratton Trevelyan, docteur ès sciences, auteur renommé, conférencier applaudi et grand pourfendeur de la fraude scientifique sous toutes ses formes, déclama-t-elle en montrant du doigt les exemplaires de son dernier ouvrage qui trônaient sur un rayon de la bibliothèque. Vous êtes bien trop pompeux et arrogant pour qu'on ose user envers vous d'une telle familiarité !

Son attention soudain attirée par un bruit de crépitement aussi choquant qu'inattendu, Harry baissa les yeux. Il s'aperçut alors qu'il pianotait nerveusement sur l'accoudoir du canapé et se domina au prix d'un effort de volonté.

C'était idiot de sa part de s'entêter à sauver le seul lien le rattachant encore à Molly, un lien si ténu qu'il devenait plus évident de minute en minute qu'il avait atteint, voire dépassé son point de rupture. Il avait assez de problèmes dans la vie sans s'en créer d'autres à plaisir !

Pourtant, la seule perspective de ne plus voir Molly fit surgir dans son esprit l'image d'un fragile pont de verre lancé au-dessus d'un gouffre, image terrifiante et trop familière qu'il parvint toutefois à refouler.

Ayant réussi à reprendre le contrôle de lui-même, il lui restait à récupérer celui de la situation.

— Asseyez-vous donc, Molly, proposa-t-il avec un calme qui l'étonna. Vous êtes une femme d'affaires, poursuivons cette discussion de manière sensée et objective.

— Inutile de discuter, vous avez opposé votre veto au dossier Brockway. Votre opinion paraissant être la seule qui compte ici, je ne vois pas ce qu'il y aurait à dire de plus.

— Mon veto est motivé : il s'agit d'un vol manifeste. Brockway ne cherche qu'à soutirer frauduleusement vingt mille dollars à la Fondation Abberwick.

Les bras croisés, Molly lui lança un regard de défi.

— Vous le pensez réellement ?

— Oui.

— Vous êtes sûr de vous ?

— Tout à fait.

— Absolument ? insista-t-elle avec une douceur suspecte.

— Oui.

— Ce doit être agréable d'être aussi sûr de soi.

Harry s'abstint de réagir à cette provocation.

Le silence se prolongea.

— L'idée de Duncan me plaisait pourtant beaucoup, dit enfin Molly.

— Je sais.

Fléchissait-il ? Molly sauta sur l'occasion :

— Aucun espoir ? Vraiment ?

— Aucun, non.

— Pas même l'ombre d'une possibilité que Brockway soit tombé par hasard sur un concept révolutionnaire ?

— Pas une trace. Si vous en voulez la confirmation, je peux soumettre son dossier à un de mes amis de l'université, expert en sources d'énergie, mais il ne pourra pas faire autrement que de me soutenir. L'idée de tirer de la lumière de la lune une énergie comparable, même de loin, à celle du soleil ne repose sur aucune base scientifique valide. La technologie qu'il propose d'utiliser n'existe pas, et la théorie qui sous-tend l'ensemble n'est que pure foutaise.

Dans les yeux de Molly, une lueur amusée remplaça les flammes de la colère.

— Pure foutaise ? Cette expression appartient-elle à quelque jargon technique hautement spécialisé ?

Harry fut brièvement décontenancé par ce subit changement d'humeur.

— Certes, répondit-il. Elle est en outre fort commode car elle peut s'appliquer à nombre de situations… Gardez l'argent de la fondation pour des candidats plus dignes d'intérêt, Molly. Ce Duncan Brockway n'est qu'un escroc qui essaie de vous filouter.

Avec un soupir résigné, Molly se laissa tomber sur le canapé.

— Bon, O.K., je capitule. Désolée de m'être fâchée, mais je me sens vraiment frustrée, Harry. J'ai du travail par-dessus la tête, je ne peux pas passer mon temps à essayer de vous faire approuver des dossiers.

La tempête semblait calmée, Harry pourtant ne savait pas encore s'il pouvait pousser un soupir de soulagement.

— La responsabilité d'une fondation est un travail très absorbant, se borna-t-il à commenter.

— L'idée de Brockway avait pourtant l'air si géniale, dit-elle avec regret. L'énergie lunaire…

— Les aigrefins de son espèce n'ont pas de génie, ils possèdent simplement une inépuisable réserve de culot… et de charme, ajouta Harry, soudain saisi d'une pensée importune.

Il avait dû toucher juste, car Molly fit une grimace.

— Duncan Brockway me plaisait, c'est vrai. Quand je l'ai interviewé, il me paraissait enthousiaste et sincère.

Ainsi, l'enfant de salaud avait bel et bien essayé de séduire Molly pour mieux l'escroquer ! Harry ne s'en étonna pas, mais cette confirmation l'ulcéra.

— Je n'en doute pas. Brockway s'efforçait sûrement avec beaucoup de sincérité et un réel enthousiasme d'empocher l'argent de la Fondation Abberwick.

— Vous êtes injuste ! s'exclama-t-elle. Duncan n'est pas un escroc mais un inventeur. Un rêveur qui voulait réaliser son rêve, voilà tout. Je descends d'une longue lignée de gens comme lui. La fondation n'a qu'un but : les aider.

— Vous m'avez pourtant spécifié que la fondation a pour objet de subventionner des inventeurs sérieux, qui ne peuvent obtenir de financement public ou industriel pour mener à bien leur projet.

— Je considère toujours Duncan Brockway comme un inventeur sérieux, répondit-elle avec un haussement d'épaules fataliste. Un peu dans les nuages, peut-être, mais cela n'a rien d'exceptionnel chez un inventeur.

— Et c'est un homme si séduisant, grommela Harry.

— Parfaitement ! le rabroua Molly.

— S'il y a une catégorie de gens que je connais bien, Molly, c'est celle des filous en tous genres. Vous m'avez engagé afin de les démasquer, l'auriez-vous oublié ?

— Je vous ai engagé pour m'aider à sélectionner les dossiers des inventions les plus novatrices…

— Et à éliminer les fumistes et les fraudeurs.

— O.K., j'ai perdu ! Une fois de plus.

— Nous ne sommes pas en compétition, dit Harry avec lassitude. Je m'efforce simplement de faire mon travail. L'argent de la fondation vous brûle les doigts, je sais. Mais soyez tranquille, vous aurez quantité d'occasions de le distribuer. À la pelle.

— Je commence à en douter.

— Vous ne voulez quand même pas jeter cet argent par les fenêtres ! Une sélection sérieuse prend du temps. Elle exige de la prudence, de la réflexion.

Au moins autant que celle d'un partenaire amoureux, s'abstint-il d'ajouter.

Molly jeta un regard curieux aux étagères surchargées de livres qui recouvraient deux des murs.

— Depuis combien de temps exercez-vous ces fonctions de conseil ? interrogea-t-elle.

— Officiellement, environ six ans, répondit Harry, déconcerté par ce coq-à-l'âne. Pourquoi ?

— Simple curiosité, dit Molly avec un sourire innocent. Avouez que la détection des fausses inventions est une spécialité peu ordinaire. Comment avez-vous débuté ?

Harry se demanda où elle voulait en venir.

— Un de mes collègues, chargé de superviser un projet financé par des fonds publics, avait des doutes sur certains résultats d'expériences. Il a sollicité mon avis sur la méthodologie que le bénéficiaire des subventions prétendait employer et je me suis immédiatement rendu compte que les résultats étaient truqués.

— Immédiatement ? répéta-t-elle. Vous avez été persuadé tout de suite que ce type était un menteur ?

Harry ne voulut pas entrer dans des détails fastidieux.

— Bien sûr. Disons que j'ai un certain… instinct pour ce genre de choses.

— Un instinct ? répéta de nouveau Molly, intriguée. Seriez-vous une sorte d'extralucide, par hasard ?

— Mais non ! protesta-t-il avec véhémence. Qu'est-ce qui vous le ferait croire ? Ai-je l'allure de quelqu'un doué de pouvoirs paranormaux ?

Harry se versa une tasse de thé et constata avec satisfaction que sa main ne tremblait pas.

— Désolée, je ne voulais pas vous vexer.

— Je fais profession d'étudier l'histoire et la philosophie de la science, déclara-t-il. Outre mon doctorat dans cette branche, je suis titulaire d'un diplôme d'ingénieur ainsi que de maîtrises de mathématiques et de philosophie.

— Impressionnant ! lâcha-t-elle en battant des cils.

— La diversité de ces connaissances m'a permis de développer un instinct, appelons-le ainsi, dont ne peuvent se prévaloir ceux qui se cantonnent dans une spécialisation, conclut Harry, les dents serrées.

— Voilà donc la source de vos intuitions ?

— Précisément. Pour revenir à votre question sur l'évolution de ma carrière, une consultation en amène une autre. J'en accepte quelques-unes par an, à condition qu'elles n'empiètent pas sur le temps que je consacre à mes recherches et à l'écriture de mes livres.

— La recherche et l'écriture sont donc ce qui compte le plus pour vous ?

— Absolument.

D'un geste plein d'élégance, Molly posa un bras sur l'accoudoir et appuya son menton sur le dos de sa main.

— Comment, dans ces conditions, avez-vous pu accepter de travailler pour ma fondation ? Je ne vous paie sûrement pas autant que le ferait le gouvernement ou une grande entreprise.

— C'est exact.

— Pourquoi, alors, perdez-vous votre temps à dispenser vos conseils à l'insignifiante petite Fondation Abberwick ?

— Parce que vous faites ce que le gouvernement et les grandes entreprises ne peuvent ou ne veulent pas faire.

— C'est-à-dire ?

— Soutenir à fonds perdus des projets intéressants mais sans applications pratiques immédiates ou évidentes. Investir dans l'inconnu, si vous préférez.

— Et c'est la raison pour laquelle vous avez accepté de travailler pour moi ?

— De vous conseiller, corrigea-t-il.

— C'est la même chose.

— Pas tout à fait.

Molly feignit de n'avoir pas entendu.

— Qu'est-ce qui vous incite à financer des inventeurs plus ou moins farfelus ? demanda-t-elle.

Harry hésita avant de se lancer dans une explication.

— J'ai consacré le plus clair de ma vie professionnelle à l'étude du progrès scientifique et technologique…

— Je sais, j'ai lu votre dernier livre.

De stupeur, Harry faillit s'étrangler avec la gorgée de thé qu'il était en train d'avaler.

— Vous avez lu *Les Illusions de la certitude* ?

— Oui, répondit-elle avec un sourire amusé. Comme livre de chevet, il n'est peut-être pas aussi captivant qu'un roman policier, mais j'avoue que je ne m'attendais pas à le trouver aussi intéressant.

À sa propre surprise, Harry se sentit flatté et caressa d'un regard presque affectueux le livre posé sur l'étagère.

Les Illusions de la certitude : vers une nouvelle philosophie de la science n'était certes pas le genre d'ouvrage à accéder au palmarès des best-sellers. Exhaustif, méticuleusement documenté et pourvu d'un imposant appareil critique, il était à l'évidence destiné à un lectorat restreint d'universitaires et de spécialistes plutôt qu'à ce qu'il est convenu d'appeler le lecteur moyen. Mais Molly n'avait rien de moyen…

— Mon premier livre, *Supercheries préméditées : essai sur l'histoire des fraudes et escroqueries scientifiques*, a eu beaucoup plus de succès, admit Harry avec modestie. J'étais moi-même étonné qu'il se soit si bien vendu.

— Je l'ai lu aussi.

Franchement embarrassé, cette fois, il se leva et alla se poster devant la fenêtre afin de se donner une contenance.

— Merci…

— Ne me remerciez pas, je me renseignais sur votre compte pour décider si oui ou non je devais faire appel à vos services de détective.

Harry ne put réprimer une grimace et s'efforça de réorganiser ses facultés logiques, mises à mal par ces découvertes inattendues. Ainsi, Molly n'était pas telle qu'il se l'imaginait. Il y avait en elle des profondeurs encore insondées. Elle lui réservait des surprises et, à n'en pas douter, lui en réserverait d'autres. Et alors ? La belle affaire ! Il avait trente-six ans, mais ses réflexes étaient intacts. Il était encore tout à fait capable de maîtriser des relations intimes avec une femme comme Molly…

— Continuez, dit-elle. Vous alliez m'expliquer pourquoi vous vous intéressiez au financement d'inventions dépourvues de débouchés immédiats ou de rentabilité à court terme.

Harry ne se retourna pas et continua à contempler la nuit par la baie vitrée.

— Comme je vous le disais, j'ai fait profession d'étudier l'histoire des inventions et de la découverte scientifique. Je me trouve donc amené, au cours de cette étude, à me poser souvent certaines questions.

— Lesquelles, entre autres ?

— Que se serait-il passé, par exemple, si Charles Babbage avait réussi à financer en 1833 la construction de sa machine analytique ?

— L'histoire de l'ordinateur et de l'informatique aurait dû être réécrite de fond en comble, n'est-ce pas ?

— Sans aucun doute. S'il avait eu les moyens de concrétiser sa vision, l'humanité aurait disposé de l'ordinateur cent ans plus tôt. Imaginez le chemin que nous aurions pu parcourir ! poursuivit-il en se détournant de la fenêtre, passionné par son sujet. Je puis vous citer mille autres exemples de concepts aussi géniaux, voire davantage, restés inexploités faute d'argent ou de soutien ! Je pourrais…

Le bruit inattendu de la porte d'entrée l'interrompit.

— Quelqu'un vient d'entrer, Harry, déclara
Molly.

Harry se dirigeait déjà vers le vestibule.

— Ginny a dû oublier de refermer le verrou en
partant.

Un grand jeune homme mince, vêtu d'un pantalon et d'un blouson en jean, apparut sur le seuil
de la pièce. En voyant Harry, il s'immobilisa, le
bras tendu. La lame d'un long couteau brillait dans
sa main droite.

— Cette fois, Trevelyan, c'est la fin ! gronda le
nouveau venu avec un rictus menaçant. J'ai enfin
réussi à te coincer, tu n'en réchapperas pas.

Molly se leva d'un bond.

— Mon Dieu ! s'exclama-t-elle. Il a un couteau !

— J'en ai bien l'impression, approuva Harry.

L'agresseur leva la main d'un geste exercé.

— Attention ! cria Molly en empoignant la
théière.

— Merde ! grommela Harry entre ses dents. Il
y en a qui ont le chic pour arriver comme un
cheveu sur la soupe.

Molly poussa un hurlement et lança la théière
en direction du malfaiteur. Parons au plus pressé,
pensa Harry, qui happa le projectile au vol.

— Mais enfin, faites quelque chose ! s'énerva
Molly.

Harry la rassura d'un sourire. La théière calée
dans sa main droite, il ouvrit la gauche pour lui
montrer le couteau.

Bouche bée, Molly regarda à tour de rôle
l'agresseur désarmé et Harry qui reposait calmement la théière sur la table basse.

— Vous… vous avez *aussi* rattrapé le couteau ? dit-elle enfin d'une voix étouffée par la stupeur.

Harry baissa les yeux vers la lame qui reflétait la lumière de la lampe.

— Ça en a tout l'air, n'est-ce pas ? répondit-il avec une admirable modestie.

2

— Bravo, Harry ! fit l'inconnu en applaudissant. Ton sens de la synchronisation est toujours irréprochable.

Harry posa le couteau près de la théière.

— Je n'en dirais pas autant du tien, répondit-il. Tu choisis fort mal ton moment, je suis en réunion d'affaires.

— Que signifie tout cela ? s'exclama Molly, effarée par ce soudain renversement de situation. Qui est cet individu ?

— Permettez-moi de vous présenter mon jeune cousin Josh Trevelyan, soupira Harry en lançant au susdit cousin un regard réprobateur. Il adore les entrées à grand spectacle, mais c'est de famille. Josh, Molly Abberwick.

— Salut ! dit Josh avec un sourire épanoui.

— Bonsoir, se borna-t-elle à répondre.

Molly l'examina avec curiosité. Très jeune, Josh avait au maximum une vingtaine d'années, soit deux de plus que sa sœur Kelsey. Il offrait une ressemblance certaine avec Harry : même silhouette élégante et svelte, mêmes cheveux très noirs, sans les quelques fils d'argent qui parsemaient ceux de son cousin. Certes, on ne discernait pas encore chez Josh l'impression de puissance contenue qui émanait de la personne de Harry, mais Molly était prête à parier qu'elle ferait surface avec le temps.

Les deux hommes se différenciaient cependant plus par leurs physionomies que par leurs âges respectifs. Selon les canons de la beauté masculine établis par Hollywood, Josh Trevelyan était incontestablement un beau garçon. Avec ses longs cils de velours, ses yeux noirs au regard caressant, son nez fin et sa bouche délicatement modelée, il était le portrait type du jeune premier.

Le visage de Harry, en revanche, reflétait une virilité pure et dure. Il avait les traits accusés de l'alchimiste en quête de vérités secrètes, penché depuis des années sur son grimoire ; de l'ascète astreint depuis si longtemps à pratiquer les privations et la maîtrise de soi qu'il les a intégrées jusque dans sa chair et ses os. Mais des braises mal éteintes couvaient dans ses yeux couleur d'ambre, et ses mains puissantes, aux longs doigts nerveux, semblaient aussi aptes à se consacrer aux arts les plus raffinés qu'à se tordre dans le désespoir le plus insondable.

Hors d'état de rester debout une minute de plus, Molly se laissa retomber sur le canapé. Des flots d'adrénaline coulaient encore de façon fort désagréable dans ses veines.

— La prochaine fois, suggéra-t-elle d'un ton acerbe, vous pourriez peut-être frapper avant d'entrer.

— Je suis vraiment désolé, Molly, s'excusa Harry. Mlle Abberwick a raison, ajouta-t-il à l'adresse de Josh. Il est impoli de faire irruption chez quelqu'un sans s'annoncer.

Apparemment inconscient de l'irritation de son cousin et du désarroi de son invitée, Josh pouffa de rire.

— Je ne comptais pas vous faire mourir de peur !

— C'est toujours bon à savoir, maugréa Molly.

Encore secouée par l'incroyable scène dont elle venait d'être témoin, elle se tourna vers Harry en quête d'une explication. Elle constata que son regard exprimait une contrition inattendue, et, sentiment encore plus inhabituel, qu'il semblait hésiter sur la conduite à tenir. Molly en fut surprise. Depuis qu'elle le connaissait, elle n'avait à aucun moment décelé chez lui une ombre d'indécision. Jusqu'à cet instant, il avait toujours fait preuve devant elle d'une assurance inhumaine – et exaspérante.

Une telle combinaison de sang-froid imperturbable, de patience de prédateur et d'évidente puissance mentale avait éveillé chez Molly une méfiance instinctive doublée d'une extrême curiosité – celle du papillon attiré par la flamme. Un sentiment dangereux, surtout chez une femme ayant trop de responsabilités pour vouloir prendre des risques.

Découvrir que Harry exerçait sur elle ce type d'attrait l'avait effarée. À peine en avait-elle pris conscience, le jour même de leur première rencontre, qu'elle s'était vaillamment efforcée de n'en rien laisser paraître. Il lui fallait du temps pour décider comment traiter le problème. Depuis lors, à vrai dire, elle n'avait guère progressé.

Harry Stratton Trevelyan aurait aussi bien pu être bretteur, artiste, moine – ou vampire. Avec une personnalité lui ouvrant un aussi large éventail de carrières potentielles, Molly n'était pas peu intriguée qu'il ait choisi de s'engager dans la voie de la recherche, fondamentale et appliquée.

Elle avait d'abord tenté de justifier son émoi par le fait qu'elle menait une existence trop recluse. Sa tante Venicia, sa sœur Kelsey et jusqu'à son assistante Tessa lui rabâchaient qu'elle devrait sortir de son trou et profiter davantage de la vie. Plus facile à dire qu'à faire ! Entre l'éducation de Kelsey, la gestion de son magasin, le maquis juridique des affaires de son père et l'établissement de la fondation, elle n'avait jamais eu le loisir de mener une vie privée digne de ce nom.

Il lui arrivait parfois de sortir avec un homme quand l'occasion se présentait. Ainsi, un an plus tôt, elle avait cru pouvoir nouer d'agréables relations avec Gordon Brooke, propriétaire d'un bar à cafés exotiques voisin de la boutique de l'Abberwick Tea & Spice. Gordon était sympathique, ils avaient beaucoup de choses en commun. Pourtant, l'idylle n'avait pas tardé à tourner court.

Aussi Molly était-elle plus absorbée par sa routine quotidienne que consumée par des élans passionnels. Ces derniers temps, ses déclarations fiscales lui paraissaient même plus captivantes que ses rencontres masculines. Elle en arrivait au point de se demander si ses hormones femelles n'étaient pas en état d'hibernation permanente.

Ce dernier sujet d'inquiétude s'était évanoui comme par enchantement dès l'instant où son regard s'était posé sur Harry Trevelyan et ses yeux d'ambre. Ses hormones engourdies avaient retrouvé d'un seul coup toute leur vitalité pour entonner une interprétation particulièrement vibrante de l'« Alleluia » du *Messie*.

La voix de sa raison ne s'était cependant pas jointe au chœur de ses fonctions vitales. Elle tenait sur le compte de Harry Trevelyan un certain nombre de propos peu amènes, pouvant se résumer à une péremptoire mise en garde : passe au large ! Car, si Molly n'avait pas hérité du génie inventif de sa famille, elle avait malheureusement reçu une double dose de cet autre trait de caractère héréditaire chez les Abberwick : une insatiable curiosité.

Et jamais aucun sujet n'avait aiguillonné la curiosité de Molly plus intensément que Harry Trevelyan.

— Est-ce une coutume, dans votre famille, de se saluer d'une manière aussi chaleureuse ? s'enquit-elle.

Harry paraissant encore mortifié, Josh éclata de rire et ne lui laissa pas le temps de répondre.

— Le lancer de poignards est un vieux numéro de cirque, expliqua-t-il. Harry et moi nous y exerçons de temps en temps, histoire de ne pas perdre la main.

Molly prit une profonde inspiration, dans l'espoir que l'oxygène finirait de diluer son surplus d'adrénaline.

— Un numéro de cirque ? Mais… ce que vous avez fait est pratiquement irréalisable !

— Pas pour mon cher cousin Harry, affirma Josh. Il est le plus rapide de la famille.

— Que voulez-vous dire ?

— Ne l'écoutez pas, intervint Harry. Attraper un couteau au vol n'est rien de plus qu'un simple truc d'illusionniste. Mon père me l'avait enseigné et je l'ai appris à Josh – ce qui, à la réflexion, était sans doute une erreur.

— Un simple… truc ? s'étonna Molly.

— Oui, confirma Harry.

— C'est bien plus qu'un truc ! protesta Josh. Harry ne vous a rien dit de ses autres dons ?

— Non. J'ai d'ailleurs l'impression qu'il y a beaucoup de choses dont Harry ne m'a jamais parlé.

— Harry maîtrise au degré superlatif les dons ataviques des Trevelyan, l'informa Josh sur le ton de la confidence. Le don de seconde vue, entre autres.

Perplexe, Molly fronça les sourcils.

— Seconde vue ?

— Josh a un déplorable sens de l'humour, déclara Harry. Croyez-moi sur parole, le numéro du couteau n'est qu'un simple tour de main, rien de plus.

— Grossière erreur, Harry ! le contra Josh. Ce numéro n'a rien de simple. Il faut réagir très vite, et tu es d'une rapidité exemplaire. Vous ne savez sans doute pas, ajouta-t-il avec un clin d'œil complice à l'adresse de Molly, que Harry possède aussi les réflexes Trevelyan, les plus rapides au monde selon des statistiques irréfutables.

— Fascinant, murmura Molly.

Issue d'une famille d'inventeurs, elle avait l'expérience des mauvaises farces et étrangetés en tous genres, mais ce qu'elle découvrait dépassait de loin la moyenne.

Harry poussa un soupir résigné.

— Finissons-en, dit-il à Josh. Montre à Molly le couteau qu'elle a cru te voir lancer.

— Jamais ! protesta Josh, sincèrement scandalisé. Ce serait contraire à toutes les règles…

— Ici, c'est moi qui dicte les règles. Montre-le.

— À condition que tu n'en souffles pas un mot au cousin Raleigh ou à tante Évangéline.

— Je t'en donne ma parole.

— Dans ce cas…

D'un moulinet du bras, Josh fit surgir une longue lame de sa manche et l'y fit disparaître aussi prestement.

— Fantastique ! commenta Molly. J'aurais juré que vous aviez vraiment lancé le couteau. Mais alors, poursuivit-elle en se tournant vers Harry, d'où sortait celui que vous avez fait semblant de rattraper ?

— D'un fourreau sanglé à sa cheville, révéla Josh.

Cette fois, Molly parut réellement effarée.

— Grand Dieu ! Vous êtes armé d'un couteau ?

— Vieille tradition familiale, expliqua Josh comme si c'était tout naturel. Montre-lui, Harry.

— Ce n'est pas ainsi que j'espérais passer la soirée, grommela Harry entre ses dents.

Avec une rapidité et une souplesse qui forcèrent l'admiration de Molly, il saisit le couteau sur la table, le remit au fourreau et rabaissa le bas de son pantalon. Le tout n'avait pas duré plus d'une fraction de seconde.

— Je ne vous ai même pas vu le sortir tout à l'heure ! s'exclama Molly.

— Parce que l'entrée de Josh détournait votre attention.

Molly garda le silence un long moment.

— Vous ne seriez pas d'anciens cascadeurs, par hasard, vous deux ? demanda-t-elle enfin.

Josh lança à Harry un regard en coin.

— Pas vraiment, répondit-il. Je commence à croire que mon cher cousin ne vous a pas dit grand-chose sur les Trevelyan.

— Rien du tout, en fait.

— Mon oncle Sean, le père de Harry, était propriétaire d'un cirque…, commença-t-il.

— Tu parles d'une époque révolue depuis longtemps, l'interrompit Harry.

— Ne le répète surtout pas devant tante Évangéline ! le tança Josh d'un ton sévère. Elle est déjà assez ulcérée que tu aies tourné le dos à ton patrimoine.

— Quel patrimoine ? s'enquit Molly, de plus en plus ahurie par la tournure que prenait la conversation.

— Bonne question, marmonna Harry.

— Cousin Harry, s'indigna Josh, ton irrespect envers les traditions familiales est choquant ! Depuis des générations, expliqua-t-il à Molly, les Trevelyan pratiquent la voyance et la magie, lancent des poignards ou font des courses de stock-cars et des cascades motocyclistes, sans parler d'autres attractions foraines et numéros de cirque.

Molly croyait rêver. Qu'un homme tel que Harry Stratton Trevelyan, docteur ès sciences, bardé de diplômes et farci de connaissances encyclopédiques, descende d'une longue lignée de forains dépassait son entendement.

— Vous plaisantez, sans doute ? bredouilla-t-elle.

— Pas le moins du monde, affirma Josh. Ainsi moi, par exemple, je suis fier de maintenir la tradition – du moins jusqu'à la fin de mes vacances d'été. Je dois réintégrer l'université cet automne, à la rentrée.

— Et que faites-vous pendant l'été ?

— Je m'occupe du Palais des Glaces pour seconder ma tante Évangéline. Plusieurs autres membres de la famille voyagent avec nous, mon grand-père aussi.

— Votre grand-père a un… manège ? hasarda Molly.

— Non. Lui, il a piloté des stock-cars toute sa vie. L'âge venant, il est devenu un des meilleurs mécaniciens du circuit. En ce moment, nous sommes installés à Hidden Springs, pour la grande foire d'été.

— Hidden Springs ? Je n'en ai jamais entendu parler.

— C'est un trou perdu à environ une heure d'ici, au nord-est, vers la chaîne des Cascades. Les pauvres bougres de fermiers du coin n'ont eu aucune distraction depuis que nous y étions l'année dernière.

— Au fait, intervint Harry, que fais-tu ici ce soir ? Tu devrais être au travail.

Josh redevint soudain sérieux.

— Tante Évangéline m'a permis de faire un saut à Seattle pour te voir, répondit-il. Il fallait absolument que je te parle. Désolé d'avoir interrompu ta… réunion d'affaires.

— Tu aurais pu m'appeler pour annoncer ta visite.

— J'ai essayé, je suis tombé sur ton répondeur.

— C'est vrai, j'avais coupé les deux lignes de téléphone, admit Harry en esquissant un sourire.

— Pas possible ? s'écria Josh, déconcerté. Tu prends toujours les appels de la famille quand tu es chez toi !

— Il n'y a pas de règles sans exception, déclara Harry froidement. Ce soir en était une. Pourquoi le portier ne m'a-t-il pas averti par l'interphone que tu montais ?

— J'ai dit à Chris que je voulais te faire la surprise.

— Ne vous inquiétez pas, intervint Molly pour mettre fin à l'interrogatoire. J'allais partir de toute façon.

Un éclair d'impatience s'alluma dans les yeux pailletés d'or de Harry.

— Pas question de partir maintenant, nous n'avons pas terminé notre conversation !

— Peu importe, nous pouvons la reprendre demain.

En fait, elle espérait que, dans la confusion créée par l'arrivée de Josh, Harry avait oublié qu'elle s'était mise en colère et l'avait congédié. Que diable lui était-il passé par la tête pour commettre une telle bourde ? Renvoyer Harry signifiait ne plus avoir de raison de le revoir ! Cette perspective la fit frémir et elle se leva malaisément.

— Ne partez pas à cause de moi, se hâta de déclarer Josh en se dirigeant vers la sortie. J'attendrai dans le hall, Chris sera enchanté d'avoir de la compagnie.

— Mais non, voyons ! protesta Molly. Il est bientôt onze heures, vous avez des choses personnelles à vous dire, et j'ai grand besoin de sommeil. Harry, auriez-vous l'amabilité de m'appeler un taxi ?

Harry serra les dents.

— Je vais vous reconduire, déclara-t-il.

— Inutile de vous déranger…

— J'ai dit que je vous raccompagnais chez vous.

Devant son expression butée, Molly jugea plus sage de ne pas se lancer dans une discussion vouée à l'échec.

— Si vous insistez…

— J'insiste.

Avait-il de lui-même décidé de se démettre de ses fonctions à la fondation ? En proie à la panique, Molly se creusa la tête à la recherche d'un moyen de l'en dissuader.

Certes, il était exaspérant, arrogant, plus têtu qu'une troupe de mules ; mais, pour une raison étrangère à toute logique, la dernière chose que Molly souhaitait au monde était de se priver des services – et de la présence auprès d'elle – de Harry Trevelyan.

Molly habitait Capitol Hill, à une douzaine de rues du centre de Seattle où se dressait la tour résidentielle de Harry. Ce court trajet lui parut cependant le plus long qu'elle eût jamais fait. Harry était-il furieux contre elle ou simplement de mauvaise humeur ? Impossible à déterminer.

En tout cas, l'humeur de Harry n'altérait pas la souplesse et la précision de son style de conduite. Il menait sa machine avec un plaisir sensuel, comme s'il montait un pur-sang. Molly ne connaissait pas la marque de sa longue et basse voiture de sport vert bouteille. Élevée dans un milieu de génies de la mécanique, elle sentait toutefois d'instinct qu'il s'agissait d'un modèle rare et pourvu de perfectionnements inédits. Quand les circonstances s'y prêteraient, elle demanderait des précisions à Harry. Mais pas ce soir.

— Avez-vous vraiment tourné avec un cirque ? se hasarda-t-elle enfin à demander, désireuse de rompre le silence pesant.

— Non. Mon père en avait un, comme Josh vous l'a dit, mais il l'a vendu peu après avoir épousé ma mère. Ils sont partis pour Hawaii, où il a monté une affaire de matériel de plongée sous-marine. C'est là-bas que j'ai grandi.

— Et moi qui croyais que vous descendiez d'une famille d'universitaires confits dans les livres…

La lumière fugace d'un réverbère lui permit de voir un sourire amer crisper les lèvres de Harry.

— Depuis le premier Harry Trevelyan, fondateur de la dynastie, je suis le seul membre du clan à gagner ma vie autrement qu'en disant la bonne aventure, en lançant des poignards ou en conduisant des stock-cars.

— Quand ce Harry-là a-t-il initié la tradition ?

— Au début du siècle dernier, vers 1810, je crois.

— Et du côté de votre mère ?

— Elle était une Stratton.

Molly réprima un sursaut d'étonnement.

— Les Stratton de Seattle ? Les promoteurs immobiliers ?

— Oui. Une fortune colossale au service d'une écrasante influence économique et politique depuis trois générations.

Harry avait énoncé ce jugement sévère d'une voix monocorde. Molly resta songeuse un long moment.

— Une union un peu… inhabituelle, murmura-t-elle enfin.

— Le saltimbanque et la fille de milliardaire ? Le terme *inconcevable* serait mieux approprié. Les Trevelyan et les Stratton la décrivaient au moyen d'une large variété d'épithètes nettement plus imagées. Pour la plupart, la décence m'interdit de vous les répéter.

— Si je comprends bien, aucune des deux familles n'approuvait leur mariage ?

— C'est un euphémisme. Les Trevelyan étaient fous de rage que mon père ait vendu son cirque. Ils l'accusaient de trahir la famille, car beaucoup d'entre eux y travaillaient. L'acheteur avait sa propre équipe, une douzaine de Trevelyan se sont donc retrouvés sur la paille du jour au lendemain.

— Et les Stratton ?

— Ma mère était censée épouser un jeune et brillant sujet, diplômé de Stanford et issu d'une famille riche. Elle s'est entichée d'un clown. Comment croyez-vous que réagissent les bons bourgeois, en pareil cas ?

— Sans grand enthousiasme, je suppose.

— C'est le moins qu'on puisse dire.

— Alors, que s'est-il passé ?

— Vous êtes bien curieuse, dit-il avec une pointe d'agacement.

— Excusez-moi. C'est de famille… Ne répondez pas si vous me jugez trop indiscrète.

Harry marqua une légère hésitation.

— Les Stratton ont remué ciel et terre pour briser le mariage. Faute d'avoir pu le faire annuler, Parker Stratton, mon grand-père, a essayé de pousser ma mère au divorce. Mes parents sont partis dans les îles à seule fin de mettre un océan entre eux et leurs familles respectives. C'était pour eux le seul moyen d'avoir la paix.

— Les choses se sont-elles au moins un peu… calmées après votre naissance ?

— Non. La bataille fait toujours rage aujourd'hui.

— Et vous êtes pris entre deux feux ?

Harry haussa les épaules avec fatalisme.

— Le plus souvent, oui.

Il affectait l'indifférence, comme si ces querelles de famille ne le concernaient en rien. Molly sentit cependant, sous ses paroles désinvoltes, un trouble si profond qu'elle éprouva à son égard un élan de compassion. À l'évidence, les Stratton et les Trevelyan inspiraient à Harry tout sauf de l'indifférence. Elle comprenait aussi pourquoi il prenait tant de soin à dissimuler ses émotions.

— Vos parents vivent-ils toujours dans les îles ? demanda-t-elle pour relancer la conversation.

— Mes parents sont morts. Ils ont été assassinés il y a neuf ans par des gangsters qui attaquaient un fourgon blindé.

Molly sentit de nouveau bouillonner des émotions puissantes sous la froideur apparente de Harry, qui devait faire un effort surhumain pour les maîtriser. Lesquelles ? Fureur ? Désespoir ? Remords ? Oui, et bien d'autres encore. De quoi alimenter un siècle de cauchemars.

— Mon Dieu…, murmura-t-elle, bouleversée, faute de savoir quoi dire de mieux approprié.

— Vos parents sont tous deux morts, eux aussi, dit-il comme pour lui faire observer qu'ils avaient au moins ce point-là en commun.

— C'est vrai.

À son tour, Molly garda un silence songeur, bien que ses sentiments à ce sujet soient plus simples et moins violents que ceux qu'elle devinait chez Harry. Quand elle pensait à ses parents, elle n'éprouvait qu'un profond chagrin, normal et légitime, mais qui s'amenuisait avec le temps. Elle ne passait plus de nuits blanches à se demander avec angoisse comment rembourser les emprunts ou comment ne pas rater l'éducation de sa jeune sœur. Elle avait réussi à assumer des responsabilités qui, au début, lui paraissaient écrasantes.

Elle vit enfin se profiler derrière le pare-brise les contours de ce que sa sœur qualifiait avec irrévérence de « château Abberwick ».

— Nous sommes arrivés, dit-elle. Merci mille fois de m'avoir raccompagnée.

Harry freina devant l'imposante grille de fer forgé.

— Je vous déposerai à votre porte, déclara-t-il.

Molly fouilla dans son sac et lui tendit une carte magnétique. Harry baissa sa vitre afin d'introduire le rectangle de plastique dans la serrure électronique. Une seconde plus tard, les lourdes grilles pivotèrent en ronronnant.

— Bonne sécurité, observa-t-il.

— Mise au point par mon père. Il a aussi fabriqué le système d'arrosage du jardin. Il passait son temps à bricoler dans la maison. Ma sœur Kelsey marche sur ses traces. C'est elle qui a hérité du génie inventif de la famille.

— Et vous ?

Molly pouffa de rire.

— Moi ? J'hérite des factures !

Harry s'engagea à allure réduite dans la longue allée semi-circulaire qui aboutissait au perron. Il s'arrêta, coupa le contact, mit pied à terre. Un sourire amusé lui vint aux lèvres en découvrant la façade. Molly n'eut pas de peine à deviner ce qu'il pensait. Œuvre d'un architecte au cerveau sérieusement dérangé, la bâtisse était un ahurissant assemblage de pseudo-gothique et de pâtisserie fin de siècle. En somme, la demeure idéale d'un savant fou.

— Intéressant, fit-il en ouvrant la portière de Molly.

— Soyez franc, répliqua-t-elle en riant. On jurerait le château du Dr Frankenstein, n'est-ce pas ?

— Vous avez grandi dans cette… demeure ?

— Bien sûr. Mes parents l'ont achetée pendant une de leurs brèves périodes de prospérité, il y a une trentaine d'années. Mon père venait de breveter une machine-outil et il était tombé amoureux de cette invraisemblable baraque. Il lui fallait de l'espace pour ses ateliers, disait-il. Son accès d'opulence n'a pas duré, bien entendu – avec lui, l'argent ne durait jamais longtemps –, mais nous avons réussi je ne sais comment à conserver la maison.

Pendant qu'ils gravissaient le perron, elle tendit à Harry une deuxième carte magnétique commandant l'ouverture de la porte d'entrée.

— Nous n'avons pas terminé notre conversation, dit-il après avoir introduit la carte dans la fente ad hoc.

Molly chercha un moyen de prendre poliment congé.

— Non, en effet, mais nous pourrons la reprendre plus tard. Vous avez sans doute hâte de rentrer chez vous. Votre cousin voulait vous parler, je crois ?

— Il attendra, répondit-il en examinant le vaste hall. Vous avez mal compris, tout à l'heure, ce que je commençais à vous dire au sujet de nos rapports.

Molly franchit le seuil et se tourna vers lui, son plus beau sourire aux lèvres.

— Rassurez-vous, je n'ai pas l'intention de vous renvoyer.

Harry s'adossa au chambranle et croisa les bras.

— C'est vrai ?

— Tout à fait. Vous aviez raison, je n'ai guère le choix en ce qui concerne le type d'expert qu'il me faut. Il semblerait donc que je ne puisse pas me passer de vous, conclut-elle avec toute la désinvolture dont elle était capable.

— Rien de tel que de se sentir indispensable, commenta Harry d'un ton ironique.

— Je tiens toutefois à préciser que nous ne pouvons pas continuer comme avant. Il est grand temps de progresser.

— Entièrement d'accord sur ce point.

Avant qu'elle ait compris ses intentions, il la

prit dans ses bras, la serra contre lui à lui couper le souffle et écrasa sa bouche sur la sienne.

Molly fut d'abord trop stupéfaite pour réagir. Un instant plus tard, sa chaude odeur d'homme agit sur elle comme une drogue. Consciente de la force de ses bras qui l'étreignaient et de la puissance qui émanait de son corps pressé contre le sien, elle pouvait encore moins ignorer la dureté de la bosse déformant son pantalon.

Ainsi, Harry la désirait !

Depuis le début de la soirée, le chœur de ses hormones femelles fredonnait en sourdine. Stimulées d'un seul coup par cette exaltante découverte, elles entonnèrent à plein gosier un gloria assourdissant.

Les bras noués autour du cou de Harry, Molly s'abandonna à son baiser avec un soupir extasié. Harry resserra son étreinte en exhalant un léger grognement de plaisir. Molly sentait ses sens chavirer à mesure qu'une délicieuse chaleur se répandait au-dessous de sa ceinture.

— Rentrons, l'entendit-elle murmurer contre ses lèvres.

Il la poussa à l'intérieur. Elle trébucha, se raccrocha à ses épaules, entendit la porte claquer, mais n'accorda à tout cela aucune attention. Harry lui mordillait l'oreille, sensation si incroyablement délectable qu'elle n'en avait jamais éprouvé de semblable et ne s'en lassait pas.

À peine dans le hall, il l'adossa au premier mur venu, s'appuya contre elle de tout son poids, lui prit la tête entre ses longues mains fines, posa ses lèvres sur sa gorge, les fit glisser au creux de son épaule.

— Oh ! Molly, je savais que ce serait bon, mais

je ne me doutais pas à quel point, dit-il d'une voix rauque.

Du genou, il lui écartait les cuisses. Molly crut défaillir. La chaleur de son bas-ventre se mua en une moiteur brûlante. Elle frémit…

De fait, elle tremblait. Elle en ressentit une sorte de crainte révérencieuse. Jamais encore elle n'avait tremblé de désir – elle croyait jusqu'alors qu'il ne s'agissait que d'une image poétique. Elle sentait Harry trembler lui aussi, ce qui était encore plus inattendu.

Les lèvres de Harry remontèrent le long de son cou, de sa joue, se posèrent sur son oreille.

— Enlevez votre veste, Molly.

Sa voix était celle du démon de minuit en personne, douce, tentatrice, infiniment persuasive.

Molly manqua défaillir de nouveau. Quelque part, très loin, la voix de sa raison s'égosillait en vain. Elle crut distinguer quelque chose comme : « Ressaisis-toi ! », mais elle était hors d'état d'obéir. Une griserie inconnue l'emportait, la rendait sourde et aveugle à tout ce qui n'était pas le plaisir éprouvé dans les bras de Harry. En un clin d'œil, des années de prudence, de sens des responsabilités, de refus des risques inconsidérés s'étaient volatilisées, balayées par un souffle de tempête.

Elle s'apprêtait à faire glisser sa veste de ses épaules quand un bourdonnement résonna. Harry s'écarta brusquement et se retourna avec la rapidité d'un chat.

— Que diable… ? commença-t-il.

À trente centimètres de son pied, un petit robot émettait une série de bips réprobateurs. Ses antennes semblaient vibrer d'indignation et il brandissait un plumeau comme s'il voulait pourfendre l'impudent ayant l'audace de lui barrer le passage. Les poings sur les hanches, Harry se pencha vers l'objet qu'il examina longuement.

— Votre chaperon ? demanda-t-il enfin.

Molly pouffa – non, *gloussa* – de rire. Elle n'avait jamais gloussé de cette façon puérile, songea-t-elle, honteuse de sa réaction ridicule. Étourdie par les baisers de Harry, elle déglutit, s'efforça de reprendre contenance.

— Je vous présente un de mes robots ménagers brevetés Abberwick, pur produit de l'imagination paternelle, cela va sans dire. Il y en a un en service à chaque étage. Je l'avais mis en marche pour la soirée avant de sortir. Il époussetait les plinthes après avoir aspiré le plancher quand vous lui avez fait obstacle.

— Tant pis pour lui. Il n'y a pas de place pour nous deux ici, et je n'ai pas l'intention de lui céder le terrain.

— Je m'en occupe.

Molly se baissa, pressa un bouton. La machine fit docilement demi-tour et regagna son placard en ronronnant. Harry la suivit des yeux jusqu'à ce qu'elle ait disparu.

— Son intrusion gâche un peu la magie de la scène, vous ne trouvez pas ? dit-il quand le silence fut revenu.

— Je suis tellement habituée à ces robots que je ne les remarque même plus, répondit-elle en riant. J'ai passé toute ma vie au milieu de machines comme celle-ci. Chaque année, jusqu'à sa mort, mon père en inventait de nouveaux modèles, toujours plus perfectionnés. Ma sœur continue sur sa lancée. Franchement, je serais incapable de faire le ménage et de tenir la maison sans eux.

Harry poussa un long soupir. La flamme brillait

encore dans ses yeux, avec une chaleur moins incendiaire pourtant.

— Tout compte fait, cette interruption était un bien. Depuis le début de la soirée, j'essaie d'avoir avec vous une conversation sérieuse au sujet de nos rapports. Je ne partirai pas sans l'avoir eue.

Molly le regarda, bouche bée :

— Vous vouliez me parler de... ce genre de rapports ? Vous ? Moi ? Nous ?

— Oui. Nous.

Molly dut s'appuyer au mur pour ne pas vaciller et prit à pas lents et prudents le chemin de la cuisine.

— Seigneur !... Si j'avais pu m'en douter... Je croyais qu'il n'était question que de... vous savez...

— Nos relations de travail ? Non. Cela vous choque ?

— Euh... c'est-à-dire...

— Corrigez-moi si je me trompe, mais j'avais la nette impression en vous embrassant que vous-même y aviez songé.

Molly rougit jusqu'aux oreilles. Un fantasme est une chose, la réalité en est une autre.

— Eh bien...

Harry se passa une main dans les cheveux avec impatience.

— Je sais que nous ne sommes pas très bien assortis.

— C'est le moins qu'on puisse dire. Je suis une pragmatique active, vous un intellectuel contemplatif.

— En effet. J'ai un esprit analytique et réfléchi. Et vous me semblez dotée d'une nature plutôt impulsive.

— Vous êtes têtu comme une mule et plus lent

qu'une tortue pour prendre vos décisions. Vous ne résisteriez pas cinq minutes dans le monde des affaires, la concurrence ne ferait de vous qu'une bouchée.

— Sachez, pour votre gouverne, que vous ne seriez arrivée à rien dans le monde universitaire. Je ne veux pas dire que vous manquez de facultés intellectuelles, non, mais de la discipline la plus élémentaire dans le raisonnement.

Un instant, Molly imagina la scène gratifiante d'un robot ménager se ruant sur Harry à coups de balai-brosse.

— Nous avons réussi, je crois, à établir sans l'ombre d'un doute que nous ne sommes pas faits l'un pour l'autre, déclara-t-elle. Bien. Et maintenant, docteur Trevelyan, où vouliez-vous en venir ?

— À ceci : j'aimerais que vous et moi ayons une aventure. Une liaison, si vous préférez.

— Vous parlez sérieusement ?

— Tout à fait.

Elle le dévisagea avec incrédulité.

— Je n'en crois pas mes oreilles ! Nous n'avons rien de commun. Nous sommes à l'opposé l'un de l'autre.

— Justement. Les extrêmes s'attirent.

— Allons, docteur Trevelyan, ne croyez pas vous en sortir par une pirouette de ce genre ! Elle est indigne d'un docteur ès sciences qui se vante de son esprit logique.

— Je ne faisais que citer l'un des principes de base du magnétisme.

Molly leva les yeux au ciel.

— Nous ne sommes pas une paire d'aimants !

— Écoutez, je ne vous propose pas le mariage,

je ne vous suggère qu'une agréable liaison. Que voyez-vous de si rebutant dans mon idée ?

— La manière dont vous l'exprimez. Elle ne vous paraît pas – et je pèse mes mots – un peu cynique ?

Harry sentit qu'il s'avançait en terrain dangereux et marqua une pause.

— Elle me semble rationnelle, au contraire. Nous éprouvons l'un pour l'autre une attirance physique manifeste.

— Peut-être, mais nous communiquons plutôt mal, répliqua Molly avec amertume. Si nous n'avons rien accompli d'autre, ce soir, c'est qu'au moins le fait en est acquis.

— Et alors ? S'il faut croire les psys, les hommes et les femmes communiquent rarement bien.

— Vous lisez ces revues de vulgarisation psychologique ? s'étonna Molly.

— Il y a dix-huit mois, j'étais encore fiancé à une psychologue... Quand on fréquente ces gens-là, il vous en reste toujours un petit quelque chose.

— Rien de contagieux, j'espère... Écoutez, Harry, en toute franchise, votre idée ne me paraît pas géniale.

— Pourquoi donc ?

— D'abord, parce que je vous rendrais sans doute fou.

Une lueur indéchiffrable s'alluma dans le regard de Harry et s'éteignit aussitôt.

— J'en ai envisagé l'éventualité, déclara-t-il froidement. Mais je me crois capable de dominer la situation.

Molly ne put retenir un ricanement sarcastique.

— Quel soulagement de vous l'entendre dire ! Mais moi ? poursuivit-elle en le fusillant du regard.

Vous ne vous croyez pas capable de me rendre folle, moi aussi ?

— Voulez-vous dire par là que vous ne vous estimez pas en état de supporter mes propos sentencieux, mes airs supérieurs et mon caractère entêté ?

— Si je suis capable de subir des concurrents sans scrupules, des clients odieux et les montagnes de paperasses fiscales que je suis forcée de remplir tous les mois rien que pour ouvrir la porte de mon magasin et qui me font perdre mon temps, je serais sans doute *en état* de vous subir aussi, répliqua-t-elle d'un ton excédé. Mais ce serait dur. Pour moi.

Un bref silence s'ensuivit.

— Y aurait-il quelqu'un dans votre vie ? demanda Harry.

Molly lui coula un regard en coin.

— Non. J'en déduis que vous êtes dans le même cas, sinon nous n'aurions pas abordé le sujet.

— Personne, en effet. Depuis un certain temps déjà.

— Moi non plus. J'ai l'impression que nous ne menons ni l'un ni l'autre une vie très excitante.

— C'est précisément ce que j'espère changer.

Il y eut un nouveau silence.

— Nous n'avons vraiment rien en commun, dit enfin Molly avec un soupir de regret. Si nous sortions ensemble, de quoi diable parlerions-nous en dehors des affaires de la fondation ?

— Qui sait ? Nous pourrions nous en assurer demain soir.

Molly se vit au bord des eaux tourbillonnantes d'une cascade sans fond. Elle rassemblait le courage d'y tremper le bout du pied quand elle se rappela être déjà prise et en éprouva une si vive déception qu'elle en fut ahurie.

— Impossible demain soir, je dois sortir avec ma sœur faire ses achats pour la rentrée.

— Vendredi soir, alors ?

Molly respira profondément et se prépara à sauter.

— D'accord. Mais juste à titre d'essai, se hâta-t-elle d'ajouter, soudain en proie à la panique. Découvrons d'abord si nous ne nous faisons pas mutuellement périr d'ennui le temps d'un dîner. Ensuite, nous verrons.

— Ce n'est pas moi qui vous pousserai à prendre une décision précipitée, dit Harry en souriant. Comme vous le savez, je suis du genre lent et méthodique.

Sauf pour rattraper des poignards au vol, s'abstint-elle de lui faire observer.

3

Peu après sept heures du matin, Josh fit son entrée dans la cuisine en jean et pull-over. Les cheveux encore humides de la douche, il se posa en bâillant sur un tabouret derrière le comptoir de granit et se versa une tasse du café fraîchement passé, dont l'arôme embaumait l'atmosphère.

— Salut, Harry. Désolé pour mon intrusion d'hier soir.

— N'en parlons plus.

Harry déploya son journal et tendit à Josh les pages sportives. Dans un silence amical, les cousins s'absorbèrent dans leurs lectures respectives en grignotant des toasts et en buvant du café.

Il en allait ainsi chaque matin depuis que Josh était venu vivre chez Harry à l'âge de douze ans. Ce rituel n'avait changé qu'avec l'entrée de Josh à l'université. Les cousins étaient tombés d'accord pour estimer qu'il était temps que Josh ait un logement indépendant.

Josh était cependant toujours chez lui à l'appartement. Il y faisait des séjours épisodiques pendant les vacances scolaires, venait parfois y passer le week-end ou un soir de semaine quand il n'avait pas d'occupation plus absorbante ou voulait parler de ses études à son savant cousin. Ses apparitions inopinées n'avaient jamais posé de problème, Harry étant presque toujours seul avec ses livres. Dans son emploi du temps réglé comme du papier à musique, la présence de Molly la veille au soir constituait une anomalie.

Harry avait déjà oublié son mécontentement envers Josh et son arrivée inopportune. À sa propre surprise, il se sentait même d'excellente humeur ce matin-là, bien qu'il ait eu beaucoup de mal à s'endormir après son retour de chez Molly. La perspective de sa soirée du lendemain avec elle parait de riantes couleurs ce début de journée.

Josh leva les yeux du journal et vida sa tasse de café.

— Dis donc, il y avait un bon bout de temps, depuis que j'arrive chez toi à l'improviste, que je ne t'avais pas trouvé en train de draguer une fille.

Harry fronça les sourcils.

— Je ne la draguais pas, nous parlions affaires. Molly est une cliente, je te l'ai déjà dit.

— J'avais pourtant l'impression qu'elle était un peu plus qu'une cliente, répondit Josh en se versant une deuxième tasse. Vous vous voyez depuis longtemps ?

— Environ un mois. Je la conseille.

— Tu la… conseilles ? Sans plus ?

Harry tourna avec bruit une page du journal.

— Oui.

— Attends, cousin, j'ai du mal à te suivre, dit Josh avec un large sourire. Tu sors avec elle ou pas ?

— Depuis quand t'intéresses-tu à ma vie sentimentale ?

— Depuis que j'ai découvert que tu en avais de

nouveau une. Cela faisait plus d'un an, sauf erreur. Félicitations.

Harry feignit de s'absorber dans la lecture d'un article sur l'inflation et les taux d'intérêt.

— Il était grand temps que tu t'y remettes, poursuivit Josh sans se laisser démonter par cette muette rebuffade. À partir du moment où Olivia t'a plaqué, tu as vécu comme un moine.

— Comment le saurais-tu ? Tu ne mets pratiquement plus les pieds ici, ces derniers temps.

— Nous avons des moyens de nous renseigner, répondit Josh en imitant le héros d'un film d'espionnage.

— Lesquels ? demanda Harry.

— Eh bien, par exemple, j'ai retrouvé dans le placard de la salle de bains une boîte de préservatifs qui n'en a pas bougé depuis que tu ne vois plus Olivia. Et elle contient le même nombre de petits sachets.

— C'est un scandale ! s'exclama Harry en mordant dans un toast. Sais-tu combien coûte le délit d'atteinte au secret de la vie privée ?

— Je me fais du souci pour toi, Harry ! protesta Josh. Tu as trop tendance à broyer du noir.

— Je ne broie pas du noir, je prends le temps de réfléchir sans hâte aux problèmes qui se posent à moi. Ce n'est pas du tout la même chose.

— Appelle cela comme tu voudras. Il n'en demeure pas moins que je te connais mieux que tu le crois.

— Cette éventualité me fait froid dans le dos.

— Voyons, cousin ! s'écria Josh de son air le plus innocent. Je prends tes intérêts à cœur, voilà tout !

— Encore heureux, grommela Harry.

Josh inséra une tranche de pain dans le toaster.

— Cette Molly Abberwick a l'air sympa, observa-t-il.

— Elle l'est.

— Tu es rentré tôt, hier soir, après l'avoir raccompagnée. Tu comptes la revoir ?

— Oui. Je dîne avec elle demain soir.

— Ah ! N'oublie pas de remettre la boîte de préservatifs dans le tiroir de ta table de chevet.

Sans répondre, Harry replia son journal et marqua un temps pour signifier son intention de changer de sujet.

— Hier soir, tu as dit que tu voulais me parler. De quoi s'agit-il ? Ou plutôt, qu'est-ce qui ne va pas ?

Le sourire s'effaça des lèvres de Josh.

— Grand-père recommence à me harceler pour que je ne rentre pas à l'université. Il dit que je perds mon temps et que deux ans d'études suffisent largement à un Trevelyan. Bref, il veut que je travaille avec lui.

— La même rengaine, autrement dit.

— Peux-tu lui parler, Harry ? Lui faire comprendre ?

Josh se beurra un toast. Harry regarda distraitement les nuages qui se poursuivaient au-dessus de la baie.

— Je veux bien lui parler une fois de plus, mais je ne peux pas te promettre de le faire changer d'avis. Il est coincé dans le passé, tu le sais aussi bien que moi.

— Oui, mais toi, au moins, il t'écoutera. J'ai beau me répéter que je me moque de ce qu'il pense et que je finirai mes études quoi qu'il arrive, il y a des moments où ses idées fixes sur mon avenir me tapent sur les nerfs.

— Je sais.

— Si papa vivait encore, ce ne serait pas pareil. Il me soutiendrait. Sans lui, grand-père s'imagine qu'il n'a plus que moi pour reprendre le flambeau.

Harry s'abstint de répondre. Contrairement à Josh, il n'avait aucune illusion sur ce dernier point : si son père était en vie, Josh subirait des pressions autrement plus sévères. Mais Wild Willy Trevelyan, cascadeur motocycliste de renom, roi des casse-cou, coureur de jupons impénitent et archétype du macho pur et dur, n'était plus de ce monde.

Wild Willy s'était tué sept ans auparavant en essayant de pulvériser son propre record, c'est-à-dire en sautant à moto par-dessus une montagne de carcasses d'automobiles enflammées. Plus de mille spectateurs, parmi lesquels son jeune fils de douze ans, avaient assisté au trépas du pilote pulvérisé par l'explosion de sa machine surcompressée.

Josh était resté en état de choc, et nul dans la famille ne savait que faire de lui. Sa mère avait été tuée par l'effondrement d'un manège peu après sa naissance. Il n'était pas question de confier un enfant traumatisé à Léon Trevelyan, son grand-père, vieux dur à cuire encore plus tête brûlée que son défunt fils. Quant aux autres Trevelyan, ils étaient pour la plupart trop impécunieux pour assumer la charge d'une bouche de plus à nourrir.

Revenu depuis peu dans le Nord-Ouest et lui aussi témoin du décès explosif de Wild Willy, Harry avait reconnu dans les yeux vitreux du jeune garçon une expression égarée qui lui était trop familière : des mois après la mort de ses parents, il l'avait vue chaque fois qu'il se regardait dans la glace. Après l'enterrement, Harry avait emmené Josh avec lui, initiative à laquelle personne ne s'était opposé et qui soulageait la famille d'un grand poids. À la fin de ce premier été, Josh avait à peu près récupéré. Mais comme, à l'évidence, nul ne voulait de lui et que l'automne approchait, Harry l'inscrivit dans une école de Seattle.

Il ne lui fallut pas longtemps pour se rendre compte que Josh était remarquablement intelligent et acquérait, sous sa tutelle, une véritable passion pour les sciences et les mathématiques. De son côté, Harry trouvait dans l'éducation de son jeune cousin un ancrage et une raison de vivre, ce dont il avait le plus grand besoin à l'époque.

Pendant plusieurs années, tout s'était donc passé pour le mieux. Mais, peu après le seizième anniversaire de Josh, Léon Trevelyan était apparu sur le pas de la porte. Il réclamait la garde de son petit-fils dans l'intention de lui enseigner, disait-il, l'art de piloter des stock-cars.

Ce jour-là, heureusement, Josh était à l'école. Harry avait fait entrer son oncle dans son cabinet de travail et entrepris de se mesurer au diable en combat singulier. La défaite lui était interdite : l'avenir de Josh était en jeu. Il n'était pas question de laisser l'adolescent gâcher sa vie en marchant sur les traces de son père et de son grand-père.

Harry avait remporté la victoire. Une victoire précaire et sans cesse remise en cause.

— Ne t'inquiète pas, dit Harry. Je m'occuperai de Léon.

— Merci. Tu es super.

Harry reprit la lecture du journal. Le silence retomba.

— Au fait, fit Josh au bout d'un moment, pour ton rendez-vous de vendredi soir…

— Eh bien ?

— D'après le peu que j'ai pu constater hier soir,

Harry, tu m'as paru un peu rouillé, sans vouloir te vexer.

— Rouillé ?

— Pour te remercier de me débarrasser de grand-père, je suis prêt à te faire bénéficier de mes conseils éclairés.

— Je ne pense pas avoir besoin des conseils de quiconque dans ce domaine.

— Ne sois pas si sûr de toi. Avec les filles, de nos jours, c'est pire que la jungle.

Lorsque Molly entra le jeudi matin dans la boutique de l'Abberwick Tea & Spice Company, Tessa Calshot remplissait un bocal de clous de girofle. La manche relevée de sa robe à la dernière mode des années 30, en provenance directe des collections exclusives d'un fripier, dévoilait le tatouage élaboré qui ornait son bras droit.

— Salut, Molly ! lança-t-elle à sa patronne. Prudence en allant dans ton bureau, Kelsey s'y est enfermée. Elle expérimente son nouveau modèle de distributeur d'épices en poudre.

— Merci de me prévenir.

— Toujours vigilante, tu me connais. Surtout depuis l'épisode de la théière automatique, précisa Tessa en finissant de vider le sac de clous de girofle dans le bocal. Il m'avait fallu toute la matinée pour nettoyer les dégâts de l'explosion, si tu t'en souviens.

— Oui, trop bien, approuva Molly avec un sourire amusé.

Le soir, Tessa jouait de la guitare dans un groupe de rock féminin connu sous le nom de Ruby Sweat. Du point de vue de Molly, ses réels talents s'exerçaient cependant dans le domaine de la vente et du marketing. Elle y faisait même preuve de génie, malgré le dédain de la plupart des spécialistes pour ses méthodes – dédain en grande partie fondé, il est vrai, sur sa présentation assez peu orthodoxe.

Ses cheveux, dont la coiffure était inspirée du porc-épic, gardaient rarement la même couleur deux jours de suite. Ils étaient, ce matin-là, d'un vert fluo qui formait un contraste saisissant avec le rouge à lèvres marron foncé. Tessa avait aussi une prédilection marquée pour les robes d'avant-guerre – celle de 1940-1945 –, dont elle enveloppait tant bien que mal, et plutôt mal que bien, sa silhouette trapue. Elle rehaussait l'originalité de sa garde-robe par de grosses galoches à semelle de bois et par un assortiment de chaînes d'acier. Adepte résolue de la mode du *piercing*, elle arborait un anneau d'or dans le nez et un autre à l'arcade sourcilière.

Si Tessa avait décidé un beau jour de venir travailler nue comme un ver, Molly n'y aurait vu aucun inconvénient. C'était une vendeuse-née, capable de gagner une fortune en commissions dans n'importe quelle autre branche d'activité – ce que, Dieu merci, Tessa refusait d'envisager.

Tessa fascinait les touristes, qui composaient le plus gros de la clientèle de Molly. Souvent, après avoir été servis, ils demandaient à Tessa la permission de la photographier, afin de rapporter à leurs amis et connaissance du Kansas ou du New Jersey la preuve tangible que les peuplades de la côte ouest formaient réellement une race à part.

Accoutumés, de leur côté, aux pittoresques *barristas* qui officiaient aux manettes des innombrables percolateurs de la ville, les autochtones appréciaient Tessa. Par son excentricité même, elle les mettait à l'aise en rapprochant le monde du café, enraciné de longue date à Seattle, de celui encore trop exotique du thé et des épices. Molly et Tessa ne se privaient donc pas d'exploiter ce double filon.

— Comment s'est passée la rencontre avec T-Rex, hier soir ? s'enquit Tessa en refermant le bocal.

— Plus compliquée que prévu.

Tessa s'accouda au comptoir afin de savourer commodément le compte rendu.

— Alors, raconte ! Tu l'as saqué, comme promis ?

— Pas précisément.

— Tu veux dire qu'il s'est enfin décidé à approuver une demande de subvention ? s'étonna Tessa.

— Pas précisément, répéta Molly.

— Je n'y comprends rien. Que s'est-il passé, au juste ?

— Disons que… j'ai changé d'avis.

Sous l'effet de la stupeur, les sourcils de Tessa, épilés avec soin et retracés d'un épais trait de marqueur indigo, se relevèrent en accent circonflexe.

— Pas possible ! Quand tu es partie hier après-midi, tu avais pourtant juré que T-Rex ne s'amuserait plus à tirer tes chers inventeurs comme des lapins ! Je t'ai même entendue affirmer solennellement que, si Trevelyan refusait de subventionner Duncan Brockway, il pouvait faire creuser sa tombe !

— Eh bien, disons…

Molly comprit qu'il serait aussi vain qu'inutile de prolonger les cachotteries.

— Je sors dîner avec lui demain soir, déclara-t-elle.

Cette fois, Tessa accusa le coup.

— Toi, sortir avec T-Rex ?

Molly affecta de remettre en ordre sur une étagère une collection de théières qui n'en avait nul besoin.

— Ça t'étonne, hein ?… Tu sais, ajouta-t-elle, nous devrions peut-être arrêter de le surnommer T-Rex.

— C'est toi qui disais que c'était un prédateur à sang froid qui déchiquetait les inventeurs à belles dents ! protesta Tessa. Tu disais même que l'engager pour étudier des demandes de subvention revenait à charger *Tyrannosaurus rex*, le plus sanguinaire des dinosaures, de veiller sur de pauvres petits mammifères sans défense !

Molly avait encore sur les lèvres le goût de celles de Harry. Son corps brûlait encore du feu qu'il y avait allumé, plus intense que ceux combinés des treize variétés de piments qu'elle avait en stock.

— C'est vrai, admit-elle. Sauf que je me trompais sur un point : il n'a absolument pas le sang froid.

Effarée, Tessa écoutait en secouant la tête.

— Je n'en crois pas mes oreilles… Ce type a réussi à t'extorquer un rendez-vous ?

— Si on veut, oui.

— Et tu n'as pas peur de crever d'ennui ?

— Je ne pense pas que ce soit le problème. D'ailleurs, il y a entre T-Rex et lui une différence essentielle. Selon tout ce qu'on sait sur leur compte, les dinosaures avaient des cerveaux minuscules, ce qui est loin d'être le cas du Dr Harry Trevelyan. Le sien serait plutôt surdéveloppé.

— Bof ! fit Tessa avec une moue sceptique. Un

type n'est pas obligatoirement intéressant parce qu'il a une grosse tête. C'est même souvent le contraire.

— Harry est *très* intéressant, tu peux me croire.

En parlant, Molly regardait autour d'elle afin de s'assurer que tout était prêt pour la journée, rituel familier auquel elle procédait depuis le premier jour où elle était venue travailler à la boutique. Sa mère venait de mourir, elle avait tout juste vingt ans et devait abandonner ses études pour non seulement gagner sa vie mais aussi subvenir aux besoins de sa sœur et de son père.

Les finances familiales, rarement stables, faisaient un nouveau plongeon cette année-là. La banque exigeait le remboursement d'un prêt de vingt mille dollars contracté par Jasper Abberwick pour financer la mise au point d'un système de contrôle robotique. Le fait qu'une erreur de conception rendait son invention irréalisable inclinait d'autant moins le banquier à l'indulgence que Jasper avait emprunté la somme sous le fallacieux prétexte d'entreprendre des travaux d'amélioration dans sa résidence principale.

Brillant ingénieur, Jasper Abberwick était congénitalement incapable de se plier à la discipline, même la plus souple, d'un emploi régulier. Allergique à la moindre contrainte, il lui fallait la liberté de poursuivre ses rêves. Samantha, la mère de Molly, aimait son mari avec patience et compréhension. Son esprit pratique et, surtout, son salaire mensuel maintenaient la famille à flot pendant les périodes de turbulences. Sa disparition brutale dans un accident de voiture avait été pour ses proches un véritable désastre, tant moral que matériel.

Bouleversée par la perte de sa mère, Molly

savait toutefois qu'elle n'aurait pas le loisir de la pleurer. Elle avait trop à faire : l'éducation de Kelsey constituait la première des priorités, suivie de près par la situation des finances familiales. Sans l'appoint décisif du salaire de Samantha, la catastrophe menaçait.

Archétype de l'inventeur distrait hors d'état d'affronter les problèmes pratiques soulevés par la mort de sa femme, Jasper avait cherché refuge dans son atelier après l'enterrement et laissé sa fille aînée se débrouiller par ses propres moyens. Face à ses responsabilités, Molly avait donc fait ce que son devoir lui dictait, c'est-à-dire quitter l'université pour le monde du travail.

À l'époque, la boutique avait pour enseigne *Pipewell Tea*, en l'honneur de Zinnia Pipewell, sa propriétaire, et se trouvait à un autre emplacement. C'était une échoppe exiguë, proche du marché de Pike Place. Avec la meilleure volonté, nul n'aurait pu qualifier les affaires de florissantes. Dans une ville comme Seattle, adepte du café depuis des générations, le thé inspirait au mieux l'indifférence, au pire la méfiance. À l'évidence, Zinnia n'avait pas les moyens de s'offrir une vendeuse.

La soupçonnant de ne l'avoir engagée que par compassion, Molly décida que son employeuse ne regretterait pas son geste généreux et se mit au travail avec l'enthousiasme et l'assiduité qu'elle réservait auparavant à ses études. De toute façon, elle n'avait pas le choix.

Il ne lui fallut pas une semaine pour comprendre que, si des mesures urgentes n'étaient pas prises, la boutique serait condamnée à fermer avant la fin de l'année – ce qui, du même coup, la priverait de son emploi. Une brève étude de marché l'amena à proposer à Zinnia d'ajouter à ses activités la vente d'une gamme d'épices exotiques. Seattle jouissant d'une réputation de ville gastronomique, ce genre d'articles serait donc susceptible d'intéresser une large clientèle.

Après avoir assuré ses approvisionnements auprès de grossistes et d'importateurs, Molly s'était penchée sur le conditionnement, la publicité, puis avait changé l'enseigne en *Pipewell Tea & Spice*. Mais au lieu de sauter, comme la plupart des marchands de café, dans le train à la mode d'une vague modernité inspirée de l'Europe, elle conféra à la boutique l'atmosphère résolument surannée des comptoirs de négociants en thés et en épices, installés au XIXe siècle dans des entrepôts sur les quais du port.

Encouragée par la rapide croissance du chiffre d'affaires, Molly poursuivit son expansion avec prudence. Elle lança un service de livraison par correspondance pour la clientèle de passage, des livres de recettes, des sachets d'épices prémélangées. Profitant de l'impact de récentes études sur les effets bénéfiques du thé, elle ouvrit un bar de dégustation, attira par d'astucieuses promotions les mordus de la diététique et les blasés du café. Elle engagea même un instructeur japonais afin d'enseigner les rites complexes de la cérémonie du thé aux adeptes de la sagesse orientale.

Peu à peu, la banque récupéra ses vingt mille dollars. Jasper en emprunta davantage. La vie suivait son cours, somme toute, et Molly comprit qu'elle devait faire une croix sur la fin de ses études.

C'est alors que Zinnia associa Molly pour moitié et, en prévision de sa retraite prochaine, lui proposa de changer la raison sociale afin de préparer l'avenir. Molly n'allait jamais oublier la fierté qu'elle éprouva en voyant pour la première fois l'enseigne de l'*Abberwick Tea & Spice Company* au-dessus de la porte du magasin.

Un an plus tard, Molly racheta les parts de Zinnia et devint seule propriétaire. Le bail venant à expiration, elle décida de déménager et s'installa en plein centre dans un vaste local, situé à mi-pente d'une voie en escalier pourvue de fontaines et de massifs de fleurs, conçue pour canaliser les touristes vers les quais et les promenades du front de mer. L'emplacement était bien choisi car il attirait autant les visiteurs que les employés des bureaux alentour, venus flâner dans le quartier pendant leur pause du déjeuner ou manger un sandwich assis au soleil sur les marches.

Entre-temps, Jasper avait réussi à mettre au point et breveter son système robotique. Puis, sur les conseils de Molly, il en avait cédé les licences d'exploitation à une jeune entreprise dynamique de l'Oregon. Le miracle survint enfin : l'argent coula bientôt à flots dans les caisses de la famille Abberwick, en quantités telles que même Jasper et son frère ne purent en venir à bout avant de périr dans les essais de leur avion à propulsion humaine.

Jasper léguait à ses deux filles de fastueuses royalties annuelles qui promettaient de ne pas se tarir de sitôt. Mais c'était la seule Molly qui héritait de l'effroyable casse-tête qu'allait devenir la Fondation Abberwick.

— Dis-moi tout sur ta folle soirée de demain avec le savant Dr Trevelyan, lança Tessa de derrière le comptoir de dégustation où elle s'affairait.

— Je ne peux rien t'en dire, répondit Molly, elle n'a pas encore eu lieu.

— Au fait, Ruby Sweat se produit au Caveau

le vendredi soir. Tu pourrais l'y emmener, on s'y amuse bien.

— Je n'ai pas l'impression que le Caveau soit le genre de boîte où Harry s'amuserait.

— Décidément, je n'y comprends rien. Qu'est-ce qui a bien pu te décider à…

Une bruyante détonation l'interrompit.

— Ah, non ! soupira Molly, accablée. Ça recommence…

Elle courut ouvrir la porte de son bureau. À l'intérieur, elle distingua à peine, dans un épais nuage de sauge en poudre, sa sœur Kelsey qui levait les yeux des débris de son prototype.

— Que s'est-il encore passé ? s'écria Molly.

— Un petit problème… Bouche-toi le nez, vite !

Trop tard : l'atmosphère était déjà saturée de sauge. Les larmes aux yeux, Molly éternua en rafales. Elle claqua la porte derrière elle afin d'empêcher le nuage de poudre de se répandre dans le magasin, pêcha à l'aveuglette un kleenex sur son bureau et s'en couvrit le visage en attendant que la sauge retombe.

— Désolée, dit Kelsey en se mouchant avec énergie. J'y étais presque. Ce sera sûrement au point la prochaine fois.

Des années durant, Molly avait entendu les mêmes mots dans la bouche de son père et de son oncle Julius. Elle avait même envisagé de les faire graver dans le marbre au-dessus de la porte de la maison, en guise de devise familiale. Pourtant, avec un Abberwick, il ne fallait jamais désespérer : une fois de temps en temps, c'était vrai…

Les deux sœurs éternuèrent, s'essuyèrent les yeux et se mouchèrent en chœur. Kelsey décocha à Molly un radieux sourire d'excuse, qui dévoila le résultat des milliers de dollars investis par Molly quelques années auparavant en travaux orthodontiques dont elle pouvait à bon droit être fière. Ses parents n'avaient jamais eu les moyens de lui offrir le même luxe pour redresser ses dents de travers.

— Ça va ? s'enquit Kelsey avec sollicitude.

— Très bien. J'aurai les sinus dégagés pour au moins six mois.

Avant de s'asseoir, Molly balaya d'une main la poussière sur son fauteuil en jetant un regard distrait aux vestiges du distributeur d'épices. Un petit moteur électrique encore fumant gisait à côté d'un assemblage démantibulé de tubes en plastique et de leviers.

— Qu'est-ce qui clochait ? demanda-t-elle.

Kelsey se pencha sur la carcasse, qu'elle examina avec l'attention d'un médecin légiste scrutant un cadavre avant de procéder à l'autopsie.

— Une came de pompe mal profilée. Le moteur a aspiré la poudre au lieu de la refouler.

— Rien d'anormal, en somme.

Chez les Abberwick, les expériences ratées étaient un mode de vie et on ne s'émouvait pas pour si peu. Molly posa sur sa sœur un regard mi-résigné, mi-affectueux.

Kelsey avait hérité du génie inventif de la famille. Depuis l'âge de cinq ans, elle bricolait tout ce qui lui tombait sous la main. De ses poupées à ses tricycles, rien n'avait échappé à son esprit fureteur. Molly frémissait encore au souvenir du jour où, en entrant dans la chambre de sa petite sœur, elle avait trouvé celle-ci armée de pinces, de fil électrique et d'une ampoule de forte puissance en train de transformer le four de cuisine de sa maison de poupée en modèle opérationnel.

Si Kelsey tenait des Abberwick son insatiable

curiosité et sa passion du bricolage, ses yeux bleus et sa chevelure cuivrée lui venaient de sa mère, qui lui avait aussi légué la finesse de ses traits. Molly déplorait que Samantha n'ait pas vécu assez longtemps pour admirer la ravissante jeune fille qu'était devenue sa cadette.

Forcée par les circonstances de tenir le double rôle de père et de mère, Molly avait fait de son mieux. Elle savait néanmoins qu'une partie d'elle-même craindrait toujours de ne pas avoir fait assez ou assez bien. Elle remerciait le ciel que Kelsey n'ait pas paru souffrir d'avoir été privée trop jeune de ses parents.

Entre-temps, Kelsey avait entamé l'autopsie de son défunt prototype.

— Il suffira d'intercaler dans le circuit une valve anti-refoulement, déclara-t-elle. Rien de compliqué.

— Tu pourrais peut-être commencer par trouver le moyen de nettoyer toute cette poussière, lui fit observer Molly.

— Pas de problème, le robot-aspirateur que j'ai installé l'année dernière le fera en cinq minutes. Alors, poursuivit-elle en empoignant un tournevis, qu'a pensé T-Rex de l'idée farfelue d'énergie lunaire soumise par Brockway ?

Molly ne put retenir un soupir.

— Tu le savais, toi, qu'elle était farfelue ?

— Bien sûr, elle ne repose sur rien de scientifique. Ce type est un fumiste qui prend ses désirs pour des réalités.

— C'est à peu près ce que m'a dit Trevelyan. Pourquoi ne m'as-tu pas avertie plus tôt de ce que tu en pensais ?

— Je ne voulais pas jouer les rabat-joie. Et puis,

c'est le travail de Trevelyan, non ? C'est du moins pour cela que tu le paies.

— Mille mercis, grommela Molly. Tu préfères que Harry me prenne pour une idiote plutôt que de m'ouvrir les yeux ?

— Il ne te prend sûrement pas pour une idiote, il sait que tu n'es pas douée pour la technique, voilà tout. Eh ! Qu'est-ce que j'entends ? s'exclama-t-elle en levant les yeux. Tu l'appelles Harry, maintenant ? Depuis un mois, c'était plutôt T-Rex, le Prédateur sanguinaire, le Ravageur.

— J'essaie d'en perdre l'habitude avant de sortir avec lui. Ce serait gênant.

— Sortir avec lui ? répéta Kelsey, les yeux écarquillés de stupeur. Tu comptes sortir avec T-Rex, toi ?

— Appelle-le *docteur* Harry Trevelyan, répliqua Molly d'un air pincé. Et je dîne en ville avec lui demain soir.

— Non, je rêve, j'hallucine…

La sonnerie du téléphone empêcha Kelsey de décrire plus précisément son hallucination. Molly décrocha.

— Abberwick Tea, annonça-t-elle en éternuant.

— C'est toi, Molly chérie ?

— Oui, tante Venicia.

— Tu n'as pas attrapé un rhume, j'espère ?

— Non, tout va bien. Kelsey a juste eu un petit problème avec son nouveau distributeur d'épices en poudre.

— Allons, tant mieux, déclara tante Venicia avec un optimisme conforté par trente ans de vie conjugale avec feu Julius Abberwick. Je voulais te demander ce que tu penserais de vert et or.

— Vert et or quoi ?

— Les couleurs, pour mes noces. Tu ne m'écoutes pas ?

— Si, si, j'écoute. Vert et or, ce sera très joli.

— Argent serait peut-être mieux, mais je vois mal le vert et l'argent ensemble. Pas toi ?

— Je n'y ai jamais vraiment réfléchi.

Elle épousseta la sauge déposée sur le courrier du matin et commença à trier les enveloppes, tandis que tante Venicia se lançait dans un long exposé des vertus comparées de l'or et de l'argent par rapport à la couleur verte.

Molly n'écoutait que d'une oreille. Elle avait beau vouer une réelle affection à sa tante Venicia, elle savait d'expérience que, lorsque celle-ci parlait de son prochain mariage, rien ne s'opposait à ce que son interlocuteur du moment se livre simultanément à une autre occupation.

Kelsey l'encourageait d'un sourire compatissant pendant qu'elle décachetait une enveloppe quand la voix de tante Venicia dans l'écouteur se fit pressante :

— J'ai dit à Cutter que tu serais d'accord, ma chérie. Il n'y a pas de problème, n'est-ce pas ?

— Euh… Comment ?

— Je disais que tu pourrais dîner avec nous demain soir, vendredi. Une fois de plus, tu n'écoutais pas !

— Mais si, mais si, je vérifiais mon agenda… Eh bien, justement, je suis déjà prise demain vendredi.

— Le… *soir* ? s'étonna Venicia.

— Oui, je sais, j'en suis la première surprise, mais je sors dîner en ville.

— C'est merveilleux, ma chérie ! J'en suis ravie pour toi. Quelqu'un d'intéressant, j'espère ?

— Harry Trevelyan.

Cette révélation atténua sensiblement l'enthousiasme de tante Venicia.

— Ton ingénieur-conseil ? Je croyais que tu ne pouvais pas le souffrir.

— Je me suis rendu compte que je l'avais mal jugé.

— Enfin, c'est mieux que rien, soupira Venicia sans conviction. Dieu sait combien je me faisais du souci pour toi, ces derniers temps. Tu vivais trop repliée sur toi-même.

— Il faut toujours voir le bon côté des choses, tante Venicia.

— Mais je le vois, ma chérie ! Je suis ravie que tu aies enfin des distractions. Qui sait à quoi cela mènera ? Quand j'ai fait la connaissance de Cutter pendant cette croisière, je ne me serais jamais doutée que nous nous aimerions.

— Je n'ai pas l'intention de tomber amoureuse de Harry Trevelyan, se hâta de préciser Molly. Nous ne sommes pas du tout faits l'un pour l'autre.

— Il ne faut jurer de rien, ma chérie. Souvent, les extrêmes s'attirent.

Molly ne put réprimer une grimace.

— Je n'ai jamais cru à ce genre de dicton, dit-elle sèchement.

— On ne sait jamais… Écoute, dînons ensemble un autre soir. Pourquoi pas samedi ?

— Samedi, oui. Je suis libre.

— Parfait ! Amuse-toi bien demain soir, ma chérie.

— Je n'y manquerai pas, tante Venicia.

Molly raccrocha avec un soupir de soulagement.

— Quoi de neuf pour le mariage ? s'enquit Kelsey, toujours penchée sur le cadavre du distributeur.

— Vert et or.

— Que sont devenus bleu et or ?

Molly extirpa un bon de commande d'une enveloppe.

— C'étaient les couleurs de la semaine dernière. J'ai hâte que ce mariage ait lieu et qu'on en finisse.

— Je sais. Tante Venicia devient envahissante.

— Remarque, j'en suis contente pour elle. Après avoir vécu trente ans avec oncle Julius, elle mérite bien un homme attentionné comme Cutter Latteridge.

— Tu peux ajouter fortuné. Son yacht et sa maison de l'île de Mercer ont dû lui coûter un joli paquet.

Molly ajouta la commande à la pile qui grossissait.

— C'est vrai. Au moins, nous n'avons pas à nous inquiéter qu'il veuille l'épouser pour son argent. Mais ce qui compte surtout, c'est que Cutter s'occupe d'elle.

— Oncle Julius n'était pas si mauvais. Papa et lui se ressemblaient beaucoup.

— C'est bien ce que je disais. La moitié du temps, Papa ne savait même pas qu'il avait une femme et oncle Julius ne valait pas mieux. Tante Venicia m'a dit qu'en trente ans de mariage il ne s'était pas souvenu une seule fois de la date de son anniversaire.

Kelsey garda le silence un moment.

— Oui... Exactement comme Papa, dit-elle enfin, sans lever les yeux des entrailles du moteur électrique.

Il n'y avait rien à ajouter à cela. Jasper Abberwick avait aimé sa famille, à sa manière, mais jamais autant que son travail. Les merveilleux jouets mécaniques qu'il construisait pour ses filles dans leur enfance n'étaient, en fait, rien d'autre que les prototypes de robots industriels qu'il perfectionnait ensuite.

Molly adorait encore ces jouets fabuleux, rangés dans l'atelier du sous-sol. Elle y descendait tous les six mois vérifier la charge des batteries de longue durée spécialement mises au point par Jasper. Un temps, elle avait espéré que ses enfants joueraient avec. Plus les années passaient, plus cette éventualité lui paraissait improbable.

La porte s'entrebâilla. Tessa passa la tête avec méfiance.

— Tout va bien, là-dedans ?

— Oui, nous sommes toujours en vie, répondit Molly.

Ainsi rassurée, Tessa entra d'une allure résolue.

— Bon. Dans ce cas, il est temps que nous parlions sérieusement de ta sortie avec T-Rex.

— Parler de quoi ? demanda Molly en ouvrant une autre enveloppe.

Kelsey reposa enfin son tournevis.

— Tessa a raison. Tu n'es pas sortie avec un homme depuis si longtemps ! La dernière fois, avec Gordon Brooke, remonte à plus d'un an.

— Ce n'est pas vrai ! J'ai dîné avec Eric Sanders pas plus tard que le mois dernier.

— Eric est ton comptable ! protesta Tessa. C'était un dîner de travail. Tu m'as même dit que vous n'aviez parlé que du bilan et des déclarations fiscales.

— Et alors ?

— Alors ? Je parie qu'il ne t'a même pas embrassée en te disant bonsoir, dit Kelsey d'un ton accusateur.

Molly rougit.

— Bien sûr que non ! Je ne vais quand même pas me laisser embrasser par mon comptable.

— C'est bien ce que je pensais, dit Kelsey en lançant à Tessa un regard entendu. Un pauvre petit agneau naïf.

— Nous avons du pain sur la planche, renchérit Tessa. Impossible de la laisser sortir comme cela, sans préparation. La malheureuse ne s'en tirera pas vivante.

— Mais enfin, de quoi parlez-vous, toutes les deux ? demanda Molly.

— Avec les hommes, de nos jours, c'est la jungle, déclara Tessa. Mais ne t'inquiète pas, Kelsey et moi allons te faire bénéficier de nos conseils éclairés.

À peine descendu de voiture, Harry remarqua l'étrange boîte noire posée devant la porte de Molly. Machinalement, il fit passer au creux de son bras gauche la gerbe de roses thé et gravit les marches du perron en examinant l'objet.

Il supposa d'abord qu'un livreur était passé plus tôt et avait laissé le colis devant la porte, faute de réponse à son coup de sonnette. Sa deuxième pensée fut de se dire que, si personne n'avait ouvert, cela signifiait que Molly n'était pas chez elle et avait donc oublié leur rendez-vous.

Partagé entre la colère et la déception, il se reprochait de ne pas l'avoir appelée dans l'après-midi pour confirmer quand il distingua le fil de fer qui allait du couvercle de la boîte à la poignée de la porte. Celle-ci, s'ouvrant vers l'intérieur, déclencherait donc l'ouverture du couvercle.

Une mauvaise plaisanterie ? Un diable jaillissant de la boîte ou quelque chose de ce genre ? Harry finit de gravir les marches sans quitter la boîte des yeux.

C'est alors que son instinct se manifesta : non, il ne s'agissait pas d'une plaisanterie. Ou alors, d'une plaisanterie plus que douteuse. Mortelle, peut-être.

Il entendit un léger bruit derrière la porte. Molly l'avait vu arriver et s'apprêtait à lui ouvrir.

Harry lâcha la gerbe de roses et bondit vers la boîte.

— N'ouvrez pas ! hurla-t-il.

— Harry, c'est vous ? fit la voix de Molly. Que se passe-t-il ?

Le vantail s'entrebâilla, la tête de Molly apparut. Le fil de fer tendu arracha le couvercle. Il y eut un bourdonnement mécanique, une tige télescopique émergea de la boîte.

Au bout de la tige, il y avait un pistolet.

Et le pistolet était braqué sur Molly.

4

Harry entendit un déclic inquiétant, se jeta sur la boîte et, d'un revers du bras, la fit basculer du haut du perron. En effleurant l'arme du bout des doigts, il eut l'impression de quelque chose d'anormal qu'il ne put définir avant d'aller buter, emporté par son élan, contre le mur de la maison. Il reprit son équilibre et suivit des yeux la boîte dégringolant les marches. Juste avant d'atterrir sur le sable de l'allée, le pistolet cracha un morceau d'étoffe qui s'étala à demi en touchant le sol.

Du pas de la porte, Molly regardait la scène avec effarement.

— Pour l'amour du ciel, que se passe-t-il ?… Vous réagissez vite, ajouta-t-elle.

— Oui, quand il le faut.

Harry dévalait déjà les marches afin d'observer de près le pistolet à surprise. Un petit drapeau blanc émergeait du canon au bout d'une tige de bois. Harry le retourna du pied et découvrit une inscription en lettres rouges : BOUM ! T'ES MORTE !

— Il y a de mauvais plaisants dans le quartier, lâcha-t-il en prenant une profonde inspiration. Ça va, Molly ?

— Bien sûr. Et vous ?

— Très bien.

— Je le constate, dit-elle avec un large sourire. Votre méthode pour briser la glace d'un premier rendez-vous est pour le moins originale.

— Josh me disait récemment que, n'étant pas sorti depuis longtemps, j'avais sans doute perdu la main. Mais ce cadeau de mauvais goût n'est pas le mien, dit-il en désignant la boîte démantibulée. Je vous avais apporté des fleurs.

— C'est vrai ?

Molly remarqua alors les roses éparpillées au pied du perron et descendit les ramasser.

— Elles sont superbes ! Comment saviez-vous que les roses thé sont mes préférées ?

— Un heureux hasard.

Il s'abstint d'avouer que Josh avait suggéré les fleurs à la dernière minute. De toute façon, pensa-t-il, l'idée lui serait sans doute venue d'elle-même en cours de route. Il était peut-être rouillé, mais pas complètement idiot.

Pendant que Molly reconstituait la gerbe, Harry ne la quitta pas du regard. Elle portait ce soir-là une petite robe rouge à boutons dorés sous une courte veste de coupe presque militaire. Elle avait discipliné sa chevelure, si floue d'habitude, en la retenant derrière les oreilles par de petites barrettes. Des sandales à lanières mettaient en valeur la gracieuse cambrure de ses pieds. N'ayant encore jamais vu Molly vêtue autrement que de stricts tailleurs, Harry était agréablement surpris de son changement d'allure.

— Elles n'ont pas trop souffert, dit-elle en finissant de ramasser les roses.

— Laissez donc, elles sont fichues.

— Pas du tout ! Seules deux ou trois sont un peu abîmées.

Harry n'insista pas et tourna de nouveau son attention vers la boîte noire au pistolet.

— Auriez-vous une idée sur celui qui vous a déposé cela ? demanda-t-il.

Molly lança à l'objet un regard distrait.

— Aucune. On dirait le travail d'un des camarades de ma sœur. Pour des garçons qui s'apprêtent à entrer à l'université, certains sont encore assez puérils.

Harry s'efforça de repousser l'impression d'anormalité qu'il avait éprouvée au moment de bousculer la boîte et qui revenait le tracasser – réaction, somme toute, compréhensible : le seul fait de voir un pistolet braqué sur Molly avait de quoi lui donner des sueurs froides.

— Les camarades de votre sœur seraient donc friands de ce genre de mauvaises plaisanteries ?

— Kelsey ayant hérité, comme je vous l'ai déjà dit, du talent inventif de la famille, elle fréquente des jeunes qui ont les mêmes centres d'intérêt qu'elle. Ils sont bien gentils, même si certains ont un sens de l'humour parfois discutable. Je sais qu'il leur arrive de passer des week-ends entiers à se jouer les uns aux autres des tours plus ou moins pendables.

Harry se détendit un peu.

— Si je comprends bien, vous avez déjà eu l'occasion d'apprécier leurs talents ?

— Quand on grandit dans une famille et une maison comme les miennes, on apprend vite à ne plus s'étonner de rien, dit-elle en riant. Rentrons, que je mette ces roses dans l'eau avant qu'elles se fanent.

Harry ramassa les morceaux de la boîte. En

palpant le pistolet, il constata que ce n'était que du plastique et du métal. Son imagination s'était emballée, voilà tout.

— Êtes-vous sûre que c'est l'œuvre d'un camarade de votre sœur ? insista-t-il malgré lui.

Molly souriait aux anges en regardant les roses thé.

— Quoi d'autre ? Sans doute un petit cadeau d'adieu. Kelsey doit partir dimanche en Californie suivre un séminaire spécial pour les futurs étudiants en sciences.

Harry l'accompagna jusque dans la cuisine, qu'il découvrit avec intérêt. Tout semblait provenir d'un vaisseau spatial de science-fiction. Placards, plans de travail, carrosseries des appareils ménagers en inox et en plastique, tout avait des formes futuristes. Un tableau de contrôle digne de la NASA occupait tout un pan de mur.

Pendant que Molly prenait un vase dans un placard, Harry déposa les débris de la boîte noire sur une grande table en inox satiné près de la fenêtre.

— Où est votre sœur, ce soir ? s'enquit-il en se penchant sur le faux pistolet.

— Elle est sortie avec des amis.

— Lesquels d'entre eux ignoraient qu'elle serait sortie ce soir ?

Molly remplit le vase au robinet de l'évier et entreprit d'y disposer les roses.

— Aucune idée. Un certain nombre, sûrement. Pourquoi ?

— Celui ou ceux qui ont installé cet engin devaient croire qu'elle serait à la maison.

— Oui, sans doute…

Molly hésita avant de jeter une rose à la tige brisée dans un réceptacle métallique d'aspect bizarre.

On entendit un léger bruit de succion et la fleur se volatilisa. Pendant ce temps, Harry enlevait sa veste, l'accrochait au dossier d'une chaise et s'installait devant les pièces de la machine.

— Comment allume-t-on ? demanda-t-il en jetant un regard perplexe à l'étrange luminaire pendu au plafond.

— Le bouton rouge au milieu de la table.

Un petit panneau de boutons multicolores était incrusté dans l'acier. Harry posa le doigt sur le rouge. Une lumière vive mais non éblouissante baigna la surface de la table.

— Remarquable, observa-t-il.

— Merci… Ces roses sont vraiment superbes, Harry, poursuivit-elle en contemplant le bouquet. Aussi loin que mes souvenirs remontent, personne ne m'avait encore offert des fleurs. Je ne sais comment vous remercier.

— C'est la moindre des choses, voyons.

Il devait décidément à Josh une fière chandelle.

— Si vous voulez bien m'excuser, je vais chercher mon sac. J'en ai pour une minute.

— Prenez votre temps.

Déjà penché sur le mécanisme de la tige télescopique sur laquelle était fixé le pistolet, il entendit Molly sortir de la cuisine et les hauts talons de ses sandales claquer sur le carrelage du hall. Les femmes en ont toujours pour plus d'une minute, se dit-il. Sur quoi, il retroussa ses manches et commença à démonter le mécanisme.

— Je suis prête, Harry, déclara Molly à peine trois minutes plus tard.

Le ressort que Harry venait d'extraire frémissait à côté d'autres pièces soigneusement alignées devant lui.

— Deux minutes, dit-il sans lever les yeux.

— Hum…, fit Molly avec une moue sceptique.

Trois quarts d'heure plus tard, une pizza aux artichauts et tomates confites sortit fumante du Centre de Stockage et de Préparation des Aliments (brevet Abberwick). Pour l'accompagner, Molly sélectionna dans les réserves de la Cave Automatique (brevet Abberwick) un robuste cabernet de l'État du Washington. Après une brève réflexion, elle composa sur le panneau de contrôle du Centre de Stockage et de Préparation, section Produits Frais, le code d'une romaine au roquefort. Un léger bourdonnement lui indiqua que la machine exécutait son ordre en lavant et en essorant les feuilles.

Molly prit alors la surprenante décision de disposer elle-même les morceaux de fromage sur la salade. La présence d'un homme dans la maison expliquait-elle cette soudaine envie d'imprimer une touche personnelle à une préparation culinaire ? S'il s'agissait d'un élan instinctif venu du plus profond de sa nature féminine, se rassurat-elle, il serait sûrement évanoui dès le lendemain matin. De telles impulsions irraisonnées ne durent jamais longtemps…

Lorsqu'elle fut prête à servir le repas, Harry avait achevé le démontage complet de la machine infernale. Les pièces occupaient toute la surface de la table sans laisser de place aux assiettes et aux couverts.

Molly examina Harry à la dérobée et l'image de l'alchimiste lui revint à l'esprit. Il s'absorbait dans son travail avec une concentration si intense qu'elle était presque tangible. Elle se demanda malgré elle s'il faisait l'amour avec une attention aussi méticuleuse – pensée qui la fit rougir jusqu'à la racine des cheveux. Heureusement, trop occupé par un petit moteur électrique, Harry ne le remarqua pas.

Molly pressa un bouton. Une autre table en inox se détacha du mur et vint se placer dans le prolongement de celle que Harry avait transformée en établi.

— Eh bien, docteur, quel diagnostic ? demanda-t-elle en disposant la pizza et la salade sur cette nouvelle surface.

Harry s'arracha enfin à son ouvrage. Il cligna les yeux à plusieurs reprises comme pour s'éclaircir les idées et remarqua en face de lui la présence des comestibles.

— Qu'est-ce que c'est ? s'étonna-t-il.

— Le dîner. Je ne sais pas si c'est votre cas, mais moi, je meurs de faim, répondit Molly avec bonne humeur.

Harry jeta un regard à sa montre. Une lueur d'angoisse traversa ses yeux d'ambre.

— Bon sang… j'ai réservé pour sept heures et demie !

— Vous *aviez* réservé pour sept heures et demie, dit calmement Molly en lui tendant une serviette. Notre table a sûrement été attribuée à quelqu'un d'autre dès huit heures.

Harry laissa échapper un grognement de dépit.

— Je suis sincèrement désolé. Je vais appeler le restaurant, ils pourront peut-être nous caser à neuf heures.

— Pas la peine. Je tombe d'inanition et la pizza est prête. J'espère que vous aimez les artichauts et les tomates confites, j'avais envie ce soir d'une combinaison inédite.

Il accorda à la pizza un regard approbateur.

— C'est vous qui l'avez préparée ?

— Si on veut. J'ai choisi les ingrédients…

Molly pressa de nouveau un bouton, ce qui fit apparaître de sous la table un tiroir contenant les couverts.

— En réalité, reprit-elle, c'est le Centre de Stockage et de Préparation des Aliments qui a tout exécuté. Sauf la répartition des morceaux de roquefort sur la salade, ajouta-t-elle modestement. Je l'ai faite moi-même.

Harry se tourna vers l'imposant appareil, dont la façade d'acier inoxydable occupait un mur entier.

— Extraordinaire… Une invention de votre père ?

— Bien sûr. Il a essayé de la vendre à tous les grands fabricants d'appareils ménagers. Ils lui ont répondu qu'il était inconscient, que leur activité consistait à vendre aux consommateurs le plus grand nombre possible d'appareils différents exécutant des tâches domestiques précises et de les renouveler le plus souvent possible. Une seule machine capable de tout faire avec efficacité et assez solide pour durer des années les mènerait à la faillite.

— Ainsi périssent beaucoup de grandes inventions…

Harry prit une part de pizza, en mordit une grosse bouchée qu'il mastiqua longuement.

— Ne m'en veuillez pas, reprit-il après avoir dégluti. Quand je m'absorbe dans un travail intéressant, j'ai tendance à perdre la notion du temps.

— Le syndrome m'est familier, dit Molly en souriant.

— À cause de votre famille d'inventeurs ?

— Et parce qu'il m'arrive d'y succomber, moi aussi.

— Ça me console un peu. Mais je ne me réjouis pas de devoir expliquer à Josh ce qui s'est passé ce soir.

— Pourquoi ? Quel rapport avec notre rendez-vous ?

— Il m'a infligé un sermon sur la manière de se conduire avec les femmes qu'on invite à sortir. Il estimait sans doute que j'étais depuis si long-temps en dehors du coup que je me tiendrais mal… et il n'avait pas tort.

Molly faillit s'étrangler avec sa bouchée de pizza et parvint à l'avaler avant de donner libre cours à son hilarité.

— Ah bon ! Vous aussi ?

Un sourcil de Harry exprima sa perplexité.

— Que voulez-vous dire ?

— J'ai eu droit au même sermon de la part de ma sœur et de Tessa, mon assistante.

— Agaçant, n'est-ce pas ? approuva-t-il en mordant dans la pizza. En ce qui concerne Josh, je le soupçonne d'avoir voulu se venger de tous les sages conseils dont je l'abreuvais quand il était à l'école.

— Vous vous êtes beaucoup occupé de lui dans son enfance ?

— Josh est venu vivre avec moi après la mort de son père. Il avait douze ans, sa mère était morte accidentellement au cours du montage d'un manège quand il était bébé.

— Vous avez élevé Josh depuis l'âge de douze ans ? s'écria Molly avec incrédulité.

— Je ne suis pas certain qu'*élever* soit le terme approprié. Je n'avais aucune idée de ce que je faisais, mais, heureusement pour lui comme pour moi, Josh était un gamin en or. En dépit de mon inexpérience, il a très bien tourné.

— Ma sœur Kelsey était toute petite à la mort de ma mère, dit Molly avec un sourire mélancolique. Papa nous aimait bien toutes les deux, il nous fabriquait des jouets fabuleux, mais il restait avant tout un inventeur distrait.

— Le besoin d'inventer tourne facilement à l'obsession, commenta Harry.

— Parlons-en, justement. Papa me donnait parfois l'impression d'oublier jusqu'à l'existence de sa famille. La situation a empiré après la mort de ma mère. Je crois qu'il cherchait dans son travail un antidote à son chagrin.

— Vous vous efforciez donc de remplir auprès de Kelsey le rôle de ses deux parents ?

— Je la vois encore lever les yeux au ciel lorsque je lui faisais la morale ! dit Molly en souriant.

— Josh en faisait autant, mais il a survécu à mes maladresses. Il entame sa deuxième année d'université cet automne et entend poursuivre ses études jusqu'à un doctorat.

— Il marche sur vos traces, alors ?

— Que puis-je en dire ? En tout cas, il a sur les épaules une tête bien faite.

— Kelsey aussi, déclara Molly avec une évidente fierté. Elle participe cet été à un séminaire réservé aux meilleurs élèves des *high schools*. À l'université, elle sera comme un poisson dans l'eau.

— Josh aussi. Seize de moyenne en première année…

Molly ne put s'empêcher d'éclater de rire.

— Qu'ai-je dit de si drôle ? s'étonna Harry.

— Écoutez-nous ! On croirait de vieux parents qui se congratulent sur les brillants succès de leurs rejetons.

— J'ai au moins une excuse, riposta Harry. J'ai déjà trente-six ans. Vous en êtes encore loin.

— J'en aurai trente à la fin du mois ! protesta Molly avec une moue de dépit. Comme le temps passe, grand Dieu !

Harry mastiqua un moment sa pizza en silence.

— Vous ne vous êtes jamais mariée ? demanda-t-il enfin.

— Non. Il y a dix-huit mois, je pensais que, peut-être… Bref, ça n'a pas marché. Et vous ?

— Moi aussi, j'étais fiancé il y a un an et demi.

Molly se figea un court instant.

— Et alors ?

— Alors, rien. Elle a changé d'avis pour épouser un de mes cousins de la branche Stratton. Brandon Stratton Hughes.

— Dommage, hasarda Molly.

— Non, tant mieux. Avec le recul, je puis affirmer sans me tromper que notre mariage aurait tourné au désastre.

— Pourquoi ?

— Olivia et moi étions trop mal assortis. Elle est psychologue de profession, elle n'arrêtait pas de vouloir me psychanalyser. Et je crois, poursuivit Harry en hésitant, que ce qu'elle découvrait en moi ne lui plaisait pas.

— Je vois…

De fait, sous l'apparente désinvolture de cette explication, Molly discernait un flot de sentiments puissants, encore mal maîtrisés. Il y a là-dedans, pensa-t-elle, bien plus que le peu qu'il dévoile.

— Je me demandais, reprit-elle pour justifier son silence, quel était le point de vue d'Olivia sur vos rapports.

— Je crois pouvoir décrire ses sentiments à

mon égard par la formule : « Des heures d'ennui ponctuées par des instants de terreur. »

Déconcertée, Molly le dévisagea. Il lui fallut un moment pour retrouver sa voix.

— De… terreur ?

— Oh ! rien de violent, ni même de captivant. Olivia aurait probablement usé du terme « perversité ».

Molly crut voir Harry rougir.

— Hmmm… la perversité n'est pas toujours un défaut, déclara-t-elle en s'efforçant de prendre un ton blasé. Je n'en sais rien, à vrai dire, je n'ai jamais essayé.

Harry ne rougissait plus. Leurs regards se croisèrent et ne se détournèrent pas.

— Vraiment ?

Molly sentit la part de pizza trembler dans sa main. Une vague de sensualité la submergeait soudain, si intense qu'elle était presque douloureuse. Faute de pouvoir la refouler à force de volonté, elle pensa qu'il valait mieux parler pour se donner une contenance et s'éclaircit la voix.

— Ainsi…, commença-t-elle, en se creusant furieusement la tête pour trouver la suite.

— Ainsi quoi ? l'encouragea Harry, amusé de son embarras.

— Ces « instants de perversité » auraient-ils un rapport avec le don de seconde vue dont Josh parlait l'autre soir ?

La lueur amusée s'effaça du regard de Harry et fit place à une froideur impénétrable.

— Ce prétendu don de seconde vue des Trevelyan est une absurdité, je vous l'ai déjà dit. Rien de plus qu'un truc exploité par la famille dans les numéros de cirque.

— Les femmes se fient depuis toujours à leur

intuition, répliqua-t-elle. La plupart d'entre elles la considèrent comme une réalité. Il me semble tout à fait normal qu'elle ne soit pas l'apanage exclusif des femmes et que des hommes la possèdent aussi. Peut-être est-elle plus forte ou mieux implantée dans certaines familles que dans d'autres. Une forme de patrimoine génétique, en quelque sorte.

— Plutôt une forme de réelle foutaise.

— Eh bien, au moins votre position est claire !

— Excusez-moi, concéda Harry, la mine toujours sombre. Mais j'ai subi toute ma vie ces âneries sur le don de seconde vue des Trevelyan et je puis vous affirmer qu'il n'y a là-dedans pas l'ombre d'une réalité.

— En êtes-vous si certain ? répondit Molly en désignant du regard les pièces détachées étalées sur la table. Pourquoi ne serait-ce pas votre intuition qui vous rend si inquiet au sujet de cette mauvaise plaisanterie ?

— On n'a pas besoin d'un sixième sens pour comprendre que celui qui a monté cet engin déborde d'hostilité morbide.

— Les amis de ma sœur ne sont ni hostiles ni morbides ! Certains sont peut-être encore un peu puérils, voilà tout.

— Il n'empêche que quelqu'un a consacré du temps à fabriquer cet objet. Et le pistolet était braqué sur vous.

— Ce n'était sans doute que pour faire peur à ma petite sœur, je vous l'ai déjà dit.

— Je pense, au contraire, que celui qui a disposé cette boîte devant votre porte savait que vous l'ouvririez.

— C'est absurde ! Je n'ai pas d'ennemis. Non, je suis convaincue qu'il s'agit de la mauvaise plaisanterie d'un camarade de ma sœur, rien de plus.

— Vous avez peut-être plus d'ennemis que vous ne le croyez, déclara Harry en jouant avec un ressort.

— Allons donc ! Qui pourrait m'en vouloir ?

— Depuis un mois, vous avez signé plus de cent lettres de refus à des inventeurs déçus.

— La faute à qui ?… Sérieusement, s'empressa-t-elle d'enchaîner devant sa mine réprobatrice, vous ne pensez quand même pas que l'un d'entre eux aurait voulu se venger de cette façon ridicule ?

— L'hypothèse n'est pas à écarter. À mon avis, vous devriez prévenir la police.

— Grand Dieu ! s'exclama Molly, horrifiée à l'idée de faire interroger les amis de Kelsey. Je crois vraiment que vous exagérez ! Ce n'est qu'une mauvaise farce.

— Peut-être. Mais si ce n'était pas le cas, mieux vaut déposer une plainte pour prendre date et…

Le bruit de la porte d'entrée l'interrompit.

— Ce doit être Kelsey, dit Molly.

Soulagée de cette interruption, elle se leva et courut vers le hall d'entrée.

— Bonsoir, Kelsey ! lança-t-elle. Le film était bon ?

— Molly ! s'écria sa sœur, étonnée. Que fais-tu à la maison d'aussi bonne heure ? Et ton rendez-vous avec T-Rex ? Ne me dis pas qu'il t'a posé un lapin, après tout le mal que tu t'es donné pour trouver une jolie robe !

— T-Rex ? murmura Harry qui se tenait derrière Molly.

Le rouge aux joues, Molly fusilla sa sœur du regard.

— Harry est ici. Nous sommes restés dîner.

Kelsey se mordit les lèvres, sans paraître repentante pour autant.

— La gaffe… Désolée.

— Viens que je te présente.

Kelsey s'approcha en dévisageant Harry avec curiosité.

— Bonsoir !

— Bonsoir, répondit Harry en se levant. Je regretterai sans doute d'avoir posé la question, mais puis-je savoir d'où me vient ce sobriquet ?

— T-Rex ? fit Kelsey de son air le plus innocent. C'est Molly qui l'a inventé parce que vous déchiquetiez à belles dents les demandes de subvention. Et comme votre nom commence par un T, cela cadrait parfaitement. Vu ?

— Vu.

Harry coula à Molly un regard en coin. Les yeux clos, Molly espéra que son impression d'avoir pris la couleur d'une tomate mûre n'était que le fruit de son imagination.

— Mais je ne voulais pas vous déranger, reprit Kelsey avec une horripilante ingénuité. Je suis rentrée tout de suite après le film, au lieu d'aller avec les autres chez Robin comme prévu. Je voulais finir mes valises parce que je pars pour la Californie dimanche matin.

— Je suis au courant, dit Harry. Un séminaire de sciences, n'est-ce pas ?

— Oui. Mais qu'est-ce que c'est ? demanda-t-elle en désignant l'étalage de pièces détachées sur la table.

— Ce qui reste d'une mauvaise plaisanterie qu'un de tes camarades a voulu me faire ce soir, intervint Molly. Je soupçonne Danny ou Calvin. Le pistolet a fait feu quand j'ai ouvert la porte, mais au lieu d'une balle c'est un petit drapeau qui est sorti du canon.

— C'est idiot, ce truc...

Kelsey s'approcha de la table.

— Je ne crois pas que Danny ou Calvin soient coupables, reprit-elle après avoir examiné les pièces.

Un éclair d'intérêt traversa le regard de Harry.

— En êtes-vous sûre ? Pourquoi ?

— D'abord, ils ont l'un et l'autre dépassé depuis belle lurette le stade des farces infantiles. Et puis, cela ne ressemble ni à l'un ni à l'autre. Danny est un mordu des ordinateurs. Tout ce qu'il fabrique comporte des éléments électroniques et des programmes compliqués. Calvin est fana de chimie, il ne fait jamais rien sans produits chimiques.

— Bien raisonné, approuva Harry. La conception est assez simpliste et la réalisation peu soignée. Parmi vos amis, n'en voyez-vous aucun qui aurait tendance à bâcler son travail ?

— Voyons... Robin néglige souvent les détails de ses prototypes, mais je ne l'imagine pas perdre son temps sur ce genre de bêtise. Lucas est resté plutôt jeune pour son âge, si vous voyez ce que je veux dire. Je lui téléphonerai demain matin pour le cuisiner.

— Écoutez vous deux, intervint Molly fermement, restons-en là. L'incident est clos, n'y pensons plus. Qui veut de la glace ? enchaîna-t-elle avec un enthousiasme un peu forcé.

Harry jeta un coup d'œil à sa montre.

— Merci, mais il est temps que je m'en aille...

— Eh ! Ne vous croyez pas obligé de partir à cause de moi ! l'interrompit Kelsey. Je disparais dans ma chambre, vous ne vous douterez même pas de ma présence !

— Non, inutile. J'ai assez gâché la soirée comme cela.

— Pas du tout ! Je l'ai trouvée très intéressante, au contraire ! protesta Molly en pensant à ce que Harry lui avait révélé de lui-même à son insu.

Il fit une moue de scepticisme.

— Dans ce cas, puis-je vous convaincre d'accepter une autre invitation ?

— Absolument, répondit-elle sans hésiter.

— Pourquoi pas demain soir, samedi ?

— Impossible, je dois dîner avec ma tante et son fiancé.

— Dommage… Je serai absent dimanche toute la journée, je vais à Hidden Springs voir le grand-père de Josh… Vous ne voudriez pas m'accompagner, par hasard ? ajouta-t-il après une brève hésitation.

— Ce serait avec plaisir, mais Kelsey part dimanche matin et je dois la conduire à l'aéroport.

— Hidden Springs n'est qu'à une heure de route. Je peux attendre que vous ayez mis Kelsey dans son avion.

— Accepte donc ! intervint Kelsey. Cela ne te fera pas de mal de te changer les idées.

Molly réfléchit un instant.

— Allons, d'accord ! Pourrons-nous faire un tour de foire ? Je n'y suis pas allée depuis des éternités.

— Bien sûr, approuva Harry.

— C'est vrai, Molly ! renchérit Kelsey. Quand as-tu fait un tour de grande roue et mangé de la barbe à papa pour la dernière fois ?

— Je ne sais même plus… Des années, en tout cas.

— Tout ce que vous voudrez mais, de grâce, pas de barbe à papa ! s'écria Harry avec une grimace de douleur.

Molly pouffa de rire.

— Soit, je me contenterai de pop-corn ou de sucre d'orge ! Mais seulement si vous me promettez de me faire gagner un gros animal en peluche.

— Pas de problème, à condition que la loterie appartienne à un membre de la famille. Sans piston sérieux, les chances de gagner sont infinitésimales.

— Les loteries et les jeux sont donc tous truqués, dans les foires ? s'étonna Kelsey.

— Disons que les chances de gagner ne sont pas systématiquement calculées en faveur des joueurs, répondit-il.

— Je parie que vous gagneriez de toute façon, Harry, affirma Molly avec un battement de cils.

Il la fixa d'un regard pénétrant avant de répliquer :

— N'oubliez pas les longues heures d'ennui qui préludent aux brefs instants dont nous parlions.

Molly se troubla, sentit son pouls s'accélérer. Le regard de Harry lui donnait le vertige.

— Je ne suis pas sujette à l'ennui. Et puis, ajouta-t-elle en disant la première chose qui lui venait à l'esprit, au pire, je pourrai toujours trouver de quoi me distraire.

Le sourire qu'il lui décocha était infiniment séduisant.

— J'espère que nous n'en arriverons pas là.

Le samedi matin, Harry entra à l'aquarium de Seattle. Il aimait sa solitude et sa fraîcheur glauque lorsqu'il voulait réfléchir en paix.

Fasciné, il observa un gymnote assoupi au fond

d'un bassin. Cette étrange créature en forme d'anguille géante, capable de foudroyer ses proies d'une décharge électrique, lui paraissait aussi peu vraisemblable que le fait d'avoir invité Molly à venir avec lui à Hidden Springs.

Une demi-heure auparavant, hors d'état de se concentrer sur son travail, il avait décidé de se rendre à l'aquarium afin de chercher à comprendre ce qui l'avait poussé à agir ainsi la veille au soir. Car il n'avait jamais eu l'intention de mêler, si peu que ce soit, ses rapports avec Molly aux complications de sa vie familiale.

L'animosité latente entre les Stratton et les Trevelyan éclatait rarement en conflit ouvert, pour la simple raison que Harry veillait à ce que les deux clans n'entrent jamais en contact. Il constituait le seul lien entre les familles ennemies et, d'un côté comme de l'autre, chacun avait précisé qu'il entendait maintenir strictement cet état de fait.

Pour les Stratton, les Trevelyan, à l'unique exception de Harry, formaient une sous-humanité particulièrement méprisable. Ils n'avaient jamais pardonné à Sean Trevelyan d'avoir eu l'audace d'épouser Brittany Stratton, la princesse de la famille. Qu'elle ait suivi Sean de son plein gré ne changeait rien à leurs yeux.

Les Trevelyan n'avaient pas une meilleure opinion des Stratton, qu'ils regardaient comme un ramassis de snobs dégénérés. Ils imputaient à la déplorable influence des Stratton le fait que le père de Harry ait déserté et trahi sa famille.

Résolu à tenir Molly à l'écart de ce panier de crabes familial, Harry ne s'expliquait pas pourquoi il l'avait invitée à l'accompagner à Hidden Springs. Cette impulsion irraisonnée l'inquiétait au point de l'avoir tenu en éveil une partie de la nuit.

D'habitude, son cerveau fonctionnait de manière claire, précise et ordonnée – sauf quand ses *intuitions* se manifestaient. Si ses sentiments envers Molly participaient de la nature irrationnelle de ces éclairs de connaissance paranormale, il pouvait se faire du souci.

Un frémissement menaçant parcourut le gymnote, dont le regard impassible et glacé croisa celui de Harry à travers la paroi de verre. Avec une sorte d'envie, ce dernier se représenta le degré primitif d'évolution du cerveau de la bête. Pour elle, rien n'était complexe. Elle n'avait pas à affronter de problèmes familiaux insolubles, elle n'était pas à cheval entre deux mondes antagonistes. Elle ignorait le regret, la mélancolie. Et la peur qu'inspire l'inexplicable attrait pour des chaînes auxquelles on ne veut pas se soumettre…

Quelqu'un s'arrêta devant le bassin. Harry toisa le nouveau venu d'un bref coup d'œil avant de reprendre sa contemplation de l'anguille géante. Il avait reconnu sans surprise excessive Brandon Stratton Hughes, son cousin.

— Tu n'es sans doute pas venu par hasard, lui dit-il.

Brandon s'assura d'un regard circulaire que les rares visiteurs étaient hors de portée de voix.

— Je suis passé chez toi, ta gouvernante m'a dit que tu étais descendu ici. Une manière coûteuse de tuer le temps, non ? Le billet d'entrée n'est pas donné.

— J'ai un abonnement annuel. J'aime venir ici réfléchir tranquillement.

— Cela ne m'étonne pas de toi.

Harry n'entretenait pas de rapports très étroits avec Brandon, mais, à part Josh, il n'en avait pas non plus avec les autres membres de sa famille.

En dehors de leurs gènes Stratton, Brandon et lui n'avaient presque rien de commun.

De quatre ans plus jeune que Harry, Brandon avait la stature athlétique, les yeux bleus, les cheveux blonds et l'allure aristocratique propres aux mâles Stratton depuis plusieurs générations. Brandon occupait aussi la position enviable de vice-président de la firme familiale de promotion immobilière, Stratton Properties, Inc.

— Alors ? dit Harry. Tu devais avoir vraiment envie de me parler pour te fendre de quatre dollars.

— J'irai droit au fait. Olivia t'a-t-elle appelé aujourd'hui ?

— Non.

— Et ma mère ?

— Je n'ai rien eu non plus de tante Danielle. Pourquoi ?

— Elles sont toutes les deux un peu… contrariées.

— À quel sujet ?

Brandon prit une profonde inspiration.

— Autant que tu sois un des premiers à l'apprendre : j'ai décidé de quitter Stratton Properties et de m'installer à mon compte. Je monte une société de gestion immobilière.

Harry laissa échapper un léger sifflement.

— Voilà une résolution qui a dû te rendre populaire.

— J'ai lâché ma bombe hier soir. Depuis, ma mère est dans tous ses états. Grand-père est fou de rage. Oncle Gilford m'a déjà copieusement engueulé trois fois.

— Normal, estima Harry. Et Olivia ?

— Pour Olivia, je commets une erreur monumentale. Elle prétend que ma décision n'est pas fondée sur une évaluation rationnelle de la situation mais dérive de mon désir de me rebeller contre un grand-père dominateur à l'excès et une mère abusivement protectrice.

— Tu es en effet pourvu de l'une et de l'autre. Remarque, le reste de la famille n'a pas grand-chose à leur envier.

— Bon sang, Harry, j'irai jusqu'au bout ! déclara Brandon en serrant les poings. Je veux me libérer du carcan familial.

— Ce ne sera pas commode.

— Tu y es arrivé, toi ! Tu as envoyé grand-père à tous les diables quand il a voulu te forcer à entrer dans l'affaire. Tu as même renoncé à ton héritage. Grand-père avait beau te menacer de te rayer de son testament, tu as tourné le dos à l'argent Stratton comme s'il n'existait pas.

— Il voulait me le faire payer trop cher en exigeant que je dise que je n'étais pas un Trevelyan.

Les poings de nouveau serrés, Brandon se tourna face à son cousin :

— Je me libérerai des chaînes de la famille, moi aussi !

— D'accord.

— Qu'est-ce que ça signifie, *d'accord* ?

Harry haussa les épaules.

— Que voudrais-tu que je te dise ?

— Je ne veux pas que tu me dises quoi que ce soit. Je te demande simplement ta parole de ne pas t'en mêler si Olivia ou ma mère te chargent de me faire changer d'avis.

— Je ne chercherai sûrement pas à t'empêcher de quitter Stratton Properties, promit Harry. À quel titre, d'ailleurs ? Si tu veux tourner le dos à un job lucratif et prendre des risques, c'est toi seul que cela regarde. Souviens-toi seulement qu'avec les Stratton tu le paieras d'une manière ou d'une autre.

— Tu veux dire que grand-père me rayera de son testament, comme toi ?

— C'est probable.

— Je n'en mourrai pas ! déclara Brandon en se redressant.

Sous le défi, Harry perçut une sourde angoisse.

— Que pense Olivia de cette éventualité ?

— Olivia est ma femme, elle m'aime, déclara Brandon comme pour s'en convaincre lui-même. Elle me soutiendra.

Harry s'abstint de répondre. Il n'était pas apte à juger de la fermeté des sentiments d'Olivia : ne s'était-il pas lourdement trompé, un an et demi plus tôt, quand il avait cru qu'Olivia l'aimait ?

5

— Alors, Molly, avez-vous mis à exécution votre menace de renvoyer votre prétendu ingénieur-conseil ?

Ce disant, Cutter Latteridge trancha dans l'épais steak saignant qui occupait plus de la moitié de son assiette. Le jus sanguinolent rejaillit sur le monticule de crème fraîche couvrant la pomme de terre au four. Molly préféra détourner les yeux du spectacle pour regarder sa tante, assise en face d'elle à côté de son cher et tendre fiancé.

— J'ai décidé d'accorder une autre chance à Trevelyan, répondit-elle. De toute façon, je n'ai guère le choix. Les experts possédant des qualifications comparables aux siennes dans ce domaine sont plus que rares.

— Je sais, ma chérie, répliqua Venicia. Il n'empêche, il n'a pas encore approuvé un seul dossier.

— Certes, mais je ne perds pas espoir.

— Bien sûr. C'est quand même dommage de penser à tout cet argent qui dort sans servir à rien ni à personne. Jasper en aurait été amèrement déçu, le pauvre.

Molly se borna à sourire. Elle éprouvait beaucoup d'affection pour sa tante, qui lui avait prodigué réconfort et consolations pendant la douloureuse période ayant suivi la mort de sa mère. Après le trépas des frères Abberwick dans leur malheureuse expérience aérienne, elles avaient pleuré de concert et s'étaient consolées l'une l'autre.

Venicia était une quinquagénaire énergique et replète, qui s'adonnait à sa passion pour les excentricités vestimentaires les plus débridées depuis que les chèques de royalties tombaient avec régularité dans son escarcelle. C'est ainsi qu'elle portait, ce soir-là, une sorte de combinaison de plongée en soie pourpre constellée d'étoiles dorées, d'énormes disques de mêmes couleurs aux oreilles et plusieurs kilos de chaînes et de colliers d'or autour du cou.

— Une fondation n'a pas de raison d'être si elle n'a personne à subventionner, observa Cutter, dont les sourcils gris et broussailleux ondulaient au rythme de sa mastication.

— Jasper doit se retourner dans sa tombe, renchérit Venicia. Julius et lui étaient si contents de pouvoir venir en aide aux inventeurs en difficulté ! La plus grande partie de leur vie, ils ont été en quête d'argent pour mener leurs projets à bien. Je me demande souvent pourquoi tant d'inventeurs sont incapables de gérer leurs finances.

— Parce qu'un esprit brillant et créatif vole parfois trop haut pour s'adapter aux choses terre à terre, expliqua Cutter avec une grande pénétration.

— C'est bien vrai ! soupira Venicia. Jasper, pas plus que mon mari, ne voulait se soucier de ce genre de détails. De ce point de vue-là, Jasper était même le pire des deux, il faut bien l'avouer. Il lui est arrivé de sérieux ennuis avec les banques, n'est-ce pas, Molly ?

Molly garda les yeux baissés sur son assiette et ne répondit pas. Il lui déplaisait d'évoquer devant un étranger les déplorables habitudes financières de son père. Même si Cutter Latteridge semblait devoir bientôt appartenir au clan, il n'avait pas encore franchi le pas.

— Sans Molly, poursuivit Venicia à l'intention de son futur, la famille de Jasper aurait fini à la soupe populaire. La pauvre petite a dû abandonner ses études pour gagner sa vie et leur garder un toit.

— Papa s'est rattrapé et au-delà ! protesta Molly. Ses derniers brevets nous assurent à tous largement de quoi vivre pour de longues années.

— Cet argent est quand même arrivé trop tard pour toi, ma pauvre chérie, dit Venicia. Tu avais déjà admirablement réussi dans ton affaire de thé et d'épices.

— Question de point de vue. J'ai au moins la satisfaction de ne devoir ma réussite qu'à moi-même.

— Excellente attitude ! approuva Cutter. La sagesse avec laquelle vous gérez l'argent de ces royalties mérite de chaleureuses félicitations.

— Elle agit exactement comme l'aurait souhaité Jasper, s'exclama Venicia. Dieu sait comme elle a bien élevé Kelsey et s'est montrée généreuse à mon égard ! Et malgré tout, elle s'arrange pour éviter les dépenses superflues et alimenter les caisses de la fondation.

— Admirable ! commenta Cutter avec gravité. On ne consacrera jamais assez d'argent à la recherche. C'est triste à dire, mais la recherche et le développement ont toujours été les parents pauvres de notre économie, même dans nos plus grandes entreprises. Le pays devrait pourtant investir bien davantage dans la matière grise s'il veut rester compétitif à l'échelle de l'économie mondiale. En outre…

Molly n'écoutait déjà plus. Elle n'avait rien contre Cutter Latteridge. De fait, n'était sa regrettable propension à pontifier, elle aurait éprouvé une réelle sympathie envers cet homme courtois, aux petits soins pour Venicia.

Elle ne voyait pourtant aucun inconvénient à ce que Harry se lance dans de doctes exposés, pensat-elle, amusée. Harry ne l'ennuyait jamais. Avec lui, certes, il lui arrivait de bouillir d'impatience, mais jamais de bâiller. Le regarder en silence démonter la boîte noire sur la table de la cuisine avait même été fascinant, en un sens.

Il n'en allait pas de même avec Cutter, loin de là. Ingénieur retraité, il se considérait comme un expert sur à peu près tout et n'abandonnait jamais un sujet sans l'avoir épuisé – et son auditoire avec. Le crâne dégarni et les traits épais, il était un peu plus âgé que Venicia et approchait de la soixantaine. Son teint fleuri et sa carrure trapue suggéraient une solide souche paysanne et une enfance passée dans les champs.

Molly lui avait une fois demandé pourquoi il avait pris une retraite aussi précoce. Il avait alors entrepris de lui expliquer en détail qu'un héritage imprévu le mettait à l'abri du besoin et que, de plus, il avait su profiter des avantages offerts par la compagnie où s'était déroulée sa carrière. La vie était courte, avait-il conclu avec un bon sourire. Il voulait en profiter pendant qu'il était encore assez jeune et en bonne santé pour le faire.

Inséparables depuis leur rencontre du printemps précédent au cours d'une croisière, Venicia et lui avaient annoncé leurs fiançailles un mois auparavant.

— N'êtes-vous pas d'accord, Molly ?

L'insistance de son ton ramena l'attention de Molly au monologue de Cutter.

— Excusez-moi, dit-elle avec un sourire contrit, je n'ai pas bien saisi.

— Je disais qu'il me semble un peu bizarre que votre coûteux ingénieur-conseil n'ait pas réussi à trouver de projets dignes d'être financés par votre fondation. Combien de dossiers vous ont été soumis ?

— Une centaine.

— Et ce Dr Trevelyan n'en a pas approuvé un seul ? Étrange. Selon mon expérience en entreprise, cinq à dix pour cent des recherches sont fondées sur des bases valides.

— Cinq à dix ? s'étonna Venicia.

— Au bas mot, confirma Cutter en poursuivant la découpe systématique de sa viande. Je ne dis pas qu'elles justifieraient toutes d'être menées à terme, mais elles mériteraient au moins une sérieuse considération.

Molly se sentit moralement obligée de prendre la défense de Harry :

— On ne peut pas se fier aux statistiques. Une centaine de projets ne constitue pas d'échantillonnage significatif.

— Exact, approuva Cutter. On est quand même en droit de s'interroger sur les idées que ce Dr Trevelyan peut avoir derrière la tête.

— Que voulez-vous dire ? demanda Molly sèchement.

— Rien, sans doute. Néanmoins…

— Néanmoins quoi ?

— Je ne saurais trop vous recommander la plus

113

grande vigilance, ma chère petite, poursuivit-il d'un air soucieux. Vous êtes encore jeune dans ce métier. Il y a beaucoup d'argent à gagner dans une fondation sans but lucratif. Une personne peu scrupuleuse profiterait de la position qu'occupe Trevelyan pour amasser une petite fortune en honoraires.

Molly se sentit inexplicablement vexée par cette mise en garde, somme toute raisonnable, venant d'un homme bénéficiant d'une plus grande expérience qu'elle.

— Je ne pense pas que Harry profiterait de sa position pour me voler. Je sais que beaucoup d'escrocs tournent autour de fondations comme la mienne dans l'espoir de les exploiter, mais je peux vous assurer que Harry Trevelyan n'en fait pas partie.

— Les plus habiles sont toujours les plus charmeurs, observa Cutter.

— Harry n'a rien d'un charmeur.

Et d'ailleurs, se remémora-t-elle, il lui avait dit la même chose presque mot pour mot.

— Je n'accuse personne, déclara Cutter. Je me borne à souligner que les coûts administratifs des associations à but non lucratif sont souvent difficiles à maîtriser et que le responsable d'une fondation telle que la vôtre, Molly, doit rester sur ses gardes. Un point, c'est tout.

— Et moi, je vous répète que Harry Trevelyan n'est ni un fraudeur ni un aigrefin. Un point, c'est tout.

— Cutter a raison, ma chérie, intervint Venicia. On n'est jamais trop prudent.

Les dents serrées, Molly planta sa fourchette dans ses spaghettis. Toute sa vie, les circonstances l'avaient forcée à être prudente. Ses responsabilités avaient été trop lourdes et trop nombreuses pour qu'elle s'accorde le luxe de prendre le moindre risque. À la veille de ses trente ans, un espoir de changement apparaissait enfin dans son existence dénuée d'imprévu. Si elle voulait courir au-devant de cet espoir, elle était parfaitement libre de ses actes.

Molly parvint à plaquer un sourire sur ses lèvres.

— Tu me connais, tante Venicia, je suis la prudence incarnée. Je resterai sur mes gardes.

Molly examina une dernière fois Kelsey de la tête aux pieds alors que les passagers commençaient à embarquer.

— Es-tu sûre d'avoir pris tout ce qu'il te faut ?

— Mais oui ! répondit Kelsey, les yeux au ciel. Et si j'ai oublié quelque chose, tu pourras toujours me l'envoyer.

— Tu trouves que j'exagère, n'est-ce pas ?

— Absolument. Je ne m'en vais que pour un mois, voyons !

— Je sais, répliqua Molly avec un sourire mélancolique. Mais ce voyage est comme une répétition générale de ton départ pour l'université l'automne prochain.

Kelsey reprit son sérieux.

— J'y ai réfléchi moi aussi et j'en ai parlé à tante Venicia. Nous pensons, elle et moi, que tu devrais vendre la maison, Molly.

— Tu plaisantes ? s'exclama celle-ci, stupéfaite.

— Non, pas du tout. Elle est beaucoup trop grande pour que tu continues à y vivre seule.

— Grâce aux robots de Papa, je n'ai aucun mal

à l'entretenir. Et je sais les réparer quand ils tombent en panne.

— Je ne parlais pas seulement de sa taille. Elle est trop pleine de souvenirs, si tu vois ce que je veux dire.

— Je comprends, Kelsey, mais cela ne me gêne pas.

— Tu ne raisonneras peut-être pas de la même manière quand tu te retrouveras seule dans cette immense baraque. Tu serais beaucoup mieux et moins isolée en ville, dans un appartement moderne. Promets-moi au moins d'y penser.

— Mais cette maison est la nôtre ! protesta Molly. Nous y avons toujours vécu !

— Ce ne sera pas pareil quand je n'y serai plus.

Molly regarda cette sœur qu'elle avait élevée comme sa fille.

— J'en suis consciente, crois-moi.

Elle savait depuis toujours que ce moment viendrait. Bien sûr que rien ne serait plus pareil après le départ de Kelsey. Sa sœur mènerait désormais sa propre vie, son talent l'entraînerait loin, très loin de la vieille baraque et des souvenirs qui la hantaient. Ainsi allait le monde.

— Ne pleure pas, Molly, je t'en prie !

— Moi, pleurer ? Où vas-tu chercher cela ! répondit-elle en battant des paupières pour dissiper l'humidité qui lui brouillait la vue. Allons, va, l'heure tourne. Amuse-toi bien à ton séminaire.

— J'y compte bien, figure-toi !

Kelsey empoigna les bretelles de son sac à dos. À l'entrée de la chenille d'embarquement, elle se retourna une dernière fois.

— Tu me promets de penser à vendre la maison ?

— D'accord, j'y réfléchirai.

À peine Kelsey était-elle hors de vue que Molly pêcha un mouchoir dans son sac. Puis, s'étant rendu compte qu'il ne suffirait pas à la tâche, elle se précipita vers les toilettes.

Ce n'était pas cette promesse à sa sœur qui occupait l'esprit de Molly deux heures plus tard, pendant qu'elle roulait avec Harry sur la route de Hidden Springs, mais plutôt celle faite à sa tante la veille au soir – du bout des lèvres, il est vrai : *je serai sur mes gardes*.

Molly avait du mal à décider ce dont elle devait se soucier, la sécurité des capitaux de la fondation ou celle de son propre cœur. Car elle se soupçonnait d'être en train de tomber amoureuse de Harry Trevelyan.

Elle lui coula un regard en coin. Puissantes et souples, ses mains, posées sur le volant, contrôlaient la machine avec une parfaite sûreté. Quelles que soient les circonstances, il émanait de sa personne une compétence, une maîtrise de soi absolues. On sentait en lui une force qui imposait le respect, au sens le plus primitif du terme. Peut-être ne s'agit-il que d'un simple attrait sensuel, tenta-t-elle de se rassurer. Mais, même si ce qu'elle éprouvait n'était qu'une passion, fugace par nature, le danger n'était pas moindre car elle risquait de perdre la tête.

Prudence ! s'adjura-t-elle.

Soit, je serai prudente. Prudente comme l'alpiniste qui s'attaque à l'Everest. Prudente comme le spéléologue qui explore un gouffre inconnu. Prudente comme l'astronaute qui sort de la navette pour se lancer dans le vide intersidéral…

— Quelle est donc la marque de votre voiture ?

demanda-t-elle, désireuse de rompre le silence. Je ne crois pas en avoir vu de semblable.

— En effet, elle est encore unique en son genre. C'est un prototype de la Sneath P-2, conçue et construite par un de mes amis. Elle a une ligne de voiture de course, des performances de grande routière européenne et un moteur censé tourner des années sans avoir besoin de réglages.

— Étonnant. Pourquoi votre ami vous a-t-il fait un si beau cadeau ?

— Parce que je l'ai aidé à obtenir le capital-risque pour la construction des prototypes.

— Vos travaux vous mettent donc souvent en contact avec des financiers et des investisseurs, j'imagine ?

— Oui. Mais, contrairement à la Fondation Abberwick, ils s'intéressent au financement des projets rentables…

— Tandis que moi, enchaîna Molly en riant, je ne cherche qu'à jeter l'argent par les fenêtres.

Harry s'abstint de relever la boutade.

— Tout s'est bien passé ce matin, à l'aéroport ?

Ce brusque changement de sujet désarçonna Molly.

— Oui. Pourquoi cette question ?

— Cela fait un drôle d'effet quand ils quittent le nid, n'est-ce pas ? Votre sœur ne s'absente que pour un mois, je sais, mais elle partira pour de bon cet automne. On se rend compte à ce moment-là que rien ne sera jamais plus pareil.

— Bon, j'avoue, dit-elle avec un sourire résigné. Après son départ, je me suis enfermée dans les toilettes et j'ai pleuré toutes les larmes de mon corps. Je me sens mieux maintenant.

— C'est bien. Et puis, voyez le bon côté des choses. Plus de posters sur les murs de leur chambre, plus de nuits blanches à se ronger les ongles en attendant qu'ils rentrent. Voyez mon exemple : depuis deux ans, je revis.

Harry a tout deviné, songea-t-elle. Étant lui-même passé par là, il affecte de plaisanter du déchirement que j'ai vécu ce matin pour me faire comprendre que je dois l'accepter.

Le silence retomba, meublé par le ronronnement mélodieux du moteur. Détendue dans le moelleux siège de cuir, Molly regarda le paysage verdoyant qui défilait derrière la vitre. Au loin, la chaîne des Cascades dressait ses sommets dans le ciel bleu. L'avenir, qui lui paraissait si sombre quelques heures plus tôt, retrouvait des couleurs riantes.

Le silence se prolongeant, Molly constata d'un coup d'œil à l'horloge du tableau de bord que Harry n'avait pas dit un mot depuis près de vingt minutes. C'était moins son mutisme qui la troublait que la tension nerveuse qu'elle sentait émaner de lui.

— Quelque chose qui ne va pas ? se hasarda-t-elle à demander.

— Non, rien. Je réfléchissais, répondit-il sans quitter la route des yeux.

— Ce petit voyage ne vous plaît guère, n'est-ce pas ?

— Pas particulièrement, c'est vrai.

— Permettez-moi alors une question idiote : pourquoi vous imposer d'aller à Hidden Springs si cette visite aux membres de votre famille ne vous fait pas plaisir ?

— J'ai promis à Josh de parler à son grand-père. Léon recommence à l'empoisonner pour qu'il arrête ses études.

— Le grand-père de Josh est donc votre oncle ?

— Oui, le plus jeune frère de mon père.

— Pardonnez-moi une autre question idiote, mais pourquoi n'a-t-il pas recueilli Josh à la mort de son père ?

— Il aurait été bien en peine de le faire, il était en prison à ce moment-là.

— En prison ? Et pourquoi donc ?

— Il attendait d'être jugé à la suite d'un différend qui l'opposait au shérif du comté, répondit Harry comme si cela allait de soi.

Molly marqua une pause pour assimiler l'information.

— Un… différend ? De quelle nature ?

— Mon cher oncle Léon couchait avec la femme dudit shérif, qui les a surpris en flagrant délit dans un motel. Que ce brave homme en ait éprouvé un certain dépit est, somme toute, assez compréhensible.

— L'adultère ne constitue quand même pas un motif suffisant pour jeter les gens en prison !

— C'est pourquoi le shérif ne l'a pas accusé de liaison coupable avec l'épouse d'autrui, mais de vol de voiture.

— Vol de voiture ? répéta Molly, ahurie.

— Oui. Oncle Léon et sa belle avaient pris l'automobile du shérif afin de se rendre au motel.

— Ça alors !… C'était complètement idiot !

— En effet. Mais, de mon point de vue du moins, Josh est le premier de cette branche de la famille qui ait quelque chose dans le crâne depuis plus de trois générations. Pour rien au monde je ne permettrai à Léon de le harceler pour qu'il interrompe ses études.

— Pourquoi votre oncle le voudrait-il ?

— Léon était pilote de stock-cars dans les foires. Son fils, mon cousin Willy, père de Josh, était cascadeur motocycliste. Il s'est tué en faisant un de ses numéros. Depuis, Léon se met périodiquement en tête l'idée absurde de pousser Josh à marcher sur leurs traces.

— Je comprends votre inquiétude. Cette carrière ne me semble pas très… prometteuse.

— Parlez plutôt d'une impasse. Je ne laisserai jamais Josh gâcher aussi bêtement sa vie.

D'un geste précis, Harry manœuvra le levier de vitesses avant d'aborder la bretelle de sortie.

— Et comment comptez-vous persuader votre oncle de le laisser tranquille ? s'enquit Molly.

— De la même manière que la dernière fois, répondit-il sombrement. Par la raison.

Molly jugea plus sage de ne pas insister. Sa curiosité la poussa toutefois à poser une dernière question :

— Comment s'est terminé le procès de Léon pour vol de voiture ?

— Par un non-lieu. Le shérif a retiré sa plainte à l'audience.

— Votre oncle devait avoir un bon avocat.

— En effet. Je l'avais moi-même engagé.

Dominant majestueusement la fête foraine, la Grande Roue leur apparut en premier. Les concepteurs des manèges futuristes à la mode avaient beau faire assaut d'imagination, aucune de leurs inventions ne parvenait à ternir le charme suranné d'une grande roue ni la séduction qu'elle exerçait, dans le monde entier, sur les publics de tous les âges.

Mais Harry n'aimait pas plus les grandes roues que les autres manèges – peut-être parce qu'il venait d'une famille de forains. Bien que son père se soit retiré des affaires avant sa naissance, Harry avait souvent passé ses vacances à monter, démonter et faire fonctionner les attractions avec d'autres membres de la tribu Trevelyan. Or, nul n'ignore que les forains ne s'amusent jamais. On ne joue pas avec son instrument de travail.

Dans son cas, néanmoins, Harry avait toujours pensé que son dégoût pour ces machines, qui vous font tourbillonner en vous tordant les tripes, allait plus loin que l'indifférence blasée qu'elles inspirent au forain normal. Le sentiment d'impuissance qu'il éprouvait, sanglé dans un chariot ballotté par une force aveugle, lui était insupportable. Il avait trop longtemps et trop durement lutté afin d'affirmer sa maîtrise de soi pour accepter de l'abdiquer en faveur de quiconque, et encore moins d'une mécanique, ne serait-ce que le temps d'un tour de manège.

Molly se tordit le cou pour mieux voir la fête.

— Où allons-nous ? s'étonna-t-elle en constatant que Harry dépassait le parking du public à l'entrée.

— À l'arrière, où les forains garent leurs véhicules. Oncle Léon y sera sûrement.

À l'autre bout du champ de foire, le rassemblement hétéroclite des camions, des fourgons et des caravanes était dissimulé à la vue du public par une haute palissade contre laquelle une rangée de stands s'adossait. Harry gara sa voiture près d'un bouquet d'arbres. La brise, qui apportait des relents de graisse chaude, de pop-corn et de saucisses grillées, éveilla en lui une vague de souvenirs.

Molly remarqua sa grimace.

— Quelque chose qui ne va pas ? lui demanda-t-elle.

— Non, rien. Cette odeur me rappelle simplement les étés passés avec mes cousins Trevelyan.

Molly chassa d'une main une mèche de cheveux qui lui tombait dans l'œil et considéra Harry avec curiosité.

— Vous n'êtes pas un fana du pop-corn et des hot dogs, si je comprends bien ?

— Pas le moins du monde. Écoutez, poursuivit-il en lui prenant la main pour l'entraîner vers un groupe de caravanes, ma conversation avec l'oncle Léon n'aura rien d'agréable. Pouvez-vous trouver de quoi vous occuper pendant ce temps ?

— Bien sûr, je ferai un tour de foire.

— Alors, ne vous laissez pas harponner par les camelots qui vendent des presse-citrons-moulinettes-râpes à fromage. Ces prétendus appareils miracles ne sont que des attrape-nigauds, de la camelote.

— Voyons, Harry, leurs boniments ne risquent pas de m'impressionner ! Je suis une femme d'affaires et la fille d'un inventeur, ne l'oubliez pas.

— C'est précisément ce qui vous rend plus vulnérable, répondit-il avec un regard apitoyé.

— Je n'en crois pas un mot ! Vous me paraissez plutôt sombrer dans la paranoïa. Et maintenant, dites-moi où je vous retrouverai quand vous aurez parlé à votre oncle.

— Cherchez le stand d'une Madame Évangéline, voyante extralucide. Je vous y rejoindrai vers treize heures.

— Vu. À tout à l'heure.

Elle lui effleura le bras et s'éloigna vers la barrière. Harry la suivit des yeux jusqu'à ce qu'elle se soit fondue dans la foule. Il ne comprenait toujours pas pourquoi il l'avait amenée avec lui, mais il était content de l'avoir fait.

123

Harry traversa le campement en cherchant la caravane décrépite que Léon baptisait sa demeure. L'ayant repérée sous un arbre, près du vieux camion de son propriétaire, il frappa du poing sur la porte grillagée déglinguée, censée interdire l'accès du sanctuaire aux insectes.

— Léon ! Léon, tu es là ?

— Qu'est-ce que c'est que ce raffut ? fit une voix.

Léon soi-même apparut dans l'ouverture, clignant des yeux sous l'effet du soleil. Il reconnut Harry et dévoila sa denture en un large sourire.

— Et merde ! Te voilà enfin, mon garçon. Tu as mis le temps, je pensais que tu viendrais hier.

— Si j'avais su que tu étais si pressé de me revoir, j'aurais attendu un peu plus.

— Toi, attendre ? Mon œil ! déclara Léon en ouvrant la porte. Pour ce genre de choses, tu es réglé comme du papier à musique. Une de tes mauvaises habitudes. Entre, mon garçon.

Harry s'avança dans la pénombre de la caravane aux volets clos. Venant de l'extérieur inondé de soleil, il lui fallut un instant pour accommoder sa vision.

— Bière ? s'enquit Léon, de quelque part sur sa gauche.

Avant qu'il ait eu le temps de répondre, un projectile jaillit de l'obscurité. Sans réfléchir, Harry ouvrit la main, et la boîte de bière humide et glacée vint se caler dans sa paume.

— Merci, dit-il distraitement.

— Toujours autant de réflexes, à ce que je vois, commenta Léon. C'est malheureux de ne pas te servir du talent que tu as dans les mains pour des activités plus utiles que d'écrire des bouquins rasants.

— Les réflexes ont tendance à se gâter avec l'âge, répondit Harry en tirant sur l'anneau d'ouverture de la boîte. C'est pourquoi je préfère me fier à ma tête.

Léon s'affala sur la couchette au fond de la caravane.

— Ton maudit sang Stratton t'a pourri, grommela-t-il. Viens donc t'asseoir.

Harry se posa sur le plastique craquelé de la banquette du coin repas et regarda autour de lui. Il ne remarqua que peu de changement, tant dans la personne de Léon que dans son cadre de vie. La roulotte et son occupant semblaient fondus dans le même processus de lente décrépitude. Au linoléum graisseux et couvert de taches faisaient écho la chemise à carreaux fanée et le jean délavé de Léon. Les rideaux déchirés pendus aux fenêtres sentaient le tabac froid et l'alcool. Léon aussi.

À la réflexion, Harry se dit que Léon tenait quand même mieux le coup que son antre et qu'il le devait davantage à la qualité de ses gènes Trevelyan qu'à son hygiène de vie. À soixante ans largement passés, Léon affichait toujours la silhouette athlétique et la large carrure propres aux mâles de la famille. De même que son frère aîné, le père de Harry, il était resté plutôt bel homme et en profitait sans la moindre vergogne. Harry savait que son oncle continuait à collectionner les conquêtes. Willy, son fils, en avait fait autant de son vivant, sinon plus.

Harry se réjouissait de savoir que Josh ne marcherait pas sur leurs traces dans ce domaine. Malgré ses taquineries sur la boîte de préservatifs inutilisés dans le placard de la salle de bains, Josh possédait à vingt ans plus de sens commun et d'honnêteté que son père et son grand-père n'en avaient jamais eu leur vie durant. Harry pouvait à bon droit se féliciter des résultats de son éducation.

Léon avala une longue gorgée de bière qu'il ponctua d'un soupir satisfait.

— Alors, comment va la vie bourgeoise dans la grande ville ? demanda-t-il en guise de préambule.

— Bien, merci.

Harry s'en tint là. Il savait de longue date qu'il n'était pas payant, avec Léon, d'entrer trop vite dans le vif du sujet. Léon n'aimait rien tant que d'exaspérer ses interlocuteurs jusqu'à les pousser à commettre une bêtise.

— Et merde ! grogna Léon, pensif. Je ne comprends toujours pas pourquoi tu veux mener ce genre de vie. Où est passée la bonne mentalité de la famille ? Tu l'as perdue ?

— Je n'en sais rien, répondit Harry en buvant une gorgée de bière.

— On n'a pas la gloire quand on n'a pas des tripes, mon garçon. Tu ne l'as jamais entendu dire ?

— Si, chaque fois que je te parle, mon oncle.

— Josh me raconte que tu fréquentes une espèce de petite boutiquière chafouine.

Harry ne réagit pas.

— C'est lui qui la traite de chafouine ?

— Non, mais je n'ai pas de mal à l'imaginer. Elle vend du thé, paraît-il. Je connais bien son genre. Une mijaurée tirée à quatre épingles, la bouche pincée – et je ne parle pas du reste. C'est bien ça, non ?

— Non, pas précisément, se borna à répondre Harry.

— Enfin quoi, poursuivit Léon sur sa lancée, ton père a au moins eu le culot d'embarquer la fille d'un millionnaire. Une vraie beauté, ta mère ! Et tout le monde sait que les Stratton ne savent pas quoi faire de leur fric.

— On le dit, en effet.

— Faut-il que tu sois bête pour tourner le dos à tout ce pognon ! insista Léon.

— Je l'ai déjà entendu dire.

Léon considéra son neveu par-dessus le bord de la boîte de bière qu'il portait à ses lèvres.

— Enfin quoi, merde, tu n'es peut-être pas le plus beau des Trevelyan qu'il y ait jamais eu, mais tu es quand même un Trevelyan ! Tu pourrais trouver mieux qu'une boutiquière.

— Depuis quand t'intéresses-tu autant à ma vie privée ?

— Il le faut bien. Je me fais du souci pour Josh.

Harry comprit que c'en était fini des feintes et que le moment de croiser le fer était venu.

— Quel rapport y aurait-il entre Josh et ma vie privée ? demanda-t-il sèchement.

— C'est simple : tu as une mauvaise influence sur le petit. Il ne parle que de perdre son temps à étudier pour décrocher je ne sais quels diplômes. Il dit même qu'il veut faire de la recherche, excusez du peu ! À ce train-là, il finira lui aussi par courir après des petites boutiquières.

— Et tu préfères sans doute qu'il se tue en essayant de sauter en moto à travers une boule de feu ?

— Crapule, va !…

De rage, Léon jeta à la volée sa boîte de bière vide contre la paroi de la caravane, puis posa les coudes sur ses genoux.

— Tout ce que je veux, c'est qu'il soit un homme comme son père ! Comme moi. Comme ton père l'était dans le temps. Je ne veux pas le voir devenir une foutue femmelette au crâne bourré de sornettes, comme toi !

— Combien ? questionna Harry avec calme.

— Qu'est-ce que ça veut dire, *combien* ? gronda Léon.

— Tu le sais très bien. Combien veux-tu pour foutre la paix à Josh jusqu'à la fin de l'été ?

— Tu t'imagines pouvoir tout acheter, n'est-ce pas ? Encore ton foutu sang Stratton qui parle ! Eh bien, moi je vais te dire, mon garçon : c'est de l'avenir de mon petit-fils que nous discutons. De la chair de ma chair. Je veux qu'il devienne un homme dont je puisse être fier ! Et tu voudrais mettre un prix sur la fierté d'un grand-père ?

— Sans problème.

— Nous parlons de la famille, bon Dieu ! Pas de fric !

— Épargne-moi ce genre d'âneries, je t'en prie, dit Harry avec lassitude. Je veux bien négocier une fois de plus. Alors, combien veux-tu ?

Cramoisi, Léon darda sur Harry un regard furieux. Puis, au bout d'un instant, il ferma les yeux et se laissa aller contre le dossier de la banquette.

— J'ai besoin d'un nouveau camion, le vieux est incapable de rouler un kilomètre de plus. Évangéline a des foires prévues tout l'été, il nous faut un moyen de transport correct.

Harry laissa échapper un sifflement admiratif.

— Un camion neuf, rien que ça ? Félicitations, oncle Léon. Tu as appris à voir grand.

Léon entrouvrit les paupières.

— Alors, marché conclu ?

Harry se leva, posa sa boîte de bière aux trois quarts pleine sur le coin de la table et traversa la caravane.

— Bien sûr. Mêmes conditions que la dernière fois.

— Comme je te le disais, tu manques d'imprévu. Fais attention, Harry, c'est une mauvaise habitude qui finira par te jouer de vilains tours.

— Je ne parle pas à la légère, Léon. Exactement les mêmes conditions que la dernière fois.

— Ça va, j'ai compris. Je ne suis pas sourd.

Harry ouvrit la porte grillagée. De la première marche, il lança par-dessus son épaule :

— Si tu veux que je te paie un nouveau camion, cesse d'empoisonner Josh pour qu'il arrête ses études.

— Je t'ai déjà dit que j'étais d'accord !

— Manque à ta parole, Léon, et tu sais ce qui se passera, insista Harry.

— Pas de menaces, mon garçon ! gronda Léon. Tu n'auras jamais le culot de les mettre à exécution, tu le sais aussi bien que moi.

Sans répondre, Harry fixa Léon dans les yeux. Les flonflons de la fête foraine parurent s'éloigner, un profond silence tomba sur la caravane, où l'ombre s'épaissit. Au bout d'un instant, Léon sembla se tasser sur lui-même.

— Oui, bon, ça va, grommela-t-il. Je n'ai qu'une parole, tu devrais le savoir. Et maintenant, dégage. On court, ce soir, il faut que j'aille préparer les bagnoles.

Harry lâcha la porte grillagée, que le ressort fatigué fit claquer derrière lui avec un bruit de ferraille. En traversant le campement vers l'entrée du champ de foire, il eut le cœur soulevé par les odeurs de graisse et de pop-corn mêlées aux relents de la ménagerie.

Il avait hâte de retrouver Molly.

6

Les bras chargés de paquets, Molly s'arrêta devant un stand recouvert d'une toile rayée rouge, or et turquoise. Au-dessus de l'entrée, fermée par un rideau de perles, un écriteau proclamait :

MADAME ÉVANGÉLINE
Le Passé, le Présent et l'Avenir dévoilés
Vos problèmes d'Amour et d'Argent résolus
Discrétion assurée

Molly hésita à entrer. Devait-elle attendre Harry devant le stand ou à l'intérieur ? Elle n'avait aucune envie de se faire dire la bonne aventure et ne croyait pas plus à la chiromancie qu'aux tarots ou à la boule de cristal.

Elle scruta l'allée centrale sans distinguer Harry dans la foule qui s'empiffrait de pop-corn ou de barbe à papa en louvoyant entre les stands. Elle allait traverser l'allée pour tenter sa chance à une loterie, où elle venait de voir un jeune homme gagner un gros panda en peluche, quand elle entendit derrière elle une voix de gorge déclarer :

— Madame Évangéline lit dans le passé, le

présent et l'avenir. Entrez découvrir ce que le destin vous réserve.

Molly se retourna. Une grande femme aux cheveux noirs striés de gris s'encadrait entre les rangs de perles du rideau. Une longue tunique bariolée drapait sa silhouette sculpturale, un assortiment de bagues scintillait à chacun de ses longs doigts élégants, un collier aux pendants d'or et d'ambre alternés reposait sur sa majestueuse poitrine. De beaux yeux noirs, un nez au dessin ferme, de hautes pommettes saillantes composaient un visage d'une sévère beauté classique qui défiait les atteintes du temps.

— Bonjour, dit Molly, prise au dépourvu. J'attends quelqu'un que je dois retrouver ici.

— Je crois que vous l'avez déjà trouvé, répondit la voyante en dardant sur Molly un regard pénétrant.

— Euh… plaît-il ? demanda Molly, désarçonnée par cette déclaration énigmatique.

La voyante inclina la tête avec une dignité royale.

— Je suis Madame Évangéline, déclara-t-elle en guise d'explication. Entrez découvrir votre avenir.

— Inutile, madame Évangéline, je n'y crois pas. Et même si vous pouviez me le révéler, très franchement, je préfère ne pas le connaître. Merci, en tout cas. Si cela ne vous dérange pas, je préfère attendre dehors.

— Mais si, entrez. Je ne vous dirai rien que vous ne souhaiteriez pas entendre.

Sa curiosité éveillée, Molly regarda encore une fois autour d'elle ; puis, ne voyant nulle part Harry dans la foule, elle se retourna vers Évangéline.

— Eh bien… il y a peut-être quelque chose dont vous pourriez me parler.

— Je suis à votre disposition. Venez, dites-moi ce que vous désirez apprendre.

Le rideau de perles tinta en s'écartant devant Molly. L'intérieur était plongé dans la pénombre. Un tapis bleu nuit décoré d'étoiles jaunes et de lunes blanches recouvrait le sol du stand, auquel des draperies sombres conféraient l'aspect d'une tente. Une fois sa vision accommodée à l'obscurité, Molly distingua au milieu une table couverte de velours marron, sur laquelle étaient posés un jeu de cartes et une boule de verre opaque, légèrement luminescent.

— Asseyez-vous, dit Madame Évangéline en désignant une chaise. Et posez donc vos paquets par terre, dans ce coin.

— Volontiers, ils deviennent lourds. Je ne m'attendais pas à trouver ici autant d'objets utiles.

— Le phénomène est assez fréquent, observa la voyante avec un léger sourire. Prenez place, je vous prie.

— Je ne voudrais pas manquer mon ami, répondit Molly. Il doit arriver d'une minute à l'autre.

— Il vous rejoindra, je vous le garantis.

— Puisque vous en êtes sûre…

Molly s'exécuta en jetant un regard curieux sur la boule de verre et le paquet de cartes. Évangéline posa les mains sur la boule.

— Dites-moi ce que vous souhaitez découvrir.

— Eh bien… en réalité, j'aimerais beaucoup savoir comment cela fonctionne.

Madame Évangéline battit des cils.

— Je ne comprends pas.

— Quels trucs vous utilisez, si vous préférez. Les professionnelles comme vous sont capables,

132

paraît-il, de deviner avec précision des tas de choses sur la vie privée des gens. Comment vous y prenez-vous ?

Évangéline eut un haut-le-corps.

— Vous voulez savoir comment… *je m'y prends* ? répéta-t-elle, scandalisée.

— Mais oui. Je suis curieuse de nature, voyez-vous. Sur quels indices vous fondez-vous, par exemple, pour juger vos clients ? Leurs vêtements ? À notre époque, tout le monde s'habille de la même façon, en jean et en baskets. Cela ne doit pas vous révéler grand-chose. Comment faites-vous ?

— Je ne me sers d'aucun *truc*, répliqua la voyante avec froideur. Je possède le don de seconde vue dont ma famille bénéficie depuis des générations. Mes pouvoirs sont des plus authentiques. Et quand bien même je serais un charlatan, je ne vous dévoilerais certainement pas mes secrets.

— Bien entendu, admit Molly de bonne grâce. Mais cela valait la peine d'essayer, n'est-ce pas ?

Évangéline ne daigna pas relever.

— Et maintenant, que désirez-vous savoir ? Je peux vous éclairer sur votre vie sentimentale.

— J'en doute, elle est inexistante.

Évangéline battit ses cartes et commença à les étaler devant elle.

— Plus pour longtemps… Ah ! Vous voyez le roi bleu ?

— Oui. Et alors ?

— Il représente un homme que vous connaissez depuis peu de temps. Il est grand et brun, ses yeux ont la couleur de l'ambre de mon collier. Cet homme dispose d'un grand pouvoir. Il changera le cours de votre destinée.

Molly pouffa de rire.

— Je vois que vous connaissez Harry Trevelyan. Mais j'y pense : vous êtes sa tante ! J'ai entendu Josh parler d'une Évangéline Trevelyan. Et comment saviez-vous qui j'étais ? L'avez-vous deviné quand j'ai dit que j'attendais quelqu'un chez vous ou Josh vous a-t-il donné mon signalement ?

— Je le sais parce que je suis voyante, répliqua Évangéline sèchement. C'est mon art qui me renseigne. Pouvons-nous enfin poursuivre la consultation ?

— À quoi bon ? À présent que nous savons l'une et l'autre qui nous sommes, rien de ce que vous m'apprendrez sur le compte de Harry ne m'étonnera plus.

— Et si je vous disais que j'ignore de quel Harry vous parlez ?

— Allons donc ! Avouez que vous le connaissez.

— Ne compliquez pas les choses, je vous prie ! lâcha Évangéline, agacée. Reprenons. Vous avez donc rencontré il y a peu un grand brun aux yeux couleur d'ambre. Cet homme…

— Vous oubliez *beau*.

— Comment ?

— N'êtes-vous pas censée m'annoncer que j'ai rencontré un *beau* grand brun ? C'est pourtant la formule consacrée.

De ses longs ongles carmin, Évangéline pianotait sur la table avec une évidente impatience.

— Il n'est pas si bel homme que vous le dites. Quel âge avez-vous ? Trente, trente-deux ans ? À votre place, ma petite, je ne ferais pas tant la difficile. Le temps passe vite.

— Je ne reproche rien au physique de Harry, je

dis au contraire que vous vous trompez ! Il est extrêmement séduisant.

— Vous trouvez Harry… séduisant ? s'exclama Évangéline en dévisageant Molly comme si elle doutait de l'intégrité de ses facultés intellectuelles.

— Peut-être pas au sens traditionnel, admit celle-ci, mais je ne suis guère portée sur la tradition. Dans ma famille, on a toujours recherché l'inhabituel – et Harry rentre tout à fait dans cette catégorie. Je dirais même qu'il est unique.

— C'est le moins qu'on puisse dire, grommela Évangéline. Je ne m'explique d'ailleurs pas qu'il soit comme il est. Son père était le plus bel homme que j'aie jamais vu, et sa mère une vraie princesse de conte de fées. La combinaison de leurs gènes a donné un résultat plutôt bizarre, pour ne pas dire décevant.

Les perles du rideau tintèrent doucement.

— Un peu d'indulgence, tante Évie, dit Harry en se glissant dans le réduit. Tu pourrais faire l'effort de me qualifier de *beau* grand brun, tu me dois bien cela.

— Ah, vous voilà ! s'écria Molly, soulagée.

Pendant que Harry laissait le rideau retomber derrière lui, Évangéline se leva, un éclair amusé dans le regard.

— Comme j'étais en train de l'expliquer à ton amie, je ne dénature jamais les faits, l'éthique de ma profession me l'interdit. Je puis tout au plus te concéder que la beauté physique dépend du regard que l'on porte.

— C'est mieux que rien, admit Harry en riant. Comment vas-tu, tante Évie ?

— Mes rhumatismes recommencent à me tracasser, mais à part cela je ne me plains pas. Je suis contente de te voir, poursuivit-elle en lui tendant les bras. Je savais par Josh que tu comptais nous rendre visite.

Harry se laissa embrasser sans déplaisir apparent. Molly s'efforça de déchiffrer son expression dans la pénombre : comme à l'accoutumée, rien dans ses traits ne trahissait ses sentiments. Il était impossible de deviner comment s'était déroulée son entrevue avec l'oncle Léon.

Lorsque sa tante le libéra de son affectueuse étreinte, Harry remarqua les paquets empilés dans le coin du stand.

— Je vois que Molly a occupé son temps précisément de la manière que je craignais.

— J'ai trouvé plein de gadgets sensationnels ! protesta Molly. Il y en a un qui taille les carottes en forme de petits paniers qu'on peut remplir d'olives ou d'amuse-gueules et un autre qui évide les concombres en les transformant en bateaux.

— Et depuis quand éprouvez-vous l'irrésistible envie de transformer des carottes en paniers et des concombres en bateaux ? s'enquit Harry avec un sourire ironique.

— Ne la taquine pas, Harry, s'interposa Évangéline. Ces gadgets vont beaucoup l'amuser, j'en suis sûre.

— J'en doute. Elle a déjà une pleine cuisine d'appareils autrement plus perfectionnés que ces objets ridicules. Je vous avais pourtant mise en garde contre les boniments des camelots, ajouta-t-il en se tournant vers Molly.

— Pourquoi êtes-vous toujours aussi négatif ? Il n'y a pas que des charlatans et des escrocs dans ce monde !

— Je ne suis pas négatif. Je suis réaliste.

— C'est du pareil au même. Et sachez, pour votre gouverne, que je ne me suis pas laissé prendre à des boniments fantaisistes. J'ai examiné les produits de près et observé leur démonstration avec soin avant de les acheter. Ce que j'ai vu m'a convaincue.

— Ces bateleurs ne vendent que de la camelote sans valeur, tout le monde le sait.

— Pas du tout ! Les appareils sont garantis à vie.

— Vraiment ? Dites-moi, alors, comment vous pensez faire appliquer ces fameuses garanties après la fin de la foire, quand les camelots se seront envolés.

Les yeux au ciel, Molly poussa un soupir excédé.

— Harry, votre problème, c'est de croire que le monde entier ne pense qu'à exploiter ou arnaquer autrui !

— Vous semblez bien vous connaître, vous deux, observa Évangéline.

— Je connais Harry mieux qu'il ne le croit, grommela Molly d'un air sombre.

— Nous ne nous connaissons que depuis un mois, précisa Harry à sa tante. Molly a encore beaucoup à apprendre.

Évangéline pouffa de rire.

— La voyante surdouée que je suis a tout de suite su qui elle était. Tu pourrais quand même faire les présentations en règle, ce serait la moindre des choses.

— Exact. Tante Évangéline, Molly Abberwick. Molly, ma tante Évangéline Trevelyan. La meilleure diseuse de bonne aventure de la famille.

— Enchantée, déclara Molly.

— Tout le plaisir est pour moi. Et maintenant, poursuivit Évangéline en se rasseyant, où en étions-nous ?

— Tu disais, je crois, que j'étais grand, brun et laid, enchaîna Harry.

Il sortit une chaise pliante de derrière une draperie au fond du stand et vint s'asseoir près de la table.

— Ce que j'aimerais savoir en réalité, expliqua Molly, c'est comment font les voyantes pour identifier leurs clients. Certaines prédictions sont très générales, je sais. Pour la plupart, les gens veulent se faire dire qu'ils vont gagner de l'argent ou trouver l'âme sœur. Et on ne risque rien à prédire un voyage, tout le monde en fait de temps en temps. Mais le reste ?

— Ton amie semble très douée, Harry, observa Évangéline avec un sourire ironique.

— Tout ce que je puis en dire, c'est qu'elle est intelligente. Crédule, sans défense contre les arnaques en tout genre, mais c'est un de ses seuls défauts.

— Ce style de flagornerie ne vous mènera à rien, Harry, répliqua Molly. Je voudrais simplement savoir comment une diseuse de bonne aventure ou une voyante parvient à aller au-delà des généralités. Comment personnalisez-vous vos prédictions ? conclut-elle à l'adresse d'Évangéline.

— J'aurais dû préciser que Molly possède aussi une insatiable curiosité, ajouta Harry. Il s'agit, paraît-il, d'un trait de caractère propre à sa famille.

— Intéressant, murmura Évangéline. Eh bien, ma chère, je crains fort de ne pouvoir assouvir votre curiosité car il n'y a pas de trucs ni de secrets en la matière. La voyance est un don inné. On l'a ou on ne l'a pas.

— Vous parlez sans doute du don de seconde vue des Trevelyan ?

— Non, intervint Harry sèchement. Il n'existe pas.

— Tu devrais manifester plus de respect envers le Don, Harry, protesta Évangéline d'un air réprobateur. D'autant que c'est toi le plus doué de la famille dans ce domaine.

— Absolument pas, gronda Harry entre ses dents.

— Puisque vous ne voulez pas me dévoiler les trucs de votre métier, enchaîna Molly, parlez-moi au moins de ce fameux don de voyance des Trevelyan.

Harry marmonna un juron.

— La famille entière en bénéficie à divers degrés, répondit Évangéline. Harry plus que les autres, bien qu'il refuse de l'admettre avec une mauvaise foi confondante. Dans sa jeunesse, il passait souvent l'été avec nous, et je puis vous affirmer que j'en ai détecté chez lui, dès l'âge de douze ans, des éclairs fulgurants. Il a aussi des réflexes exceptionnels qu'il ne peut pas renier. Il tient tous ces dons du premier Harry Trevelyan.

Tout en parlant, Évangéline battait les cartes.

— Il vivait au début du siècle dernier, n'est-ce pas ?

— C'est exact, confirma-t-elle. En un sens, il a été le pionnier des détectives privés. Il élucidait les crimes les plus mystérieux et retrouvait les personnes disparues.

— Se vantait-il de ses pouvoirs psychiques ?

— Non, admit Évangéline. Pour une raison que je ne m'explique pas, il affectait au contraire de dédaigner ses talents. Mais la tradition familiale est formelle : notre ancêtre possédait le don de voyance et était doué de réflexes supérieurs. Nous savons avec certitude que, grâce à eux, il a sauvé sa propre vie et celle d'autres personnes lorsque ses activités l'opposaient à des malfaiteurs.

— Pures inventions, grommela Harry.

Molly feignit de n'avoir pas entendu.

— D'autres membres de la famille ont-ils exercé la profession de détective ? demanda-t-elle.

— Non, cela ne rapportait rien, répondit Évangéline. Les Trevelyan ont préféré tirer profit de leurs dons sur la scène. Bien que les descendants du premier Harry n'en aient pas tous hérité, car ces dons sautent parfois une génération, chacun voulait croire qu'il en bénéficiait.

— Ce Harry-ci, en tout cas, a d'excellents réflexes, intervint Molly en lançant à l'intéressé un regard admiratif.

— Et moi qui croyais que vous m'appréciez pour mon quotient intellectuel ! dit Harry en souriant.

— Chez les Trevelyan, poursuivit Évangéline sans cesser de battre les cartes, les dons vont toujours de pair. Plus les réflexes sont rapides, plus la voyance est pénétrante, disait souvent ma grand-mère. Et toi, Harry, tu es le plus rapide de toute la famille, ajouta-t-elle d'un ton de reproche. Tu as brisé le cœur de ma pauvre grand-mère Gwen en tournant le dos aux traditions familiales.

— Au cas où vous n'auriez pas déjà deviné, enchaîna Harry à l'adresse de Molly, mon arrière-grand-mère – une sainte femme, que Dieu ait son âme ! – n'avait pas son pareil pour culpabiliser ceux qui ne faisaient pas exactement tout ce qu'elle voulait. Elle était furieuse que je poursuive mes études au lieu de lancer des poignards ou de plonger dans un bassin du haut d'un échafaudage de vingt mètres.

— Tu es injuste envers sa mémoire, Harry !

protesta Évangéline. Ce n'est pas le fait de vouloir t'instruire qui lui faisait de la peine et la mettait en colère, mais ton refus obstiné d'admettre que tu possédais le don de voyance. Pour elle, tu étais le premier Trevelyan à avoir pleinement hérité de tous les dons de notre ancêtre Harry.

— Cela me fait penser aux talents inventifs de ma famille, fit observer Molly. Ma sœur en a, moi pas.

Harry lui lança un regard énigmatique.

— Je n'en suis pas si sûr, dit-il. Vous avez consacré votre énergie à vos affaires pour assurer la sécurité de vos proches, mais j'estime que l'esprit d'entreprise est une forme de génie inventif. La plupart de ceux qui entreprennent échouent. Vous, vous avez brillamment réussi.

Ce compliment inattendu déconcerta Molly au point qu'elle ne sut que dire. Le sourire dont Harry la gratifia répandit jusque dans les parties les plus intimes de son anatomie la chaleur soudaine qui lui embrasait le visage.

Évangéline n'avait rien manqué de sa réaction.

— Assez parlé du don de voyance des Trevelyan, déclara-t-elle. Harry, dis-moi plutôt comment s'est passée ta discussion avec Léon. Il n'arrête pas de tourmenter Josh depuis le début de l'été.

— Oncle Léon ne changera jamais, mais nous sommes parvenus à un de nos compromis habituels. Il laissera Josh tranquille. Pour un temps, du moins, ajouta-t-il d'un ton glacial qui fit frémir Molly et dissipa la douce chaleur sensuelle qui l'avait envahie.

Évangéline lui adressa un clin d'œil complice.

— Harry sait s'y prendre avec Léon mieux que n'importe qui dans la famille. Léon l'écoute, je me demande pourquoi.

— Peut-être parce que Harry dispose de réels pouvoirs psychiques, dit Molly en souriant.

Harry lui lança un regard noir. Évangéline sursauta.

— Vous pensez donc vraiment qu'il a le Don ?

Molly mit les mains dans les poches de son jean en affectant une pose détendue.

— Harry a changé le cours de sa destinée et de celle de Josh. On n'y parvient pas sans un don quelconque, vous ne croyez pas ? Connaissez-vous beaucoup de gens capables de transformer leur vie et celle des autres ?

Évangéline coula un regard en coin à Harry.

— Je ne voyais pas les choses tout à fait sous cet angle. Ton amie n'a pas tort, Harry, ajouta-t-elle.

— Le seul *pouvoir* que j'aie exercé sur mon avenir et celui de Josh tient du simple bon sens ! protesta-t-il.

— En tout cas, s'esclaffa Molly, il semble nettement plus efficace que des formules magiques.

Avec stupéfaction, elle vit Harry devenir cramoisi.

— Et maintenant, Molly, revenons aux choses sérieuses, dit Évangéline avec un sourire entendu. Voyons ce que vous réserve votre vie sentimentale.

— Pas question, protesta Molly.

Évangéline retourna quand même une carte.

— Ah ! Revoici le roi bleu. Il n'a pas l'intention de se laisser escamoter, celui-ci. Quand il revient deux fois de suite, il faut y prêter attention, car il annonce des bouleversements imminents dans la vie sentimentale.

— Pure coïncidence ou habile manipulation ! s'écria Molly en se levant. Je n'ai aucune envie de me faire tirer les cartes, je vous l'ai déjà dit.

— Froussarde, marmonna Évangéline.

Harry se leva à son tour.

— Non, corrigea-t-il en riant, sensée.

— Merci, dit Molly avec modestie.

Évangéline leva les mains en signe de capitulation.

— Bon, bon, j'abandonne. Si Molly préfère rester dans l'ignorance de ce qui l'attend, libre à elle. Quand comptes-tu reprendre la route pour Seattle, Harry ?

— Rien ne presse, répondit-il en consultant sa montre. Avant de partir, je voudrais au moins dire bonjour au cousin Raleigh et à quelques autres.

— Tu trouveras Raleigh à la Grande Roue. Attention, il cherche à emprunter de l'argent. Sheila et lui attendent un enfant.

— Merci de l'avertissement. Venez, Molly, vous ferez la connaissance du reste de la famille.

— Volontiers. J'espère avoir bientôt le plaisir de vous revoir, ajouta-t-elle à l'adresse d'Évangéline.

— J'en ai la certitude, confirma celle-ci.

Harry aida Molly à ramasser ses paquets. Avant de sortir, il marqua une pause près de la table sur laquelle Évangéline continuait à battre ses cartes.

— Soigne-toi bien, tante Évie.

— Toi aussi, Harry. Au fait, poursuivit-elle avec un sourire charmeur, je te téléphonerai la semaine prochaine pour te parler des nouveaux jeux vidéo qu'il va falloir que j'achète. Ils nous rapportent gros, mais tu sais combien ces maudits appareils se démodent vite.

Un éclair de résignation ou, peut-être, de douleur traversa le regard de Harry, dont l'expression redevint aussitôt indéchiffrable. Sans savoir pourquoi, Molly aurait voulu le prendre dans ses bras et le consoler.

— Tu sais où me joindre, tante Évie, se borna-t-il à répondre.

Molly s'approcha à son tour de la table.

— Vous ne voulez vraiment pas me dire comment vous avez sorti le roi bleu deux fois de suite, Évangéline ?

— Ma chère tante ne dévoilera jamais ses tours de main, intervint Harry, qui ramassa les cartes et se mit à les battre avec une adresse consommée. Moi, en revanche, je n'ai aucun scrupule dans ce domaine. Regardez, je vais vous montrer comment on fait revenir une certaine carte sur le dessus du paquet.

— Ah, non ! Je te l'interdis ! s'exclama Évangéline en lui arrachant les cartes des mains. Tu n'as jamais respecté nos secrets professionnels.

— C'est fort exact, approuva Harry.

— Le jeu est fichu, grommela Évangéline, excédée. Je vais être obligée de le réorganiser entièrement.

— Le roi bleu n'est donc plus sur le dessus du paquet ? interrogea Molly.

— Non. J'ai battu les cartes normalement, il doit donc se trouver quelque part au milieu des autres. Il y aurait une chance sur des millions pour qu'il reparaisse au-dessus, et ce serait dû au seul hasard. Voyez...

Joignant le geste à la parole, il retourna la carte supérieure du paquet.

C'était un roi. Non pas bleu, mais rouge.

Harry lâcha un juron étouffé, et l'expression amusée s'évanouit de son regard. Évangéline soupira en fixant le roi rouge avec une évidente inquiétude.

— Qu'y a-t-il ? s'enquit Molly, déconcertée. Harry avait raison, ce n'est plus la même carte. Qu'a donc ce roi rouge de si particulier ?

— Rien, grommela Harry. Le hasard, vous disais-je.

— Les cartes n'obéissent pas au hasard, déclara Évangéline d'un ton chargé d'une solennité inattendue.

— Admettons que ma vie sentimentale soit sur le point de connaître son apothéose, dit Molly, espérant dissiper le malaise qui planait soudain dans l'atmosphère. Pourquoi prenez-vous tous deux ces mines sinistres ?

— Ce roi rouge n'a rien à voir avec votre vie sentimentale, Molly, répondit Évangéline en exhalant un nouveau soupir. Il a une signification radicalement différente.

— Laquelle ? insista Molly, agacée par ces mystères.

— Il annonce un danger. Un danger grave.

— Allons donc ! Je n'en crois pas un mot.

— Et vous avez raison, intervint Harry. Ces superstitions sont absurdes.

— Je ne m'y fierais pas moi-même les yeux fermés, déclara Évangéline avec une étonnante franchise. Il n'empêche que c'est Harry qui a battu les cartes et tiré le roi rouge. Étrange… Promets-moi d'être prudent, Harry.

Perplexe, Molly contemplait le roi rouge. Harry lui toucha l'épaule.

— N'y pensez plus, lui dit-il. Tout ce galimatias n'est qu'illusion. Un truc, comme rattraper les poignards au vol ou faire un numéro de transmission de pensée. Allons-y.

7

Le soleil brillait encore au-dessus de l'horizon quand Harry et Molly remontèrent en voiture.

— Je vous ai vu donner ce chèque à votre cousin Raleigh, dit-elle en bouclant sa ceinture.

— Vraiment ? Alors, vous comprenez pourquoi je n'aime pas rendre souvent visite à ma famille. C'est ruineux.

Les yeux dissimulés derrière des lunettes noires réfléchissantes, Harry manœuvra en marche arrière pour sortir de l'emplacement ombragé où la voiture était garée.

— Vous avez peut-être trop bon cœur.

— Raleigh est un brave type. Sheila et lui ne savent pas gérer leurs finances, mais ils travaillent dur.

— Et avec votre oncle, comment cela s'est passé ?

— Disons que nous avons conclu un accord. Avec un peu de chance, il le respectera jusqu'à ce que Josh termine ses études. Ensuite, Josh sera assez grand pour tenir lui-même son grand-père en respect.

Molly ne put refréner sa curiosité.

— Je sais que cela ne me regarde pas, mais… comment avez-vous convaincu Léon de laisser Josh tranquille ?

Les lèvres de Harry prirent un pli amer.

— Par un mélange bien dosé de corruption et de menaces.

— La corruption, je comprends. Tout le monde peut se laisser soudoyer. Mais des menaces ? De quel ordre ?

— Suffisantes pour faire réfléchir quiconque à deux fois avant de manquer à sa parole. Même Léon.

Les questions qui venaient à l'esprit de Molly s'évanouirent d'elles-mêmes devant la mine soudain réfrigérante de Harry. Le signal « stop ! » était trop évident pour que sa curiosité lui donne l'audace de passer outre.

— Je vois, se borna-t-elle à dire.

Harry ne répondit pas. À l'abri de ses lunettes miroirs qui lui donnaient une allure d'extraterrestre, il s'absorba dans le pilotage de la voiture. Molly comprit qu'il avait glissé dans une des humeurs sombres dont elle avait déjà été témoin et qu'il se frayait un chemin à travers une jungle de pensées trop intimes pour vouloir ou pouvoir lui en parler.

Bien calée dans son siège, elle regarda la campagne défiler. Au bout d'un moment, elle tendit le bras derrière elle, prit sur la banquette un des paquets rapportés de la foire et entreprit de lire le mode d'emploi du « Robot Cuisimatic Tout-En-Un ».

Seattle baignait dans les dernières lueurs du long crépuscule de juin. En abordant les rues du centreville, Harry émergea peu à peu de l'abattement qui s'était emparé de lui au départ de Hidden Springs.

À un feu rouge, il regarda Molly du coin de l'œil et prit soudain conscience qu'elle n'avait pas desserré les dents de tout le trajet. De son côté, à vrai dire, il n'avait rien fait pour alimenter la conversation…

Trop tard, une sonnette d'alarme retentit dans sa tête. Imbécile ! se reprocha-t-il. Les femmes ne supportent pas les silences qui s'éternisent ! Il avait pourtant appris la leçon à ses dépens avec Olivia. Vers la fin de leurs fiançailles, elle le couvrait d'amers reproches sur ses longues réflexions taciturnes. Plus elle vitupérait, bien entendu, plus son mutisme s'aggravait. Avait-il irrémédiablement compromis ses chances auprès de Molly en se conduisant comme un ours mal léché ? Il était peut-être encore temps de regagner le terrain perdu, voulut-il se rassurer.

Quand le feu passa au vert, Harry se racla la gorge :

— Bientôt huit heures, vous devez avoir faim. Je rentre la voiture au garage de mon immeuble et nous irons dîner dans un restaurant du quartier. D'accord ?

Molly tourna vers lui un regard dans lequel il ne vit rien d'accusateur ni de rancunier.

— D'accord, répondit-elle en souriant.

Harry refréna un soupir de soulagement. Il ignorait ce qu'elle pensait de lui mais, au moins, elle ne boudait pas. Elle ne semblait pas, non plus, être de celles qui exigent des hommes qu'ils soient bavards comme des pies.

Malgré tout, il se sentit moralement obligé de s'excuser de son comportement :

— Pardonnez-moi de n'avoir pas été un brillant

causeur pendant le trajet de retour, dit-il en abordant la rampe d'accès au garage souterrain. Je réfléchissais.

— Je sais. Cela vous tracasse, n'est-ce pas ?

— Quoi donc ?

— L'insistance de votre famille à vous attribuer ce fameux don de voyance.

— Par moments, je l'avoue, c'est exaspérant, répondit-il en s'introduisant dans sa place de parking. Mais les Trevelyan sont les seuls à me l'infliger. Les Stratton le considèrent comme une ânerie – à juste titre, d'ailleurs.

— Vous semblez pourtant le prendre au sérieux. Chaque fois qu'il en est question, vous vous fâchez ou vous devenez muet comme une carpe.

Harry coupa le contact, ouvrit sa portière.

— Est-ce une manière détournée de me signifier que je vous ai ennuyée à périr ?

Molly mit pied à terre de son côté et se tourna vers lui, accoudée au toit de la voiture.

— Non, une simple observation. Vous me paraissez allergique à tout ce qui touche aux dons paranormaux des Trevelyan. Les reniez-vous en bloc ?

— Cette légende m'agace, c'est vrai.

— Savez-vous au moins pourquoi ? Beaucoup de gens en seraient très fiers, au contraire.

— Parce que ce n'est qu'un tissu d'idioties et de superstitions absurdes, je vous l'ai déjà dit.

Et aussi parce qu'il m'arrive d'avoir peur que ce soit bel et bien réel et que ça finisse par me rendre fou, s'abstint-il d'ajouter – en se forçant à refouler cette pensée au plus profond de son subconscient.

— Il y a davantage, je crois, que le fait que votre esprit logique refuse d'admettre l'irrationnel.

Ils s'observaient de part et d'autre du toit de la voiture. Harry se raidit, prêt au combat. Depuis le début, il savait qu'une telle femme représentait pour lui un risque.

— Quoi, par exemple ? demanda-t-il avec une désinvolture affectée.

— Ce constant rappel des talents ataviques de votre famille évoque peut-être trop clairement un monde auquel vous sentez avoir échappé de justesse. Celui des voyantes myopes et des acrobates calamiteux.

Harry se détendit un peu – à peine.

— Vous n'avez pas tort, en un sens. Mais je vais vous avouer un autre petit secret.

— Lequel ?

— Si vous croyez que les radotages des Trevelyan sur les prétendus talents de la famille sont seuls responsables de mes mauvaises humeurs, vous devriez me voir quand je subis une tirade des Stratton sur la manière honteuse dont j'ai trahi quatre générations d'ancêtres en ne marchant pas sur leurs traces dans le monde des affaires, le seul réel à leurs yeux. Un monde dans lequel un homme digne de ce nom doit se comporter comme un prédateur sanguinaire, loup ou requin, et mesurer sa valeur personnelle à l'aune exclusive de ses investissements et de son portefeuille boursier.

Molly ne put retenir un éclat de rire.

— Ce doit être éprouvant, en effet ! Si je comprends bien, vous ne vous êtes jamais donné la peine de plaire à l'une ou l'autre branche de votre famille ?

Fasciné par la lueur amusée qui pétillait dans

les yeux verts de Molly, Harry sentit s'évanouir les derniers vestiges de sa mauvaise humeur.

— Non, c'est vrai. Les Stratton n'ont d'ailleurs pas plus de respect que les Trevelyan pour l'étude et la science. Les uns et les autres considèrent que je me suis retiré dans ma tour d'ivoire où je mène, à seule fin de les narguer, une existence inutile consacrée à des travaux sans objet. Le fait que j'y gagne de l'argent les agace encore plus. Bref, ils sont tous d'accord pour critiquer la carrière que je me suis choisie. Oncle Léon, cependant, va un peu plus loin : il s'inquiète des implications génétiques.

— Des… implications génétiques ? s'étonna Molly.

— Oui. Il est persuadé que mon sang Stratton m'a émasculé, en quelque sorte, et fait de moi une femmelette.

— Pas étonnant que vous vous soyez senti de mauvaise humeur après l'avoir vu ! Avez-vous passé votre vie à louvoyer ainsi entre les deux camps ?

— Oui. Et ne me demandez surtout pas pourquoi je m'en donne la peine.

— Inutile de vous poser la question. On ne choisit pas sa famille, je le sais mieux que personne.

Sans répondre, Harry prit les achats de Molly sur la banquette arrière.

— Je les mets dans le coffre pendant que nous sortons dîner, expliqua-t-il.

Après, pensa-t-il, je trouverai bien le moyen de la convaincre de rester finir la nuit dans mon appartement…

Car Molly éveillait en lui, ce soir-là, un désir plus impérieux, non, un *appétit* plus dévorant qu'elle ne lui en avait jamais inspiré. Avec elle dans son lit, peut-être ne passerait-il pas sa nuit à penser, les yeux grands ouverts, au roi rouge qu'il avait fait sortir des cartes d'Évangéline. Il avait beau le mépriser, un tel signe chargé de sous-entendus maléfiques lui donnait toujours un sentiment de malaise.

Impatient de mettre son plan à exécution, Harry entraîna Molly vers l'ascenseur. Et le premier spectacle qu'il découvrit dans le hall de l'immeuble fut celui d'Olivia, son ex-fiancée, qui faisait les cent pas devant le comptoir du portier avec une évidente nervosité.

Un juron lui échappa. Cette mésaventure, pensa-t-il, constituait la preuve irréfutable qu'il ne possédait pas le fameux don de voyance des Trevelyan. S'il en avait eu ne serait-ce qu'une parcelle, il aurait au moins dû être frappé d'un pressentiment dans l'ascenseur et ne pas actionner le bouton du rez-de-chaussée.

À sa vue, Olivia s'arrêta net, les doigts crispés sur la bandoulière de son coûteux sac de cuir.

— Ah ! Harry. Te voilà enfin.

Il la toisa d'un regard méfiant. Comme toujours, Olivia était impeccablement attifée. C'était ce côté sophistiqué qui l'avait le plus attiré, au début, car il croyait y voir la maîtrise de soi d'une femme ayant réponse à tout. Ce soir-là, elle portait un ensemble de soie crème et rouille. Pas un cheveu ne dépassait de sa chevelure dorée, torsadée en chignon. Mais une tension visible altérait l'harmonie de ses traits et l'inquiétude se lisait dans ses yeux gris.

Résistant héroïquement à l'envie de battre en retraite dans l'ascenseur, Harry prit la main de Molly et s'approcha.

— Bonsoir, Olivia. Je te présente Molly Abber-wick. Molly, Olivia Hughes, la femme de mon cousin Brandon.

— Bonsoir, dit Molly en souriant poliment.

— Bonsoir, répondit Olivia avec un bref signe de tête.

— Nous sortions justement dîner, déclara Harry. Tu voudras bien nous excuser.

— Je t'ai attendu tout l'après-midi, Harry ! répliqua-t-elle, les sourcils froncés. Ta femme de ménage est partie de chez toi à cinq heures en me disant que tu rentrerais sûrement avant la nuit.

— Je suis rentré, en effet, mais j'ai d'autres projets pour la soirée.

Olivia décocha à Molly un regard signifiant à l'évidence qu'elle n'existait pas.

— J'ai à te parler, Harry. Un problème familial.

— Une autre fois, Olivia. Bonsoir.

Harry voulut s'avancer, mais elle fit un pas de côté pour lui barrer le passage.

— Il s'agit d'une affaire importante, Harry !

— Euh… Harry ? intervint Molly.

— Il faut absolument que je te parle, Harry, insista Olivia. Cela ne peut pas attendre.

Molly dégagea sa main avec douceur.

— Ne vous inquiétez pas pour moi, dit-elle, je peux rentrer chez moi en taxi.

— Il n'en est pas question, bon sang ! Quel qu'il soit, ce problème attendra. Nous sortons dîner.

— Non ! protesta Olivia d'une voix étranglée. C'est tout l'avenir de Brandon qui est en jeu, Harry. Par ta faute ! Tu es responsable de ce gâchis, c'est à toi de le réparer.

— Moi ? s'indigna-t-il.

— Bonsoir, fit Molly en se dirigeant d'un pas

vif vers la porte. Merci pour cette passionnante journée.

Il allait s'élancer à sa suite quand Olivia le retint d'une main ferme.

— Il faut que je te parle, Harry. C'est urgent.

— Pas de problème ! déclara Molly du pas de la porte. Je m'en vais. Bonsoir à vous deux.

Harry regarda tour à tour les deux femmes et comprit qu'il était vaincu.

— Un instant, Molly, Chris va vous appeler un taxi.

— Tout de suite, monsieur Trevelyan, approuva le portier en décrochant le téléphone.

— Inutile ! dit Molly. J'en vois un libre le long du trottoir d'en face.

Harry fit un pas vers elle et s'arrêta, les poings serrés. Il aurait voulu qu'elle reste avec lui. Il n'avait aucune envie de la voir partir seule.

Un soupir résigné lui échappa :

— Soit. Je vous téléphonerai tout à l'heure.

— Bien sûr. Sinon, je vous appellerai demain matin. De toute façon, mes paquets sont restés dans le coffre de votre voiture. Je tiens à les récupérer.

Elle lui adressa un salut de la main. Les lourdes portes de verre se refermèrent derrière elle. Harry la suivit des yeux pendant qu'elle traversait la rue et montait dans le taxi.

Sans Molly, il se sentait soudain plongé au cœur de ténèbres épaisses.

— Encore une de tes humeurs, n'est-ce pas ? dit Olivia d'un ton acerbe pendant que Harry ouvrait la porte de son appartement. Tu es dépressif, cesse de prétendre le contraire. La politique de l'autruche n'a jamais eu de vertu thérapeutique.

— Je suis de très mauvaise humeur, pas déprimé.

La porte refermée, il alla se poster devant la fenêtre en tournant le dos à Olivia. Les dernières lueurs du couchant s'abîmaient dans la baie, la nuit recouvrait peu à peu la ville. Au-dessous de lui, les réverbères à l'ancienne de Pike Place étaient nimbés de halos dorés. Harry s'efforça de repérer dans la circulation le taxi qui emportait Molly, mais il avait disparu depuis longtemps.

— Bon sang, Harry, faut-il toujours que tu te retranches dans ton égoïsme ? s'exclama Olivia. Je suis venue te parler de choses sérieuses, tu pourrais quand même écouter ce que j'ai à dire ! D'autant plus que tout est de ta faute.

Harry ne se retourna pas.

— Je suppose que ces *choses sérieuses* concernent ma conversation d'hier matin avec Brandon ?

— Quoi ? Brandon est venu te parler de ses projets ? demanda-t-elle, stupéfaite.

— Oui.

— Tu es donc au courant. As-tu au moins fait l'effort de le dissuader de quitter Stratton Properties ?

— Brandon est en âge de décider seul de son avenir. À quel titre m'en mêlerais-je ?

— Parce que sans toi, il ne se serait jamais mis en tête cette idée grotesque ! explosa Olivia. Enfin, Harry, ne sois pas de mauvaise foi ! Il ne se lance pas dans cette aventure absurde en pensant à notre avenir, mais pour prouver je ne sais quoi. Malgré mes efforts, je n'arrive pas à lui faire considérer la situation de manière rationnelle.

Harry lui lança un coup d'œil par-dessus son épaule.

— Que cherche-t-il à prouver, à ton avis ?

155

— Qu'il est aussi fort et indépendant que toi, répondit Olivia en jetant rageusement son sac sur le canapé. En fait, il n'agit ainsi que parce qu'il est jaloux de toi.

— Jaloux de moi ? De quoi diable serait-il jaloux ? Tu m'as quitté pour l'épouser.

— Ne ramène pas cela sur le tapis, je te prie !

— Je n'essaie pas de ressasser le passé. Je précise simplement que, s'il y a jamais eu entre Brandon et moi une quelconque compétition, c'est lui qui a gagné.

Olivia devint cramoisie.

— Ce n'est pas de moi qu'il est question, mais de la vanité masculine ! Du machisme, si tu préfères ! D'une gloriole idiote qui risque d'entraîner Brandon à sa perte. Il cherche à se prouver à lui-même qu'il a autant de tripes que toi. Il t'a toujours admiré en secret d'avoir tourné le dos à la fortune Stratton. Maintenant, il veut voir s'il est lui aussi capable de réussir sans la famille. C'est malin !

— Et alors ? Laisse-le tenter le coup. Où est le mal ?

Les yeux d'Olivia lancèrent des éclairs.

— Le mal se trouve dans le fait que grand-père le punira de vouloir t'imiter ! Tu sais aussi bien que moi qu'il déshéritera Brandon. Danielle est au bord de la dépression nerveuse. Tous ses sacrifices pour Brandon auront été faits en pure perte !

— J'ignorais qu'on avait encore des dépressions nerveuses à notre époque, observa Harry. Je croyais que vous autres psychologues utilisiez des termes plus modernes.

— Ce n'est pas une plaisanterie, Harry ! fulmina Olivia.

— Et ce n'est pas mon problème, Olivia.

— Il te concerne au premier chef ! Tu l'as provoqué en te donnant comme modèle à Brandon.

— Je n'ai jamais eu la prétention de servir de modèle à quiconque, dit-il d'une voix doucereuse.

— Je t'en prie, Harry, ne me parle pas sur ce ton ! Tu sais qu'il m'exaspère.

— Je pensais au contraire faire preuve d'une civilité méritoire, compte tenu des circonstances.

Olivia grinça des dents de manière audible.

— Quand tu es dans une de tes maudites humeurs, tu donnes l'impression d'extraire tes mots d'un bloc de glace. Fais-tu exprès de te rendre odieux ?

Harry parvint à se dominer.

— Qu'attends-tu de moi au juste, Olivia ?

— Parle à Brandon. Fais-lui comprendre que ce serait une folie de quitter Stratton Properties.

— S'il s'efforce de prouver sa propre valeur aux autres et à lui-même, il ne m'écoutera sûrement pas.

— Tu peux au moins essayer de le dissuader, Harry, ce serait la moindre des choses ! Il faut tenter de l'arrêter avant qu'il soit trop tard. Parker, son grand-père, ne lui pardonnera jamais d'avoir suivi ton exemple. Danielle ne s'en remettra pas. Et Brandon lui-même finira par se mordre les doigts d'avoir commis une telle erreur.

Ainsi, c'était elle Olivia, l'ex-fiancée…

Assise dans sa cuisine devant un plat de raviolis aux épinards, relevés par du parmesan, du basilic frais et un filet d'huile d'olive, Molly considéra d'un regard morne les nouveaux dossiers de demandes de subvention empilés devant elle. Avec un peu de chance, elle en découvrirait bien un ou deux qui trouveraient grâce aux yeux de Harry.

Cette Olivia est jolie fille. Non, sois honnête : ravissante convient mieux.

Tout en mâchant ses raviolis, Molly se demanda ce qui n'avait pas tourné rond entre Harry et Olivia.

Des heures d'ennui ponctuées par des instants de terreur…

Olivia n'avait pourtant pas l'air terrorisée par Harry. Elle ressemblait plutôt à une femme en droit d'exiger qu'il lui accorde son temps et son attention. Qu'est-ce qui avait pu les attirer l'un vers l'autre ? Elle n'était pas du tout le genre de Harry. Bien sûr, se corrigea Molly, son point de vue sur la question n'avait rien d'impartial.

Elle piqua deux raviolis du bout de sa fourchette et ouvrit le premier dossier de la pile. Inutile de se perdre en conjectures, Olivia avait fini par épouser le cousin de Harry, Brandon Hughes. En tout cas, il était intéressant de noter que c'était à Harry qu'elle venait demander de l'aide pour un problème familial qui paraissait sérieux.

Molly se força à chasser ces pensées de sa tête et à se concentrer sur le dossier ouvert. Autour d'elle, la vieille maison se préparait au sommeil avec des craquements et des soupirs. Un léger bourdonnement à l'étage indiquait qu'un robot ménager accomplissait sa tâche.

Molly interrompit sa lecture et posa sa vaisselle sale sur le convoyeur du lave-vaisselle automatique (brevet Abberwick), qui, à la fin du cycle, rangerait de lui-même assiettes et couverts dans les placards voisins. Captivée par l'étude d'un projet de moteur d'automobile sans émissions de gaz toxiques, elle ne leva même pas les yeux lorsque les bras mécaniques, gainés de caoutchouc mousse, effectuèrent la manœuvre avec une parfaite synchronisation.

— Cette Molly Abberwick et toi, c'est sérieux ? s'enquit Olivia en reprenant son sac.

— Oui.

— Tu couches avec ?

— Cela ne te regarde pas.

Olivia eut le bon goût de feindre la contrition.

— Non, c'est vrai. Je me demandais simplement s'il y avait entre vous des… euh, des complications.

— Des complications ?

— Oui, du genre de celles que nous avions, si tu vois ce que je veux dire.

— Ah ! oui, je vois. Si mes souvenirs sont bons, tu disais que je te mettais mal à l'aise.

— Inutile de prendre ce ton sarcastique ! Je voulais simplement te rendre service.

— Comment cela ?

— Je t'ai dit cent fois que, à mon avis, tu souffres d'un stress consécutif à la mort de tes parents. C'est une réaction qui n'a rien d'inhabituel. Tu devrais consulter le Dr Shropton, il a beaucoup d'expérience dans le traitement de ce genre de névroses. Et il existe désormais des médications très efficaces.

— J'en prends bonne note.

— Mais tu ne feras rien, n'est-ce pas ? s'exclama Olivia dans un nouvel accès de rage. Tu refuses de te faire soigner ! Tu ne veux pas en parler, tu ne veux même pas admettre la réalité de tes problèmes !

— Écoute, Olivia…

— Alors, laisse-moi te dire une bonne chose, Harry ! Sur un plan professionnel, je puis t'assurer que tes problèmes ne se résoudront pas tant que tu t'obstineras à t'aveugler sur leur réalité. Tu saboteras tes rapports avec Molly Abberwick aussi sûrement que tu as démoli les nôtres !

— Merci de cette mise en garde. Permets-moi cependant d'observer que l'échec de nos relations ne peut être entièrement attribué à mes seuls défauts personnels.

— Tu n'as quand même pas le culot de prétendre m'avoir jamais aimée, Harry ! J'ignore quels sentiments tu éprouvais à mon égard, mais l'amour n'en faisait pas partie.

— Et toi, m'aimais-tu ?

— Je le croyais, Harry, murmura-t-elle. J'ai fait tout ce que j'ai pu pour y croire.

— Voilà qui était magnanime de ta part.

Comment lui dire qu'il avait essayé, lui aussi, de l'aimer ? Il était hors d'état de trouver les mots appropriés. Elle ne comprendrait jamais que c'étaient précisément ses efforts qui avaient provoqué leur rupture.

— Non, c'était inutile ! Tu es incapable d'aimer qui que ce soit, Harry. Un moment, j'ai cru que nous aurions pu nous entendre si tu avais appris à communiquer, à partager tes sentiments, à sortir de ta coquille. Peine perdue.

— Peut-être…

— Et puis, nos rapports sexuels ont sombré dans le… bizarre, Harry. Tu le sais très bien.

L'accusation lui glaça le sang dans les veines.

— Désolé, murmura-t-il faute de trouver mieux.

— Je sais que tu ne faisais pas exprès de m'effrayer, mais c'était pourtant le cas. Au lit, tu

160

étais si lointain, si froid que j'avais l'impression de faire l'amour avec un robot plutôt qu'avec un homme.

Il ferma les yeux.

— Et puis, poursuivit-elle, la dernière fois que nous étions ensemble, tu as paru perdre tout contrôle de toi-même. C'était… angoissant. Je dirais même effrayant, si tu veux la vérité. Je me suis alors rendu compte qu'il valait mieux rompre nos fiançailles.

Harry se jura de ne pas commettre la même erreur avec Molly. Certes, il était conscient que toutes les femmes qu'il avait connues le jugeaient pour le moins difficile à vivre. Leurs accusations étaient à peu près identiques : il était trop distant, trop indifférent, trop égocentrique, trop froid. Jusqu'à Olivia, ses rares liaisons amoureuses s'étaient brisées sur les écueils de l'ennui ou de l'exaspération. Mais, depuis qu'il se rapprochait de la quarantaine, le besoin de nouer avec une femme des liens solides et sincères s'était fait si impérieux qu'il avait fini par céder à la tentation de dévoiler son moi réel à Olivia. Or, si peu qu'il l'eût fait et en dépit des précautions dont il s'était entouré, le résultat avait été désastreux.

Olivia avait raison : leurs rapports sexuels avaient sombré dans le bizarre – et c'était là un euphémisme.

Harry s'en savait responsable. Tant qu'il parvenait à garder ses distances affectives avec l'autre, à maintenir leurs rapports sur des plans strictement physiques et intellectuels, il gardait le contrôle de la situation. Cependant, depuis quelque temps survenaient, avec une fréquence croissante, de sombres accès au cours desquels il aspirait à quelque chose qu'il ne pouvait pas même nommer. Plus pressant que le besoin de sang pour le vampire, un désir de dépassement de lui-même en se fondant dans l'autre tout en l'absorbant le saisissait avec une intensité confondante, voisine de la frénésie.

Non seulement ces accès se rapprochaient et s'aggravaient, mais ils réveillaient en lui une peur très ancienne, qu'il avait crue vaincue depuis long-temps et qu'il maîtrisait avec de plus en plus de difficulté : celle de sombrer dans la folie. Et il lui fallait exercer une force de volonté chaque fois supérieure pour la repousser.

Le téléphone de la cuisine sonna alors même que Molly terminait la lecture du dernier dossier.

— Avez-vous dîné ? demanda Harry sans préambule.

— Oui, merci. Je suis tout à fait capable de me nourrir par mes propres moyens.

— Je sais.

Molly fronça les sourcils.

— Tout va bien ? Vous avez l'air bizarre.

— Soyez gentille, voulez-vous ? N'employez jamais le mot *bizarre*. Traitez-moi de prétentieux, de pédant, de tête de mule, de tout ce que vous voudrez, mais ne dites surtout pas que je suis bizarre. D'accord ?

— D'accord, vous n'avez pas l'air bizarre. En fait, je voulais dire abattu. Crevé, si vous préférez. Qu'est-ce qui ne va pas ?

— Olivia vient de partir. Mon cousin Brandon a décidé de quitter son job dans l'entreprise fami-liale. Elle me demande de l'en empêcher.

— Je vois. Vous pensez y arriver ?

— J'en doute. Je ne crois même pas que je

devrais essayer. Pouvons-nous remettre notre dîner à demain soir ?

Molly ne répondit pas aussitôt.

— Dites oui, je vous en prie, insista Harry.

— Bien sûr, j'en serai ravie. Au fait, Harry, je viens de jeter un coup d'œil aux nouvelles demandes de subvention et je crois en avoir trouvé de vraiment intéressantes dans le lot. J'ai hâte que vous les regardiez.

— Moi aussi.

— Vous n'avez pas l'air enthousiaste.

— Je le serai demain soir.

— La journée a été longue, c'est vrai.

— Oui, très. Bonne nuit, Molly. Et merci de m'avoir accompagné à Hidden Springs, ajouta-t-il après une légère hésitation.

— C'était passionnant. Kelsey a raison, je devrais sortir plus souvent de mon trou. Bonne nuit, Harry.

Après avoir raccroché, Molly resta assise, immobile, à écouter les bruits de la maison. Des bruits familiers, apaisants, qu'elle connaissait depuis toujours. Au bout d'un moment, elle demeura en ordre la pile de dossiers, se leva. Les lumières s'éteignirent lorsqu'elle quitta la pièce.

Elle gravit le grand escalier, alla dans sa chambre au bout du couloir. Un instant plus tard, elle se glissa dans son lit. Couchée sur le dos, les mains croisées sous la nuque, elle demeura les yeux ouverts dans l'obscurité jusqu'à ce que le sommeil la gagne. Elle fit un rêve décousu où se mêlaient des rois rouges, des poignards, des périls invisibles. À la limite de sa conscience, une sorte de bourdonnement assourdi aggravait son sentiment diffus d'insécurité.

Il fallut plusieurs minutes à son cerveau engourdi

pour enregistrer le fait que ce bruit ne faisait pas partie de son rêve. Lorsque Molly prit conscience de son caractère anormal, la peur la réveilla tout à fait.

Une peur qui se mua en un accès de terreur lorsqu'elle ouvrit les yeux : une forme drapée dans un suaire noir se dressait au chevet de son lit. Elle distingua une tête de mort aux orbites béantes, une main crochue, décharnée.

Molly se figea, ouvrit la bouche. Le hurlement ne put franchir sa gorge. La forme se pencha au-dessus du lit. Le bourdonnement s'intensifia. La main crochue se leva...

L'instinct de conservation de Molly débloqua ses muscles tétanisés par la terreur. Elle repoussa l'édredon, roula sur elle-même de l'autre côté du lit, tomba lourdement sur le plancher, se releva en vitesse et détala vers la porte.

La lumière du couloir s'alluma automatiquement dès que Molly eut franchi le seuil. Sans ralentir, elle jeta un coup d'œil par-dessus son épaule pour voir si elle conservait de l'avance sur son poursuivant.

C'est alors qu'elle se rendit compte que la forme noire surgie de sous son lit ne courait pas derrière elle. La chose continuait à ne menacer que les draps froissés, la main crochue restait brandie sans changer de position. Et l'affolant bourdonnement avait brusquement cessé, comme si on avait basculé un interrupteur.

Les jambes flageolantes, Molly s'arrêta, s'adossa au mur du couloir en exhalant un soupir de soulagement.

— Ah, non ! murmura-t-elle. Voilà que ça recommence !

8

Une sonnerie stridente retentit soudain dans le rêve de Harry. Il retournait les cartes d'un jeu ne comportant que des rois rouges. Sous peine de tout perdre, il devait coûte que coûte trouver la reine et ce maudit téléphone venait troubler sa concentration ! Mi-agacé, mi-inquiet, il se redressa sur ses oreillers et tendit la main vers le combiné en jetant un coup d'œil au cadran du réveil : minuit passé. Les appels à pareille heure n'annonçaient jamais rien de bon. Celui-ci lui permettait au moins provisoirement d'échapper au cauchemar.

— Trevelyan, annonça-t-il.

— Harry, c'est moi. Molly.

Le tremblement de sa voix fit à Harry l'effet d'une douche glacée qui le réveilla tout à fait.

— Qu'y a-t-il ?

— Il vient de m'arriver un truc bizarre. Vous vous souvenez du faux pistolet devant ma porte l'autre soir ?

— Bien sûr. Alors ?

— Alors, je crois que l'auteur de cette mauvaise plaisanterie m'en a joué une autre.

— Le salaud ! grommela-t-il. Du même genre ?

— À peu près, mais beaucoup plus efficace. Je ne crois pas avoir eu aussi peur de ma vie.

— C'est grave ?

Il avait déjà sauté à bas du lit, le téléphone à la main.

— Non, tout va bien. Rien de très méchant. Effrayant, voilà tout... Je suis désolée de vous déranger, reprit-elle après une brève hésitation. Je n'aurais pas dû vous appeler. J'ai composé votre numéro sans réfléchir et...

— Vous avez eu raison, enchaîna-t-il en ouvrant la penderie. Attendez-moi, j'arrive.

— Mais non, voyons !

— Si ! Je serai chez vous dans dix minutes, le temps de passer un pantalon et de sortir la voiture.

— Merci, fit Molly avec un évident soulagement.

— Cette fois, que vous le vouliez ou non, nous avertirons la police.

— Ne dramatisons pas, Harry ! Ce n'est rien de plus qu'une plaisanterie, j'en suis sûre...

— À tout de suite, l'interrompit-il.

Harry raccrocha, enfila les premiers vêtements qui lui tombèrent sous la main et partit en courant.

Il ne voulait surtout pas penser au roi rouge.

Il ne lui fallut pas dix minutes dans les rues désertes pour arriver devant l'affreuse pâtisserie que Molly appelait son domaine. Trouvant la grille ouverte, Harry la franchit sans ralentir, constatant que toutes les fenêtres de la maison étaient éclairées, y compris les mansardes. Le mauvais plaisant avait peut-être réussi à effrayer Molly, pensa-t-il en escaladant le perron, mais sûrement pas prévu qu'il se dotait du même coup d'un adversaire résolu en la personne de l'ingénieur-conseil de sa victime. Et pas question de laisser Molly seule ici cette nuit, se jura-t-il. Elle aurait beau protester, il l'emmènerait chez lui et l'y garderait en sûreté jusqu'à ce qu'il dispose des éléments lui permettant de régler le problème.

La porte s'ouvrit au moment où il levait la main vers le bouton de sonnette. Molly apparut, sa silhouette dessinée à contre-jour par la lumière du vestibule. Les cheveux en désordre, les yeux encore assombris par la peur, elle retenait d'une main les revers d'un peignoir blanc en tissu-éponge.

— Harry…

Visiblement en proie au désarroi, elle le dévisagea un instant sans mot dire. Puis, d'un élan impulsif qui prit Harry au dépourvu, elle se jeta dans ses bras et enfouit son visage au creux de son épaule.

D'instinct, il la serra très fort contre lui.

Elle avait besoin de lui. Elle l'avait appelé à l'aide. Et elle était dans ses bras. Là où elle devait être.

L'angoissant appétit s'éveilla en lui avec une voracité sauvage. Au prix d'un violent effort de volonté, il parvint à dominer les émotions prêtes à le submerger. Il ne pouvait pas prendre le risque de terrifier Molly en les lui laissant deviner. L'enjeu était trop important. À aucun prix, il ne devait la perdre.

— Allons, tout va bien, je suis là, dit-il en tentant de se dégager avec douceur.

Les bras noués autour de son cou, elle s'accrochait à lui comme un noyé à une bouée. À regret elle finit par le lâcher et leva vers lui un regard contrit.

— Merci d'être venu si vite, Harry. Je suis sincèrement touchée. Je n'aurais pas dû vous déranger…

Il l'interrompit d'un ton faussement bourru :

— Ne dites pas de bêtises, voyons !

À l'évidence, elle avait peur – mais pas de lui, Dieu merci ! Son peignoir entrouvert dévoilait une virginale chemise de nuit blanche à encolure de dentelle. Les pointes de ses seins transparaissaient sous la fine étoffe. Harry s'efforça de ne pas écouter le sang qui grondait dans ses veines comme l'eau d'un torrent.

Molly suivit son regard, piqua un fard et se hâta de rajuster le peignoir.

— Entrez, je vais faire du thé.

Harry franchit le seuil. En refermant la porte derrière lui, il se rendit compte que ses mains tremblaient.

— Le monstre surgi de sous son lit, le pire cauchemar de tous les gosses. Et j'ai réagi comme si j'avais été une gamine. Cette chose m'a fait une peur bleue.

Elle versait le liquide ambré et parfumé qui avait infusé dans une théière de grès. Le thé était la seule chose qu'elle préparait toujours de ses mains. Aucune machine, pas plus les appareils perfectionnés conçus par son père que les gadgets exotiques issus du cerveau fertile de sa sœur Kelsey, n'était digne d'une tâche aussi délicate.

Harry scrutait les éléments du monstre mécanique étalés devant lui sur la table de la cuisine. Molly l'avait observé disséquer la machine avec la minutie du joaillier qui dessertit les pierres précieuses d'un collier. La grossière étoffe noire, la tête de mort en carton-pâte, les tiges de ferraille et les engrenages sommaires n'avaient rien d'effrayant sous la lumière crue. Molly en éprouvait même une sorte de dépit.

— Je n'aurais pas dû perdre la tête, admit-elle. Le pistolet ne m'avait guère impressionnée, alors que ce… machin m'a vraiment fait de l'effet.

— C'était le but recherché, déclara Harry en examinant une roue dentée. Ce machin, comme vous dites, constituait d'ailleurs une menace beaucoup plus inquiétante que le premier parce qu'il était installé chez vous, pas devant la porte mais dans votre chambre à coucher. Sous votre lit. Celui qui se livre à ces manœuvres d'intimidation cherche précisément à vous faire perdre la tête, j'en suis convaincu.

Molly ne put s'empêcher de frémir. Elle se demanda si Harry parlait sérieusement et se rendit compte que c'était le cas.

— J'ai encore du mal à y croire… Comment a-t-il pu entrer et installer cette mécanique ?

— Avez-vous vérifié les portes et les fenêtres ?

— J'ai fait le tour complet de la maison avant votre arrivée. Tout était fermé. Je n'ai remarqué aucune trace d'effraction, et le système de sécurité était branché.

— L'objet a pourtant été introduit dans le courant de la journée. Ce qui nous laisse le choix entre deux hypothèses. Ou bien il s'agit d'une personne assez proche de vous pour connaître le code de votre système d'alarme…

— Impossible ! l'interrompit-elle. Kelsey et moi avons toujours pris les plus grandes précautions à ce sujet. Elle ne communiquerait le code à personne, pas même à sa meilleure amie. Moi non plus, bien entendu.

Harry reposa sur la table une des mains crochues – de simples fils de fer recouverts d'un vieux gant noir.

— Dans ce cas, déclara-t-il en se levant, celui que nous cherchons est assez fort – vicieux, devrais-je plutôt dire – pour savoir décrypter ou by-passer votre code. Quel qu'il soit, en tout cas, il vous a assez perturbée pour cette nuit. Montez faire votre valise, je vous emmène chez moi.

— Chez vous ?

Elle se leva si brusquement qu'elle fit basculer sa chaise. Sans même regarder, Harry tendit la main et rattrapa celle-ci au vol par le dossier.

— Oui, chez moi. Vous y passerez la nuit. Demain matin, nous aviserons à ce qu'il convient de faire ensuite.

Molly hésita. D'un côté, elle appréhendait la perspective de finir la nuit seule dans cette grande maison vide. De l'autre, elle répugnait à admettre que la situation était sérieuse au point de devoir fuir de chez elle.

— Je suis très touchée de votre proposition, dit-elle enfin, mais je ne voudrais pas vous importuner. À quoi bon, d'ailleurs ? Celui qui a fait un coup pareil n'aura quand même pas l'audace de revenir cette nuit.

Il la poussa doucement mais fermement vers l'escalier.

— Il faut pourtant que vous m'accompagniez.

— Pourquoi donc ?

— Pour moi. Pour que j'aie la conscience tranquille.

Molly en resta bouche bée.

— Mais…, commença-t-elle.

— Je veux pouvoir y réfléchir cette nuit à tête

reposée, poursuivit-il. Demain matin, nous irons à la police déposer une plainte.

— On nous rira au nez, grommela Molly. La police a sûrement mieux à faire qu'enquêter sur l'auteur présumé de plaisanteries de mauvais goût.

— Je sais. Mais je tiens à ce qu'il y ait une trace officielle de ces incidents.

Harry n'insista pas, mais elle devina ses raisons : il prévoyait de nouvelles agressions et redoutait qu'elles ne se fassent de plus en plus menaçantes.

Une heure plus tard, seul dans son living obscur, Harry tendit l'oreille. Aucun bruit n'émanait de la chambre d'amis, Molly s'était enfin endormie.

Debout devant la baie vitrée le séparant de la nuit, il serrait d'une main une pièce détachée du fantôme, qui semblait dégager pour lui seul une chaleur brûlante.

Maintenant, il allait se concentrer. Intensément.

Il le faisait à contrecœur, presque malgré lui. Il ne s'était pas adonné à ce type de contemplation depuis la mort spectaculaire de Wild Willy Trevelyan. Harry gardait un trop mauvais souvenir de ce que ses visions lui avaient révélé ce jour-là ; ce qu'il découvrirait cette nuit ne lui plairait sans doute pas davantage.

Il se réjouissait encore moins des sensations qu'il éprouverait à coup sûr pendant cet exercice : ses plus brefs éclairs de voyance lui apportaient toujours un insoutenable sentiment de vulnérabilité. L'exploration en profondeur à laquelle il s'apprêtait à se livrer cette nuit promettait d'être bien pire. Avant de refaire surface, il s'attendait à douter au moins une fois, sinon plusieurs, de son propre équilibre mental. Comment accepter sans frémir d'affronter la peur tapie dans les recoins obscurs de son esprit ? Il le devait, pourtant. Son besoin de savoir était plus fort que sa terreur de sentir sa raison vaciller.

Harry plongea au plus profond de ses niveaux de conscience comme s'il se jetait dans le vide. À force d'expérience, il savait éviter de se laisser entraîner trop loin, jusqu'à l'abîme qui l'engloutirait à jamais.

Un instant plus tard, sa concentration atteignit un tel niveau d'intensité qu'il perdit tout sentiment de la réalité alentour. Il n'était plus chez lui, dans son living, mais intégré à la nuit qui s'étendait derrière la vitre. Le métal lui brûlait la paume. En lui, une voix criait une mise en garde – non pas au sujet de la mécanique qu'il tenait mais de l'écroulement imminent de ses fortifications personnelles. Du mur qu'il s'était astreint à édifier au bord de l'abîme.

Harry avait appris, au fil des ans, à faire comme si l'abîme n'existait pas et à tirer le meilleur parti des hauts-fonds que son esprit consentait à explorer. Cette nuit, toutefois, il devait s'aventurer dans des profondeurs insondées, car c'était là que gisaient les réponses en quête desquelles il était. Il devait s'astreindre, non sans crainte et sans répugnance, à abattre les barrières qu'il avait eu tant de peine à dresser. À démanteler sa forteresse intérieure. Tel était le prix à payer pour parvenir à ses fins.

Debout devant la baie vitrée, face au ciel nocturne, il s'abandonna aux ondes de connaissance qui s'insinuaient peu à peu en lui jusqu'à prendre possession de son esprit. La nuit l'enveloppa comme un suaire. Les yeux clos, Harry serra plus fort le morceau de métal. Cette chose inerte constituait la clef d'une information essentielle ; il devait en percer la signification cachée afin de venir en aide à Molly.

Devant lui s'ouvrirent le gouffre et l'amorce du pont de verre qui le franchissait. Il ne pouvait pas distinguer la rive opposée, il n'avait d'ailleurs jamais pu. Il ne s'était jamais risqué non plus à traverser le pont. Tout au plus, en de rares occasions, s'était-il permis d'y poser le pied. Car s'il ignorait ce qui l'attendait de l'autre côté du gouffre, il savait avec certitude que la folie était tapie au fond.

Rassemblant ses forces, il fit un premier pas sur le pont de verre. *Ne regarde pas en bas*, s'adjura-t-il. *Ne baisse surtout pas les yeux…*

— Harry ?

Surgie de nulle part, sa faim dévorante assaillit soudain des défenses déjà sévèrement ébranlées.

— Êtes-vous malade ? Harry, répondez !

La voix de Molly lui parvenait de très loin, murmure indistinct dans la nuit qui l'enveloppait. Pourtant, elle était là. Juste derrière lui. *Non ! Partez, allez vous recoucher ! Pour l'amour du ciel, ne vous approchez pas. Pas maintenant !* Mais les mots restèrent bloqués dans sa tête. Il était hors d'état de les articuler.

— Harry, qu'y a-t-il ? Qu'est-ce qui ne va pas ?

Tout. Rien ne va. Laissez-moi, de grâce…

Sa langue refusa de fonctionner. Son corps n'obéissait plus à ses ordres.

Harry parvint quand même à se retourner en vacillant. La vue de Molly qui s'avançait dans l'ombre lui causa un indicible désespoir. Il se trouvait déjà trop loin sur le pont de verre pour qu'elle puisse jamais l'y rejoindre.

En équilibre instable sur la fine lame de verre qui frémissait sous lui, Harry aperçut alors l'autre rive et comprit pourquoi il s'était toujours refusé à imaginer ce qui l'y attendait : mieux valait ne pas contempler de trop près ce qu'il ne pourrait jamais atteindre. Un désir fou, une faim sauvage lui lacéraient les entrailles.

— Harry, êtes-vous malade ?

Drapée dans son peignoir blanc, Molly s'arrêta devant lui, plus adorable que jamais avec ses cheveux ébouriffés et ses yeux lumineux comme des lacs.

Au prix d'un effort herculéen, Harry parvint enfin à se maîtriser et à retrouver l'usage de la parole.

— Retournez vous coucher.

Elle leva la main, lui effleura la joue.

— Grand Dieu, vous brûlez de fièvre ! Il ne fallait pas venir me secourir dans l'état où vous étiez. Vous auriez dû me le dire plus tôt, je ne me doutais pas que vous étiez souffrant. C'est vous qui devriez vous recoucher !

— Non, croassa-t-il. Je vais très bien. Laissez-moi.

La lame de verre tremblait sous lui. Il ne pouvait ni avancer ni reculer. Le pont allait sûrement s'écrouler d'un instant à l'autre et le précipiter dans l'abîme.

— Il n'est pas question de vous laisser dans cet état, voyons ! déclara-t-elle en lui prenant sa main libre. Je vais vous mettre au lit et chercher un thermomètre.

— Non. Je ne suis pas malade.

Sans tenir compte de sa protestation, elle le guida vers sa chambre. Harry se laissa faire : le contact de sa main dans la sienne agissait sur lui plus sûrement qu'un sortilège. Il avait beau lutter pour regagner au moins un semblant de sa lucidité coutumière, il était déjà trop tard. Molly l'entraînait à sa suite très loin au-dessus du gouffre, et son désir de découvrir ce qui se dissimulait sur l'autre bord était désormais trop puissant pour qu'il soit en son pouvoir – ou sa volonté – d'y résister.

— Nous y voilà !

Dans la chambre, Molly lui lâcha la main et lui tourna le dos pendant qu'elle rabattait les couvertures. Fasciné, Harry contempla sa nuque. Il n'avait jamais admiré de courbe plus parfaite, plus gracieuse. En transe, il tendit les mains vers cette nuque sublime, fit un pas... et trébucha.

Molly le soutint de justesse :

— Vous êtes vraiment malade, ne dites pas le contraire ! Depuis que je vous connais, je ne vous ai jamais vu dans un tel état. C'est sans doute la fièvre qui vous fait tituber. Ne vous inquiétez pas, vous irez mieux demain.

Frustré, Harry secoua la tête. Comment lui expliquer ce qui lui arrivait alors qu'il ne le comprenait pas lui-même ? Jusque-là, Dieu merci, Molly ne semblait pas consciente de la lutte intérieure faisant rage en lui. Mais elle se rendrait vite compte qu'il avait l'esprit dérangé, ce n'était qu'une question de minutes. De secondes, peut-être...

En proie au vertige, Harry s'efforça en vain de retrouver sa maîtrise de soi. Son désir se faisait trop exigeant pour être combattu. Molly était plus désirable à ses yeux qu'Ève aurait pu l'être à ceux d'Adam.

C'était *elle* la femme qui lui était destinée. Celle qui l'attendait de l'autre côté de l'abîme.

Le lit prêt, Molly se tourna de nouveau vers

Harry, le regard anxieux. Elle s'inquiétait de lui, pensa-t-il avec une incrédulité émerveillée. Elle n'avait pas peur. Pas encore, du moins...

Car il ne pouvait rien faire pour éviter le désastre imminent. Elle prendrait fatalement conscience du désir bestial qui bouillonnait en lui. Un désir tout à fait naturel à ses yeux, mais qui, pour n'importe qui d'autre, paraîtrait contre nature par son intensité même. Elle en serait terrifiée au point de le fuir, comme un monstre échappé d'une autre planète.

À l'exemple d'Olivia, Molly le rejetterait. Dépouillé de ses défenses comme il l'était cette nuit, Harry n'était pas certain d'y survivre. Il tomberait du pont de verre dans une chute sans fin. Il serait maudit à jamais.

— Je vais vous aider à enlever votre chemise.

Au contact de ses doigts qui lui effleuraient la poitrine, Harry ne put réfréner un frémissement convulsif.

— Vous tremblez ! Vous avez froid ?

— Non, chaud. Très chaud.

Je brûle, s'abstint-il d'ajouter.

— Je vous apporterai à boire dans une minute.

Elle se pencha pour déboutonner la chemise. Ses cheveux lui chatouillèrent le bout du nez.

Jamais de sa vie Harry n'avait connu sensation plus délectable. Il aspira le parfum fleuri de son shampooing, huma par bouffées gourmandes l'odeur capiteuse de son corps. L'essence de sa féminité exacerba tout ce qu'il y avait de masculin en lui. Elle n'avait pas même conscience de le séduire aussi sûrement qu'une houri en exécutant la danse des sept voiles séduit les élus du paradis d'Allah...

Un gémissement étouffé lui échappa. Un objet tomba sur la moquette avec un bruit sourd. Harry se rendit à peine compte qu'il avait lâché la pièce métallique dont il s'était muni pour sa séance de voyance.

Il y avait pourtant, dans ce morceau de fer, quelque chose d'essentiel. Quelque chose qu'il devait à tout prix découvrir. Mais Molly finissait de déboutonner sa chemise, et Harry ne pouvait plus penser à rien d'autre. Il sentait les doigts de Molly sur sa poitrine nue. Des doigts doux et tièdes, aériens, qui le marquaient de façon plus indélébile qu'un fer rouge.

— Molly, murmura-t-il.

C'était à la fois une invocation et une imprécation, parce qu'il savait que le sort en était jeté. Qu'il perdrait Molly cette nuit avant même de l'avoir gagnée.

— Allons, calmez-vous, tout ira bien, dit-elle avec douceur. Cette fièvre vous a pris sans prévenir ?

— Oui.

Et il en mourrait à coup sûr.

Elle réfléchit un instant, une moue pensive aux lèvres.

— Ce n'est peut-être qu'une intoxication alimentaire.

Il ne connaissait qu'un remède contre les flammes le consumant. Le pont de verre vibrait sous ses pieds. Le désastre se précisait, imminent. Car les doigts de Molly se posaient à nouveau sur ses épaules pour ôter la chemise.

Harry crut s'embraser. La chaleur intérieure de son corps devenait insoutenable. Son érection prenait des proportions monstrueuses, presque douloureuses.

— Vous êtes brûlant, dit-elle en le regardant dans les yeux. Je vais vous chercher un verre d'eau fraîche.

Harry saisit cette occasion de briser le périlleux envoûtement par lequel elle le subjuguait sans le vouloir.

— Oui.

— Asseyez-vous avant de vous écrouler, Harry. Sans vous vexer, vous avez une mine à faire peur.

Et voilà ! faillit-il laisser échapper. Il lui faisait déjà peur ! Bientôt, il la ferait fuir.

Accablé de désespoir, Harry se laissa tomber au bord du lit. La tête dans les mains, il s'efforça de se ressaisir pendant que Molly allait dans la salle de bains.

Descends du pont de verre ! Redresse tes barrières !

Il entendit l'eau couler dans le lavabo.

Plus vite, imbécile ! Tu es sur le point de la perdre !

Trop tard… Il avait beau s'évertuer, il était trop loin sur le pont pour reculer, trop engagé au-dessus du gouffre pour résister à sa fascination morbide.

— Voilà, fit la voix de Molly. Buvez vite et couchez-vous tout de suite.

Sans relever la tête, Harry ouvrit les yeux. La première chose qu'il vit entre ses doigts fut le tiroir de la table de chevet. Ce matin, dans un élan d'optimisme, il y avait transféré la boîte de préservatifs.

Molly s'intercala en venant lui mettre le verre d'eau dans la main. Il faillit le laisser échapper, réussit à le boire sans s'étrangler. Mais l'eau était impuissante contre le feu qui le consumait. Du whisky, du cognac auraient mieux valu. L'alcool se serait peut-être montré plus efficace pour mater l'érection qui menaçait de faire craquer les coutures de son pantalon.

— Merci, dit-il d'une voix rauque.

— Je devrais appeler un médecin, demander conseil…

— Non ! Non, de grâce, n'appelez personne !

— Comme vous voudrez.

Et elle s'agenouilla pour lui délacer les chaussures.

Les yeux écarquillés, Harry contempla les plis du peignoir blanc étalé autour d'elle comme une robe de mariée. Elle paraissait à la fois sensuelle et chaste – combinaison d'autant plus irrésistible qu'elle était paradoxale.

— Je sais combien vous êtes indépendant, dit-elle en enlevant une chaussure. Mais admettez au moins que vous avez besoin d'aide ce soir. Vous n'êtes pas bien du tout, Harry.

— On me l'a déjà dit.

Elle mit cette réponse énigmatique sur le compte du malaise. De son côté, Harry songeait qu'elle n'avait pas encore pris la fuite parce qu'elle attribuait son étrange comportement à une vulgaire intoxication alimentaire. La vision de Molly agenouillée devant lui était la plus érotique qu'il lui eût jamais été donné de contempler. Il ne pouvait s'empêcher de l'imaginer en train d'ouvrir son pantalon, de rafraîchir du bout de la langue sa peau brûlante…

— Voilà, fit-elle en faisant glisser la deuxième chaussure. Et maintenant, Harry, au lit.

Son lit de mort. Il ne survivrait pas à ce qui allait inéluctablement se produire ensuite.

— Oui, parvint-il à articuler.

— Vous vous sentirez mieux demain matin.

— Non.

— Mais si !

Elle se releva, le poussa doucement par une épaule pour le forcer à s'étendre. Il tomba sur l'oreiller avec la grâce légère d'un éléphant sautant d'une falaise et lui lança un regard pitoyable.

Molly se pencha vers lui, son peignoir s'écarta en dévoilant sa chemise de nuit blanche bordée de dentelle à l'encolure. Harry humecta ses lèvres desséchées et lutta afin de trouver les mots qui le fuyaient.

— S'il vous plaît...

Il n'avait rien pu trouver de mieux.

— Oui ? Que voulez-vous, Harry ?

— Vous.

Elle battit des cils. Une vive rougeur lui envahit lentement les joues.

— Vous êtes malade, Harry. Vous avez besoin de repos.

— Non. Je ne suis pas malade comme vous le croyez. Je n'ai besoin que de vous.

Molly se pencha un peu plus, tâta d'une main son front brûlant.

— Vous avez la fièvre. Vous délirez.

Il lui saisit la main avant qu'elle ne l'ait retirée de son front et la posa sur son érection.

— Non... Faisons l'amour, Molly.

Elle se figea.

Et maintenant, elle va prendre ses jambes à son cou, se dit Harry. Le rêve est fini.

— Harry ?

Ses yeux verts brillaient soudain d'un étrange éclat. Colère ? Frayeur ?

— C'est cela ma maladie, murmura-t-il entre ses dents serrées. Je ne souffre pas d'intoxication

180

alimentaire mais de désir fou. Je ne suis malade que de désir, Molly.

— Oh ! Harry…

Elle se releva comme pour prendre son élan. Et je ne peux rien faire pour la retenir, pensa-t-il avec désespoir. Rien. Elle a enfin reconnu ma folie. Elle me hait. Me méprise même. Elle va me laisser seul dans le noir…

Le peignoir blanc tomba sur la moquette avec un léger bruissement. La chemise de nuit blanche au col bordé de dentelle suivit le même chemin.

Harry ne put détacher ses yeux du corps nu de Molly, hypnotisé par le triangle de sa toison secrète dont la tache sombre se détachait sur sa peau claire. La clarté de la lune dessinait les courbes de ses petits seins hauts et fermes, de ses cuisses au galbe voluptueux.

Molly s'offrait à lui…

Une fraction de seconde, Harry douta de la réalité. Il était pourtant certain que Molly le fuirait.

— Molly, gémit-il en fermant les yeux. Ne partez pas.

Il la sentit s'étendre sur lui avec la douceur tiède d'une averse tropicale. Ses lèvres se posèrent sur les siennes, ses seins sur sa poitrine.

Elle acceptait de faire l'amour avec lui…

Les derniers vestiges de sa maîtrise de soi volèrent en éclats, et Harry s'élança sur le pont de verre sans se soucier du gouffre béant sous ses pas. Seule comptait désormais pour lui l'autre rive de l'abîme. Il lui fallait l'atteindre au plus vite. Pour savoir.

Serrant Molly dans ses bras, il la retourna en lui arrachant un léger cri de surprise. Elle l'étreignit à son tour, lui griffa le dos, les épaules. D'une main glissée entre ses cuisses, il la trouva prête à le recevoir.

C'est alors qu'il se rappela la présence des préservatifs dans le tiroir de la table de chevet. Il tendit la main, mais elle tremblait au point qu'il fut hors d'état d'ouvrir le tiroir, d'en sortir un sachet.

— Harry ? Qu'est-ce qui ne va pas ?

Elle tremblait aussi – mais d'impatience, pas de peur.

— Vite, Harry, je ne peux plus attendre. C'est la première fois de ma vie que je me sens comme cela.

— Le… le tiroir, là, bredouilla-t-il.

Elle lui arracha presque son pantalon et mit le préservatif en place avec une hâte qui la rendait délicieusement maladroite. Chacun de ses gestes était pour Harry une caresse si exquise, si érotique qu'il craignait de ne plus être en mesure de se maîtriser. Elle me désire *moi*, tel que je suis, ne cessait-il de se répéter avec un émerveillement qui lui coupait le souffle.

Enfin, Molly s'offrit à lui. Grisé par le parfum qui s'exhalait de son corps chaud et moite, Harry se sentit entraîné dans une plongée au cœur même de la Création. Leurs bouches soudées l'une à l'autre, ils se fondirent alors dans une union si étroite, si totale qu'il leur devint impossible de distinguer les limites de leurs corps. Bientôt, ils ne formèrent plus qu'un seul être.

Un long moment plus tard, Molly laissa échapper un cri d'extase. Aussi longtemps qu'il vivrait, Harry sut qu'il ne pourrait l'oublier. C'était le chant le plus mélodieux, la musique la plus céleste qu'il eût jamais entendue.

Lorsqu'ils parvinrent ensemble à la cime du plaisir, Harry atteignit l'extrémité du pont de verre et bondit sur la rive du précipice.

Et là, il découvrit qu'aucun péril ne le menaçait. Car Molly y était avec lui.

9

La lumière du matin inondait la chambre. Un large sourire aux lèvres, Molly ouvrit les yeux et les referma aussitôt, éblouie : voilà donc ce qu'on ressent quand on fait l'amour avec le Dr Harry Stratton Trevelyan ! L'expérience valait la peine d'être tentée. Pour une Abberwick, rien au monde n'est plus gratifiant que de satisfaire sa curiosité…

Elle eut beaucoup de mal à ne pas pouffer de rire. Sa curiosité n'avait certes jamais eu l'occasion d'être assouvie de la manière dont elle l'avait été la nuit précédente ! Son corps entier lui donnait l'impression de ronronner.

Molly s'étira, se souleva sur un coude pour mieux voir Harry endormi à côté d'elle. Quel mâle superbe ! se dit-elle. Le terme de « bel homme », trop mièvre, trop trivial pour décrire un spécimen aussi exceptionnel d'humanité masculine, ne lui convenait pas. Harry était… fabuleux. L'homme le plus fascinant qui eût jamais existé sur terre.

Même vautré à plat ventre sur les draps froissés, il ne perdait rien de son élégance virile, de sa grâce féline. Des muscles de son dos et de ses épaules, comme de ses mains au repos sur les draps blancs, émanait une puissance impossible à méconnaître. Malgré les paupières closes, qui éteignaient l'éclat du regard, les traits du visage semblaient sculptés de manière à exprimer à la fois les passions les plus débridées et la volonté la plus farouche.

Molly rit intérieurement de son propre accès de lyrisme romanesque. Elle était tombée amoureuse. Et pourquoi pas, après tout ? Elle avait assez longtemps attendu l'homme de sa vie ; puisqu'elle l'avait enfin rencontré, elle en assumerait tous les risques. Le fardeau des responsabilités qu'elle endossait depuis des années parut soudain choir de ses épaules. Jamais elle ne s'était sentie plus libre, plus légère.

Les révélations de la nuit lui donnaient aussi à réfléchir. Elle savait désormais que le tempérament passionné et volontaire de Harry recouvrait d'étonnantes faiblesses. Jamais elle n'oublierait l'expression de son regard lorsqu'il l'avait pour ainsi dire suppliée de faire l'amour avec lui. À l'évidence, il n'avait pas conscience de la profondeur des sentiments qu'il lui inspirait, sinon il aurait su qu'il n'avait nul besoin de l'implorer. Il serait insensé s'il ne l'avait pas compris maintenant. Le désespoir stoïque, la tristesse lus dans ses yeux lors de ces instants cruciaux l'avaient déconcertée et la déroutaient encore. Elle aurait juré qu'il s'offrait à elle sans illusion, qu'il était résigné à ce qu'elle le repousse.

Un homme tel que Harry ne baisse pourtant pas sa garde de son plein gré ou par inadvertance. Il devait être d'une étrange, d'une fort étrange humeur la nuit dernière.

Elle revit son front luisant de sueur, ses traits tirés par l'angoisse. Au début, sa température brûlante l'avait alarmée. En le trouvant seul dans le noir devant la fenêtre du living, elle avait été persuadée qu'il était malade et n'avait pas cru à la sincérité de ses protestations. C'est en faisant l'amour avec une vitalité défiant l'imagination – la sienne, du moins – qu'il lui avait ensuite prouvé à quel point sa santé était florissante...

Bizarre, que tout cela. Très bizarre.

Elle ne disposait, certes, que d'une expérience limitée dans ce domaine. Le simple bon sens lui disait cependant que si Harry souffrait de quelque chose la nuit dernière, cela n'avait rien à voir avec une intoxication alimentaire.

L'instant précis où il l'avait pénétrée la première fois resterait à jamais gravé dans sa mémoire. Elle avait eu l'intuition nette qu'il s'agissait, de sa part, de bien plus qu'un élan d'avidité érotique. Qu'il se donnait à elle plus encore qu'il la possédait, comme s'il avait voulu sceller ainsi entre eux des liens indissolubles.

Mais peut-être se laissait-elle tout bonnement emporter une fois de plus par son imagination. Compte tenu des circonstances, cela n'aurait rien d'impossible...

Incapable de rester en place tant elle se sentait déborder d'énergie, Molly repoussa les couvertures et se leva en prenant soin de ne pas réveiller Harry. Quand elle posa le pied par terre, la réaction de ses muscles, qu'elle n'avait pas accoutumés à être sollicités avec autant de vigueur, lui arracha une légère grimace de douleur. Elle se ressaisit et s'éloigna sur la pointe des pieds vers la salle de bains, en ramassant au passage sa chemise de nuit et son peignoir, là où elle les avait laissés la veille. La porte refermée, elle les pendit à une patère, ouvrit le robinet de la douche et pénétra dans la cabine vitrée. L'eau chaude sur sa peau lui procura une merveilleuse sensation de bien-être – mais elle savait que tout ce qu'elle ferait ce jour-là lui paraîtrait merveilleux. Jamais elle ne s'était sentie de meilleure humeur.

Elle se savonnait en chantonnant quand la porte de la douche s'ouvrit. Un nuage de buée s'échappa dans la pièce. À demi aveuglée par l'eau qui ruisselait, Molly se retourna, étonnée. Harry la contemplait avec une expression qui la fit rougir de la tête aux pieds. D'instinct, elle se couvrit le sexe à deux mains – réflexe bien inutile : Harry avait déjà vu en détail tout ce qu'il fallait voir d'elle.

À l'évidence, il n'était pas affligé de la même fausse pudeur, car il s'était levé du lit sans se donner la peine d'enfiler un peignoir. Molly ne put ignorer la preuve de sa virilité exigeante, que soulignait l'éclat sensuel de ses yeux couleur d'ambre. Ce matin, néanmoins, quelque chose en lui différait notablement de ce qu'elle avait observé la veille. Son regard avait perdu l'expression quasi égarée qui l'assombrissait la veille. Et il considérait Molly avec une sorte de stupeur attentive, comme s'il s'étonnait de la voir nue dans sa douche.

Elle parvint à feindre un sourire naturel.

— Bonjour. On dirait que tu te trouves nez à nez avec un fantôme.

— Pas avec un fantôme, dit Harry en entrant dans la douche. Avec toi.

— Tu pensais découvrir quelqu'un d'autre ?

— Personne. Je craignais seulement que cette nuit n'ait été qu'un rêve.

Il la prit par les épaules, l'attira contre lui. Au contact de son érection, Molly se sentit flageoler.

— Tu ne vas pas me dire, j'espère, que c'était un cauchemar, dit-elle en souriant.

— Au contraire. Le meilleur, le plus beau rêve que j'aie fait de ma vie. Tu es unique au monde.

Il posa ses lèvres sur sa bouche en un baiser d'une lenteur délibérée, d'une sensualité gourmande, très loin de l'ardeur fébrile avec laquelle ils avaient fait l'amour pendant la nuit. Molly frissonna malgré la chaleur de l'eau. Les bras noués autour du cou de Harry, elle lui rendit son baiser en se délectant de sentir ses mains, fortes et douces, descendre le long de son dos, pétrir, explorer. Avec un soupir de plaisir, elle se laissa aller entre ses bras.

Le moment serait mal choisi pour l'interroger sur son étrange humeur de la nuit dernière, pensa-t-elle dans un éclair de lucidité. Il n'était plus désespéré ni vulnérable. Il avait relevé ses barrières, regagné sa pleine maîtrise de soi. Il n'accueillerait sûrement pas ses questions avec faveur, si subtiles soient-elles. Et d'ailleurs, quelle idiote aurait l'idée de poser des questions à l'homme de sa vie alors même qu'il la faisait fondre d'extase anticipée ?

— Cette fois, dit-il à voix basse, nous prendrons le temps des préliminaires.

— Est-ce bien nécessaire ?

— Oui. Ce sera follement amusant, tu verras.

— Oh ! Harry…, soupira-t-elle.

Et il ferma le robinet de la douche.

Longtemps plus tard, Molly ouvrit le réfrigérateur et inspecta le contenu. Après mûre réflexion, elle prit des œufs, du lait, du beurre, qu'elle posa sur le comptoir de granit. En fouillant les placards, elle trouva un flacon de sirop d'érable canadien, une boule de pain de campagne dans son emballage de conservation et des poêles de divers diamètres, qu'elle sortit toutes faute de savoir laquelle choisir. Il ne lui fallait plus qu'un livre de cuisine.

Molly éprouvait un plaisir inattendu à s'affairer ainsi dans la cuisine de Harry. La préparation du petit déjeuner établissait entre eux une intimité qui la comblait, même sans l'assistance du Centre de Stockage et de Préparation des Aliments (brevet Abberwick). Et puis, elle aurait peut-être pendant le repas l'occasion de poser à Harry les questions qui l'obsédaient. Elle voulait savoir à quoi il pensait lorsqu'elle l'avait découvert la nuit passée seul dans le noir, planté devant la baie vitrée du living.

Elle s'étonna de trouver plusieurs livres de cuisine dans un placard. Harry s'en servait-il lui-même ou étaient-ils à l'usage de Ginny, sa gouvernante ? Elle sélectionna le plus facile, après avoir passé les titres en revue.

Elle consultait la table des matières quand le bruit des pas de Harry dans le vestibule lui fit lever les yeux.

— J'espère que tu aimes le pain perdu ! dit-elle à la cantonade. Je n'ai pas eu l'occasion de faire souvent la cuisine ces derniers temps, mais je devrais pouvoir m'en sortir honorablement.

Pas de réponse.

Avant même de voir Harry, elle sentit que son humeur avait encore changé. Quand il s'encadra dans la porte, elle constata que son folâtre compagnon de douche avait fait place à l'homme au caractère sombre qu'elle côtoyait depuis un mois. Les cheveux encore humides, vêtu d'un pantalon kaki et d'une chemise noire, il gardait les yeux baissés vers un objet invisible qu'il serrait dans une main.

— Qu'y a-t-il, Harry ? Tu es bizarre.

— Je crois savoir qui c'est.

— De quoi diable parles-tu ?

Il tendit sa main ouverte pour lui montrer un assemblage sommaire de tiges métalliques et d'engrenages.

— Je parle de celui qui a fabriqué ceci.

— Impossible !

— Si, répondit-il en posant la pièce sur le comptoir. Je commençais à distinguer vaguement quelque chose la nuit dernière quand ton arrivée inattendue dans le living m'a fait perdre le fil. J'ai retrouvé l'objet sur la moquette en m'habillant. J'avais dû le laisser tomber hier soir.

— Alors ?

— Alors, tout m'est revenu d'un coup quand je l'ai ramassé. Avec une parfaite clarté, cette fois. Donc…

— Une seconde, Harry ! Serait-il question de ton fameux don de voyance héréditaire ?

— Je t'en prie, Molly, pas de mauvaises plaisanteries sur ce sujet, c'est indigne de toi, répliqua-t-il sèchement. Disons simplement que les morceaux du puzzle se sont mis en place dans ma tête quand j'ai de nouveau observé l'objet.

— Ah ! Une de tes intuitions ?

— Si tu veux. Je l'aurais sans doute eue hier soir si ma concentration n'avait pas été détournée par un sujet tout à fait différent.

— Lequel ? demanda-t-elle.

— Toi, répondit-il, amusé. Je me suis laissé séduire.

Molly piqua un fard.

190

— Ah, bon… Je croyais que tu parlais d'autre chose. Et alors, ces morceaux du puzzle ?

— J'aurais dû me rendre compte beaucoup plus vite que je connaissais l'individu ou, du moins, son travail. C'est d'ailleurs la même chose.

— Je ne te suis plus, Harry.

— Souviens-toi qu'il a suffi à ta sœur Kelsey d'un coup d'œil au faux pistolet pour conclure que ses deux amis que tu soupçonnais étaient innocents.

— Elle a dit que ce n'était pas leur style.

— Exactement, approuva Harry en s'asseyant devant le comptoir. Chaque inventeur, chaque bricoleur a son propre style. Le faux pistolet et le monstre caché sous ton lit ne sont pas des articles passe-partout sortis d'un magasin de farces et attrapes. Ils ont été conçus et fabriqués par la même personne dans un but déterminé, celui de terroriser.

— Je vois où tu veux en venir. Qu'est-ce qui te fait croire que tu connais cette personne ?

— J'ai déjà vu ce style de mécanisme quelque part.

Molly marqua un temps.

— En es-tu sûr ?

— C'est ce dont je m'efforce de te convaincre, répondit Harry avec un léger sourire. Je connais ce genre de travail. Il ne me reste qu'à découvrir où je l'ai déjà vu.

— Et comment comptes-tu t'y prendre ?

— Rien de plus facile. Il suffit de passer en revue la centaine de dossiers que je t'ai recommandé de refuser.

La portée de ce que Harry venait de dire frappa Molly au point qu'elle dut s'appuyer au bord du comptoir.

— Quoi ? Tu ne crois quand même pas que ce serait un inventeur frustré ?

— Si. J'ai la quasi-certitude qu'un de ceux que nous avons rejetés cherche à se venger.

— Décidément, soupira Molly, la fondation de mon père ne m'apporte que des ennuis. J'aurais préféré qu'il utilise son argent à autre chose.

— On peut considérer cette question de deux points de vue différents, lui fit observer Harry. Le premier, que tu viens d'énoncer, selon lequel la Fondation Abberwick est un casse-tête permanent.

— Hmmm… Et l'autre ?

— Je ne t'aurais jamais rencontrée si ton père ne t'en avait pas nommée administrateur.

— Il y a du vrai là-dedans, dit Molly en riant.

— Tout ce qu'il y a de plus vrai, renchérit Harry avec un éclair de sensualité dans le regard. Et maintenant, puis-je te demander ce que tu fabriques dans cette cuisine ?

— Le petit déjeuner. Du pain perdu, plus précisément, dit-elle en prenant un couteau à pain afin de couper en tranches la boule de pain de campagne.

— Quand as-tu fait la cuisine pour la dernière fois sans l'aide des appareils de ton père ? s'enquit Harry.

Molly réfléchit un instant :

— Je devais avoir dix-huit ou dix-neuf ans. Pourquoi ?

— Tu ferais peut-être mieux de me laisser te donner un coup de main.

— Pas du tout, voyons ! Le pain perdu est à la portée du premier imbécile venu !

Ce disant, elle posa le pain sur une planche à découper et leva le couteau. La lame dérapa sur la croûte, la boule se déroba, la planche glissa, tomba avec fracas. Surprise, Molly lâcha le couteau qui prit son envol avec l'évidente intention de se planter dans le granit par la pointe.

Molly se demandait combien lui coûterait le remplacement d'un couteau de cette qualité quand Harry, d'un geste trop vif pour être vu, le rattrapa par le manche.

— Je pourrais au moins me rendre utile en coupant le pain, lança-t-il avec un sourire à peine narquois.

— Merci, répondit Molly. Je ne demande pas mieux.

— Et voilà, conclut Molly deux heures plus tard. Les mésaventures de Molly Abberwick et du hideux épouvantail.

Tessa reposa précipitamment la jarre de verre pleine de Lapsang Sou-chong fumé qu'elle tenait entre ses mains.

— Tu as passé la nuit avec T-Rex ? Pas possible !

Molly lui décocha un regard furibard :

— Cette stupide plaisanterie m'avait presque fait mourir de peur. Harry a eu l'amabilité de m'héberger chez lui.

— L'*amabilité* n'est pas ce qui frappe le plus dans sa personne… Et pourquoi ai-je la curieuse impression que tu n'as pas dormi sur le canapé du salon ?

— Tu sais bien, Tessa, que je n'aime pas discuter de ma vie privée, déclara sèchement Molly.

— Pour la bonne raison que tu n'en as pas depuis des années ! rétorqua Tessa. Enfin, que signifie ce micmac ? Tu couches avec Trevelyan, maintenant ?

— Le verbe *coucher* convient mal.

— J'en étais sûre ! dit Tessa avec un regard soucieux. Tu crois que c'est malin de ta part ? Tu disais toi-même que vous n'aviez rien de commun, qu'il était têtu comme une mule, invivable, arrogant. Ce sont tes propres termes...

— Si on me demande, je suis dans mon bureau, l'interrompit Molly, qui joignit le geste à la parole en claquant la porte derrière elle.

Elle venait à peine de se laisser tomber dans son fauteuil que Tessa rouvrit et passa la tête par l'entrebâillement.

— Bon, oublions les détails croustillants, je te tirerai les vers du nez plus tard. Qu'est-ce que Trevelyan compte faire au sujet de l'ectoplasme à moteur caché sous ton lit ?

— Je ne sais pas au juste. Il affirme reconnaître le style de celui qui l'a fabriqué, le même que sur les dessins d'une des demandes de subvention que nous avons refusées.

— Tu veux dire qu'il soupçonne un inventeur vindicatif ? s'exclama Tessa. Il faut prévenir la police !

— Nous le ferons aussitôt que Harry aura trouvé des indices permettant d'identifier le suspect. Pour le moment, nous ne disposons de rien de précis.

— C'est vrai. Pas de voies de fait ni d'effraction. Ce ne sont encore que des plaisanteries de mauvais goût...

— Exact. Si nous allions maintenant en parler à la police, j'aurais peur que les soupçons se portent sur les amis de Kelsey – à supposer que les policiers aient le temps ou l'envie d'ouvrir une enquête pour si peu.

— Alors, que vas-tu faire ? demanda Tessa, inquiète.

— Je ne pourrai rien tant que Harry n'aura pas trouvé d'éléments concrets. Et nous ne sommes pas ici pour perdre notre temps. Au travail !

À midi moins cinq, Gordon Brooke fit son entrée dans la boutique de l'Abberwick Tea & Spice Co. Molly, qui servait un client, ne put retenir un grognement de dépit.

Un dossier sous le bras, Gordon était accoutré avec sa sobriété coutumière : ample pantalon grège à pli, chemise café noir à manches bouffantes, gilet brodé. Par bonheur, la boutique était bondée et Molly put sans mal affecter d'être débordée de travail. Tessa s'affairait de son côté. Sourire aux lèvres, Gordon s'appuya avec désinvolture à une vitrine. Molly espéra qu'il finirait par se lasser d'attendre et partirait avant que la clientèle se raréfie, mais il ne bougea pas de son poste d'observation.

Lorsque la foule se réduisit enfin à deux personnes indécises, Tessa lança à Molly un regard compatissant, et celle-ci se tourna avec résignation vers Gordon, qui la gratifia de son sourire le plus enjôleur.

— Il faut que je te montre quelque chose, Molly ! lui dit-il en brandissant son dossier.

— Quoi donc ? demanda-t-elle d'un ton soupçonneux.

— Allons dans ton bureau, déclara-t-il en se dirigeant vers la porte avec assurance.

Il s'y engouffra avant que Molly ait pu l'en dissuader. Ne pouvant faire autrement, elle lui emboîta le pas. Tessa leva les yeux au ciel. De la porte, Molly constata que Gordon s'était déjà installé comme chez lui et avait ouvert son dossier sur le bureau.

— Viens voir mes comptes d'exploitation prévisionnels pour les trois prochaines années..., commença-t-il.

— Si tu veux m'emprunter de l'argent, Gordon, l'interrompit-elle, tu perds ton temps. Nous en avons parlé il y a trois mois, je pensais que l'incident était clos.

— Tout ce que je te demande, c'est de regarder ces nouveaux chiffres. Cette fois, ils sont incontestables. Il ne me manque qu'une petite injection de capitaux frais.

— Je t'ai déjà dit que je ne financerais pas tes projets d'expansion, Gordon.

— Je ne mendie pas un prêt, bon sang, je te propose un investissement ! Un investissement bien plus sûr et plus rentable, entre parenthèses, que les inventions farfelues des charlatans qui retiennent ton attention.

Molly était restée debout. Les deux poings sur le bureau, elle se pencha vers son visiteur importun :

— Je te le répète pour la dernière fois, Gordon, je ne te prêterai pas un sou. Cela ne m'intéresse pas.

Sans transition, le sourire charmeur qui fleurissait sur les lèvres de Gordon s'évanouit pour faire place à un rictus de fureur.

— Nom de Dieu, Molly, tu vas m'écouter ! cria-t-il.

Désarçonnée par cette métamorphose, Molly recula malgré elle d'un pas.

— Qu'est-ce qui te prend ?

— Il me prend que ce projet a trop d'importance pour moi ! Je ne te laisserai pas le saborder par rancune !

— Moi, de la rancune ? Pourquoi t'en voudrais-je ?

— Ne sois pas de mauvaise foi ! s'écria Gordon en se levant d'un bond. Tu as toujours une dent contre moi à cause de ce qui s'est passé entre nous.

— C'est ridicule ! Tout est fini depuis dix-huit mois et entre-temps, crois-moi, j'ai eu mieux à faire que ressasser des rancunes ou raccommoder un cœur brisé.

— Alors, cesse une bonne fois de mêler tes sentiments à tes affaires ! Tu ne comprends pas ce qui est en jeu ? Cela crève les yeux, pourtant.

— Oui, ton fameux plan de développement. T'imagines-tu sincèrement que je vais m'empresser de financer une douzaine de bars à espressos ? J'ai ma propre affaire à gérer.

— Je ne te parle pas d'expansion, Molly. C'est une question de vie ou de mort.

Molly en resta bouche bée.

— De… vie ou de mort ? répéta-t-elle.

— Je ne plaisante pas, Molly, répondit-il en serrant les poings. Je suis au bord de la faillite. Si je ne trouve pas d'argent frais, je sombre corps et biens. Tous mes efforts depuis des années s'envoleront en fumée.

Molly ferma un instant les yeux.

— Je suis vraiment désolée, Gordon. Je ne me doutais pas que ta situation en était arrivée à ce point.

De nouveau plein d'espoir, Gordon se rapprocha.

— Tu peux me sauver, ma chérie, plaida-t-il de son ton le plus persuasif. J'ai besoin d'un coup de main, rien de plus. En souvenir de nos amours passées, ne dis pas non.

— Je t'en prie, ne mêlons pas les sentiments et les affaires, tu le disais toi-même il y a un instant. En tant que femme d'affaires, je ne veux ni ne peux me mêler de celle-ci. Je m'occupe de thé et d'épices, pas de café.

— Écoute, Molly, oublions le passé. Repartons de zéro, d'accord ? Cette fois, nous serons associés, un point c'est tout. Nous avons tant en commun, tu le sais bien.

Molly sentit sur sa nuque un léger courant d'air. Elle n'eut pas besoin de se retourner pour comprendre que la porte de son bureau venait de s'ouvrir. D'instinct, elle savait aussi qui était entré.

— Je vous dérange peut-être ? dit Harry avec froideur.

Soulagée, Molly se tourna vers lui, un large sourire de bienvenue aux lèvres.

— Pas du tout !

— Si, protesta Gordon, furieux. Molly et moi parlions d'affaires importantes.

— Dommage, j'ai moi-même rendez-vous avec Molly pour aller déjeuner. Vous voudrez bien nous excuser.

— Je ne crois pas que nous ayons fait connaissance, gronda Gordon entre ses dents serrées.

Molly se hâta de meubler le silence hostile qui suivit :

— C'est vrai, vous ne vous connaissez pas encore ! Gordon, je te présente le Dr Harry Trevelyan, spécialiste renommé de l'histoire de la science et conseil scientifique de la Fondation Abberwick. Harry, Gordon Brooke est le fondateur et le patron de la chaîne de bars à cafés exotiques qui porte son nom. Tu as sans doute eu l'occasion d'en déguster.

Harry ne répondit pas.

— Ah ! ricana Gordon. C'est vous le type qui aide Molly à choisir les demandes de subvention ?

— Oui. Prête, Molly ?

— Un instant, je prends mon sac.

Elle contournait le bureau quand Gordon tendit la main pour l'intercepter.

— Bon sang, Molly, tu ne vas pas me plaquer maintenant ! Tu dois au moins me laisser finir ce que j'avais à dire !

— Plus tard, répondit-elle en s'esquivant. Harry et moi devons discuter des affaires de la fondation.

— Parlons-en ! Je les connais trop bien, moi, les soi-disant conseillers de fondations ! fulmina Gordon en décochant à Harry un regard incendiaire.

— Vraiment ? s'enquit l'interpellé.

— Oui ! Vous mettez le grappin sur des personnes crédules et sans méfiance, comme Molly, qui dirigent des fondations ou des associations charitables. Vous les persuadez que vous êtes indispensables et vous vous en mettez plein les poches en les inondant d'honoraires et de notes de frais bidon ! Ce n'est ni plus ni moins que de l'escroquerie légale.

— Assez, Gordon ! s'exclama Molly, outrée. C'est indigne et scandaleux ! Tu dis n'importe quoi !

— Ce n'est pourtant que la stricte vérité ! Il est de notoriété publique que les individus de son espèce détournent à leur profit le plus clair des fonds des associations.

— Tais-toi ! cria Molly. Sors d'ici, je te prie ! Va-t'en sur-le-champ !

Gordon marqua un temps. Une soudaine compréhension alluma dans son regard une lueur mauvaise.

— C'est le bouquet ! Il te baise, n'est-ce pas ? J'aurais dû m'en douter. Eh bien, ma fille, attends-toi à ce qu'il te plaque comme une malpropre après avoir prélevé jusqu'au dernier sou de ta précieuse fondation. Et ne viens surtout pas pleurnicher ensuite dans mon giron en disant que je ne t'aurai pas prévenue !

Sur quoi, Gordon ramassa ses papiers, les fourra dans le dossier et partit au pas de charge vers la porte.

Poliment, Harry s'écarta pour le laisser passer.

10

Un peu plus tard, en attendant son tour au comptoir d'un snack des quais, Harry se dit qu'il l'avait échappé belle. Le souvenir des événements de la nuit lui faisait froid dans le dos. Comment avait-il évité le désastre inéluctable auquel il s'était résigné ? Une telle chance tenait du miracle – car seul un miracle pouvait expliquer qu'il n'avait pas terrifié Molly.

De fait, elle semblait n'avoir rien remarqué d'anormal, pas plus dans son comportement que dans la manière frénétique dont il avait fait l'amour. Harry se rembrunit. Devait-il s'en inquiéter ? Était-ce de l'indifférence de sa part ?

Le souvenir de sa réaction passionnée et délicieusement féminine le rassura toutefois. Elle était venue à lui dans un élan plein de sincérité, elle l'avait accueilli au plus profond de son être comme si elle l'attendait depuis toujours. Il avait même ressenti les ondes de son plaisir, plus joyeux, plus pétillant que le champagne.

Et, pour la première fois de sa vie, il avait éprouvé une complète, une authentique satisfaction sexuelle. La faim dévorante et toujours inassouvie qui le rongeait depuis des années était enfin rassasiée – pour un temps, du moins. Il n'oublierait jamais l'éblouissement d'une sensation aussi neuve : l'accord parfait entre le physique et le mental, qu'il croyait inaccessible, était à sa portée.

Si merveilleuse qu'ait été sa nuit d'amour avec Molly, il ne devait cependant pas s'aveugler : il avait exhibé devant elle tout ce qu'il cherchait à se dissimuler à lui-même. Or, elle n'avait pas même cillé, alors qu'un simple aperçu de sa personnalité réelle avait suffi à Olivia pour conclure qu'il était au bord de l'aliénation mentale, sinon déjà dans un état incurable…

Oui, se dit-il en soupirant, il avait bénéficié d'une chance insolente. Molly avait attribué sa frénésie à un accès de fièvre. Ou alors, encore troublée par la frayeur du fantôme sous son lit, elle n'avait pas recouvré assez de lucidité pour distinguer la vraie nature de sa démence. Quoi qu'il en soit, il avait réussi à ne pas la faire fuir comme Olivia. Lui, en tout cas, s'était fait une belle peur.

Ayant ainsi frôlé la catastrophe, il ne pouvait plus prendre le risque de récidiver. À partir de maintenant, il devrait se surveiller de près en faisant l'amour avec Molly. De très près. Plus question de se laisser aller.

Enfin arrivé au comptoir, Harry se fit servir deux bols de *clam chowder* et emporta le plateau à la terrasse au bord de l'eau, où Molly l'attendait sous un parasol.

Il avait beau être prêt à la retrouver, il fut submergé par la même vague d'euphorie éprouvée le matin en constatant qu'elle ne l'avait pas quitté. Il s'aperçut aussi, non sans embarras, que le seul fait de la regarder lui donnait une érection. Son pantalon dissimulerait-il charitablement son incontrôlable concupiscence ? Serait-il désormais condamné à se donner en spectacle chaque fois qu'il serait en présence de Molly ou finirait-il par s'y accoutumer ?

Par bonheur, Molly accordait son attention au manège des mouettes, qui plongeaient en piqué entre les tables pour s'emparer des frites et des bribes de poisson que leur jetaient les consommateurs. La brise faisait mousser ses cheveux et découvrait sa nuque, que Harry contempla avec gourmandise. Il sentit sur ses paumes la douceur satinée de sa peau. Des images de la nuit précédente revinrent pour la millième fois de la matinée troubler sa concentration. La concentration, heureusement, il en avait à revendre...

— Le déjeuner est servi, dit-il en posant le plateau. Rouge pour toi, blanche pour moi. C'est bien ça ?

Molly écarta une mèche que le vent lui rabattait sur les yeux et vérifia le contenu des deux bols.

— Exact. Comment peux-tu avaler ce truc plâtreux ?

— Une de nos légères différences, répondit-il en pensant qu'il serait sage de se rappeler plus souvent tout ce qui les séparait. Je préfère la recette à la crème, tu aimes mieux l'autre variété qui, pour moi, n'est rien de plus que quelques palourdes nageant dans du jus de tomate.

— Tous les goûts sont dans la nature. As-tu trouvé quelque chose dans les dossiers des inventeurs ?

— Pas encore. Il me faudra sans doute plusieurs jours pour les examiner sérieusement. Les détails que je recherche sont subtils, ils ne sautent pas aux yeux. Et tu resteras chez moi jusqu'à ce que j'aie démasqué le salaud.

— Mais non ! Je ne veux pas abuser…

— Abuse. Tiens-tu vraiment à rentrer tous les soirs dans cette grande baraque sinistre ? À y rester seule la nuit en te demandant de quel mauvais tour tu seras encore victime ?

— La maison n'est pas sinistre ! protesta Molly. Mais tu as raison, je n'ai pas envie de m'y retrouver seule en ce moment. Je pourrais peut-être passer quelques jours chez ma tante, ajouta-t-elle.

— Et attirer sur elle l'attention du malfaiteur ? Molly frissonna.

— Grand Dieu, c'est vrai ! Non, je ne peux pas.

— Chez moi, tu seras en sûreté. Il y a des portiers de service vingt-quatre heures sur vingt-quatre. Ils ne laissent entrer dans l'immeuble aucun visiteur non autorisé.

— Si tu insistes…

— J'insiste.

— Bon. Je resterai jusqu'à ce qu'on ait mis la main sur le mauvais plaisant, précisa-t-elle.

— Parfait, se borna-t-il à répondre.

Non sans peine, Harry se retint de laisser éclater sa joie. Molly acceptait de rester chez lui !

— Tu crois vraiment pouvoir l'identifier en cherchant dans cette pile de dossiers refusés ? Il faudra des heures de travail, tu disais même des jours !

— Tu es impatiente, je sais.

— Et toi ?

— La patience est une vertu parfois récompensée, répliqua-t-il avec un léger haussement d'épaules.

— Nous différons encore sur ce sujet, n'est-ce pas ? Comme sur nos goûts pour la soupe de poisson.

— Par curiosité, laquelle préfère Gordon

Brooke ? ne put s'empêcher de demander Harry. La rouge ou la blanche ?

— Gordon ? Je ne sais pas… La rouge, je crois.

— Cela ne m'étonne pas.

— Pourquoi ?

— Parce que je crois que Gordon et toi avez beaucoup de points communs.

— Pas du tout ! protesta-t-elle.

Elle avait répondu trop vite. Harry comprit qu'il avait mis le doigt sur un point sensible.

— Si. Vous avez tous deux l'esprit d'entreprise. Vous vendez des produits similaires dans le même créneau du marché. Vous devriez avoir beaucoup de choses à vous dire.

— Lesquelles ?

— Les problèmes de tous les commerçants. Les impôts, par exemple, les tracasseries de l'administration.

— D'accord, nous avons cela en commun. La belle affaire !

— De plus, vous êtes tous deux célibataires.

— Et alors ?

— J'ai cru observer entre vous une certaine… intimité.

— Que signifie cette inquisition ? Oui, Gordon et moi nous connaissons depuis deux ans. Et alors ? Nous n'avons pas assez de points communs, en tout cas, pour me décider à lui prêter cinquante mille dollars de la fondation.

Voilà donc le fin mot de l'histoire, se dit Harry. Cet enfant de salaud cherche à l'exploiter.

— Cinquante mille ? Une jolie somme.

Un temps, Molly accorda son attention exclusivement à son bol de soupe.

— Gordon a besoin d'argent frais. Il a vu trop

grand et rencontre de grosses difficultés. Il a déjà dû fermer deux de ses succursales.

— Quoi qu'il en soit, il ne manque pas de culot ! Il cherche vraiment à te faire avaler que le plan de sauvetage de son affaire est assimilable à une invention digne du soutien financier de la Fondation Abberwick ?

— Oui, en un sens. Il me bassine depuis des semaines avec cette histoire, mais ce n'est qu'aujourd'hui qu'il m'a avoué être au bord de la faillite.

— L'argument massue destiné à t'apitoyer...

Les doigts de Molly se crispèrent sur sa cuillère.

— Écoute, il doit être dans une situation réellement désespérée pour l'admettre devant moi. Je le connais assez pour savoir combien son amour-propre a dû en souffrir.

La note compatissante qu'il décela dans la voix de Molly déplut souverainement à Harry.

— Tu le connais donc si bien que cela ?

— Comme tu l'as dit toi-même, Gordon et moi sommes dans le même créneau du marché.

— Et vous aimez tous deux la même recette de *chowder*.

— Parfaitement ! fulmina Molly. Sa boutique est aussi en face de la mienne !... Oh ! la barbe, après tout. J'abandonne. Il y a dix-huit mois, Gordon et moi sommes sortis ensemble pendant un moment, comme tu t'en doutais sans doute déjà. Voilà, tu es content, maintenant ?

— Tu ne me reprocheras quand même pas de manifester un peu de curiosité...

— Je ne vois pas qui m'en empêcherait !

— ... d'autant plus, ma mémoire est bonne, que tu m'as soumis à la question au sujet d'Olivia.

Molly piqua un fard.

— Bon, c'est vrai. Nous sommes quittes, à présent ?

— Pas tout à fait. Que s'est-il passé entre Gordon et toi ? Pourquoi avez-vous cessé de vous voir ?

Molly haussa les épaules d'une manière un peu trop désinvolte pour être sincère.

— Tu sais ce que c'est. À l'époque, j'étais débordée par les formalités de mise en place de la fondation. Je devais en même temps m'occuper de mes affaires et de Kelsey, qui finissait ses études à la *high school*. Cela ne me laissait guère le loisir d'avoir une vie personnelle. Gordon et moi n'avions plus le temps de nous voir, voilà tout. Maintenant, c'est bel et bien fini.

— Et comment cela s'est terminé ? Dans les cris ou dans les larmes ?

— Tu es impossible ! Il ne s'agit pas de la fin du monde mais d'un simple flirt qui a tourné court !

— Amusante expression. Alors, comment cela s'est terminé ?

— Je n'ai jamais connu d'homme plus insistant que toi !

— L'insistance fait partie de mon charme.

— Permets-moi d'en douter !

L'éclat de colère froide qui brillait dans le regard de Molly fit place à une lueur amusée.

— Puisque tu veux tout savoir, reprit-elle, cela s'est terminé par un chuintement.

La cuillère de Harry s'immobilisa à mi-chemin entre son bol et sa bouche.

— Un… chuintement ?

— Oui, répondit-elle avec un sourire amer, le bruit que fait un percolateur quand la vapeur se force un passage à travers le café moulu.

Harry marqua un temps. Au point où Molly en était du récit, autant insister et connaître la fin de l'histoire.

— Puis-je savoir à quoi correspondait ce… chuintement ?

Molly poussa un soupir résigné.

— Gordon et moi sortions ensemble depuis deux mois et cela ne marchait pas trop mal entre nous – comme tu l'as observé tout à l'heure, nous avions des tas de choses à nous dire. Un jour, je suis entrée dans sa boutique juste avant la fermeture. Il n'y avait personne, la petite vendeuse n'était pas à son poste derrière le comptoir. Alors…

— Alors ?

— Alors, j'ai cru entendre un bruit de percolateur dans la réserve de l'arrière-boutique.

— Je crois commencer à deviner la fin de l'histoire.

— Pas besoin d'un sixième sens, grommela Molly.

Harry la dévisagea avec inquiétude : faisait-elle allusion à la nuit précédente ? Non, déduisit-il de son expression.

— Certes, enchaîna-t-il, rassuré. Continue.

— Bref, j'ai pensé que Gordon essayait un nouveau modèle de percolateur et je suis entrée dans la réserve. Ce n'était pas un percolateur qu'il mettait à l'épreuve mais sa vendeuse, sur des sacs de son mélange spécial de café du Costa Rica.

— Je comprends qu'une pareille découverte puisse laisser un souvenir indélébile.

— De quoi, en tout cas, dégoûter quiconque des espressos.

— Et le chuintement ?

— C'était Gordon en plein effort, dit Molly en

fronçant le nez de dégoût. Il faisait le même bruit que ses machines.

— Un bruit que tu n'as pas… reconnu ? s'enquit Harry avec précaution.

— Nos rapports, Dieu merci, n'en étaient pas arrivés à ce stade.

— Donc, tu n'as jamais couché avec lui ?

— Non. Es-tu satisfait, maintenant ?

— Presque.

— Tu es impossible ! explosa Molly. Faut-il vraiment que tu saches tout dans les moindres détails ?

— J'aime rassembler des informations sur nombre de sujets, si insignifiantes puissent-elles paraître.

— Il ne s'agit pas de l'histoire de la science, bon sang ! Qu'est-ce qui t'intéresse autant chez Gordon ?

— Pour ma gouverne, je souhaite en apprendre le plus possible sur son compte.

— Pourquoi donc ? demanda Molly.

Harry prit le temps d'observer une demi-douzaine de mouettes se disputer la même frite. Dans un concert de criaillements indignés, la gagnante s'envola prestement pour échapper à ses concurrentes.

— J'aime prévoir, savoir où je vais, répondit-il. Quand Gordon et toi avez commencé à sortir ensemble ?

Molly marqua une longue pause, comme si elle cherchait avec soin ce qu'elle allait dire. Harry s'étonna que Gordon Brooke nécessite tant de prudence de sa part.

— Nous avons fait connaissance il y a un peu plus de deux ans, dit-elle enfin. Nous avons commencé à nous voir régulièrement il y a environ dix-huit mois, comme je te l'ai déjà expliqué.

— Soit environ six mois après la mort de ton père ? À peu près à l'époque où tu mettais la fondation sur pied ?

— Oui.

Harry laissa échapper un léger sifflement.

— Il a donc fallu tout ce temps à Brooke pour se rendre compte que tu contrôlais un budget annuel d'un demi-million de dollars ! Ce pauvre garçon n'a pas l'esprit très vif. Je ne m'étonne plus qu'il soit au bord de la faillite.

— Je savais que tu me sortirais quelque chose de ce genre ! s'exclama Molly. J'en étais sûre !

— Qu'ai-je dit pour provoquer ton indignation ?

— Ne fais pas l'innocent, ça ne prend pas ! Tu sais fort bien que tu accuses Gordon d'avoir cherché à m'exploiter !

— Voyons, Molly...

— Selon toi, il lorgnait le capital-risque de la fondation plutôt que moi ! Ce qui sous-entend que, jusqu'au jour où je l'ai surpris à chuinter avec sa vendeuse ! j'étais trop naïve et trop crédule pour m'en rendre compte.

— Excuse-moi, je...

— Je ne crois pas un mot de tes excuses ! Tu me prends pour une imbécile quand il est question de finances. C'est bien cela, n'est-ce pas ?

— Pas le moins du monde ! protesta Harry, étonné d'une telle déduction.

— Si, je le sais bien ! Mon empressement à financer des inventions plus ou moins douteuses t'en a persuadé.

— Que tu aies un faible pour les inventeurs, c'est un fait. Mais le problème n'est pas là.

— Eh bien si, justement ! s'exclama Molly en pointant sur lui sa cuillère comme une arme à feu. N'oubliez pas je vous prie, *docteur* Trevelyan, que je n'ai pas assuré la réussite commerciale de l'Abberwick Tea & Spice Co. en accumulant les bourdes et les fausses manœuvres !...

— Rien de plus vrai.

— Je ne suis pas une gourde sans cervelle, incapable de juger du potentiel d'un investissement ! Le fait que la fondation de mon père fonctionne en constitue une preuve...

— Irréfutable, compléta Harry.

— Que j'aie un faible pour les inventeurs, je l'admets, poursuivit-elle sur sa lancée. Et alors ? C'est un trait de caractère hérité de ma famille. Des générations d'Abberwick se sont évertuées à trouver de l'argent afin de financer leurs inventions. Rien de plus normal, je pense, que j'éprouve de la sympathie pour ceux dont la situation est semblable à celle que mon père et mon oncle ont dû subir presque toute leur vie.

— Je le comprends tout à fait. Une fois encore, accepte mes excuses.

Sans transition, Molly se laissa aller contre le dossier de sa chaise avec un soupir de lassitude.

— Inutile de t'excuser, c'est la stricte vérité. Gordon ne m'a fait du charme que dans l'espoir de me soutirer de l'argent pour sa fichue chaîne de bars à café. J'espérais que tu ne le découvrirais pas, c'est trop humiliant.

— Pas plus humiliant, je crois, que d'apprendre que ma fiancée a préféré épouser mon cousin.

Brièvement désarçonnée, Molly eut un sourire en coin.

— Tu n'as pas tort. Ça n'a pas dû être très plaisant, j'imagine ? ajouta-t-elle.

— Mon amour-propre en a pris un coup, bien sûr. Mais je n'en suis pas mort.

Ébouriffée par la brise, elle se pencha de nouveau vers lui, les bras croisés sur la table.

— Au fond, dit-elle, nous avons peut-être davantage de points communs que nous le pensions au début.

— C'est sans doute vrai, approuva-t-il.

Sous le regard limpide de ses yeux verts, Harry sentit renaître sa faim dévorante, qu'il tenta désespérément de dominer. La nuit dernière, Molly n'avait rien remarqué parce qu'elle le croyait malade, mais il ne pouvait plus prendre de risque – aussi longtemps, du moins, qu'il ne serait pas absolument, positivement certain que Molly n'avait pas peur de son étrangeté et ne le fuirait pas.

— Il y a dix-huit mois, reprit Molly, Gordon voulait financer son expansion. Faute d'obtenir de moi les capitaux dont il avait besoin, il s'est adressé à une banque. En trois mois, il a ouvert cinq succursales, ce qui était de la dernière imprudence. Sa trésorerie est à sec et maintenant qu'il lui faut de l'argent rien que pour faire face aux échéances, la banque ne veut plus lui accorder un sou.

— Et il s'est donc à nouveau tourné vers toi. Sauf que, cette fois, tu connais ses vraies motivations.

— Oui.

Harry affecta de regarder la baie.

— As-tu jamais regretté que ça n'ait pas marché entre Gordon et toi ? demanda-t-il avec une feinte nonchalance.

— Non. Parce que je suis désormais certaine que nous n'aurions pas tenu longtemps.

Quelque chose dans son ton le fit se retourner vers elle. Il vit un éclair malicieux pétiller dans ses yeux.

— Pourquoi donc ?

— Sans vouloir chercher la petite bête, je ne coucherai jamais avec un homme qui fait l'amour en chuintant comme un percolateur. On a quand même sa dignité, non ?

Harry éclata de rire, soulagé.

— Compris ! À l'avenir, j'essaierai de ne pas chuinter au mauvais moment.

Ce soir-là, Harry étudia les dessins étalés devant lui illustrant un procédé censé utiliser l'énergie solaire pour actionner un véhicule. Le dossier avait été refusé car le prétendu inventeur s'appuyait sur des principes et des techniques obsolètes et dénuées d'originalité.

Celui qui avait conçu et réalisé le faux pistolet et le monstre mécanique n'avait pas, lui non plus, fait preuve d'originalité. De savoir-faire mécanique, sans plus, un savoir-faire comparable à celui employé dans l'automobile à propulsion solaire. Pourtant, trop de détails ne concordaient pas. Il ne s'agissait donc pas du même homme.

Harry referma le dossier et ouvrit le suivant. Après avoir passé au peigne fin environ la moitié de la centaine de dossiers entassés sur son bureau, il entendait continuer jusqu'à ce qu'il tombe enfin sur ce qu'il cherchait. C'était là, quelque part, il en était sûr.

Assise à la table de verre près de l'aquarium, Molly leva les yeux de son ordinateur portable.

— Alors ? Toujours rien ?

213

— Rien. Mais je trouverai. Je suis un homme patient.

Molly lui fit la grimace.

— Je ne veux surtout pas t'entendre répéter que la patience est une vertu !

— Sois tranquille, pas de sermon ce soir. J'ai mieux à faire.

— Ouf ! Quel soulagement !... Tu te donnes trop de mal, Harry, poursuivit-elle en reprenant son sérieux. Arrête au moins pour ce soir.

— Pas question. Ce salaud se cache là-dedans, je le débusquerai.

Il se plongea dans l'étude des plans d'une éolienne et Molly retourna à l'écran de son ordinateur. Dans la quiétude revenue, Harry pensa distraitement qu'il avait peut-être tort de laisser s'installer entre eux de si longs silences. Il ne se souciait plus de déplaire à Molly en s'absorbant dans ses réflexions taciturnes. Elle semblait toujours avoir de quoi s'occuper par elle-même et ne le harcelait pas de questions sur son humeur du moment. Cependant...

Le bourdonnement de l'interphone l'arracha à ses pensées quelques minutes plus tard. Un coup d'œil à sa montre lui apprit qu'il était près de dix heures du soir.

— Qui diable peut bien venir à une heure pareille ? s'étonna Molly.

— La famille, comme d'habitude.

Harry se leva et alla presser le bouton de l'interphone près de la porte d'entrée.

— Vous avez de la visite, monsieur Trevelyan, annonça le portier de nuit. Mme Danielle Hughes.

Harry laissa échapper un soupir résigné :

— Bien. Faites-la monter, Chris.

— Tout de suite, monsieur Trevelyan.

Harry lâcha le bouton et regagna son bureau.

— Ma tante Danielle, la mère de Brandon, dit-il à Molly.

La compassion qu'il discerna dans la profondeur de ses yeux verts lui procura un sentiment étrange. Comment Molly pouvait-elle comprendre ce qu'il éprouvait chaque fois qu'il devait affronter un membre de sa famille s'il ne le comprenait pas clairement lui-même ?

Molly rabattit l'écran de son ordinateur, se leva.

— Tu voudras sans doute recevoir ta tante ici. Je vais m'installer dans le living.

— Non, reste. Aucune raison de laisser Danielle te déranger dans ton travail. Je ferai les présentations et je l'emmènerai dans l'autre pièce.

— Comme tu voudras. J'imagine que tu ne prévois pas d'avoir avec elle une conversation très… agréable ?

— Disons que je crois savoir ce qu'elle veut de moi. L'expérience m'a appris que plus vite je le lui accorderai, plus tôt je pourrai me remettre au travail.

— Bonne chance, Harry.

Un impérieux coup de sonnette retentit, Harry alla ouvrir. Sa tante se tenait sur le palier, raide comme un piquet. Ses traits aristocratiques exprimaient une ferme résolution, mais une évidente anxiété lui troublait le regard. Harry la connaissait assez pour jauger son humeur et savoir qu'elle ne se contenterait pas de bonnes paroles.

Entre sa mère et la sœur de celle-ci, Harry ne voyait qu'une ressemblance superficielle. Elles avaient été aussi belles l'une que l'autre dans leur jeunesse, et Danielle avait bien vieilli. Harry gardait de sa mère le souvenir d'une femme toujours gaie et énergique, dont les yeux brillaient d'un amour de la vie qui englobait ses amis et ses proches. Il n'avait, en revanche, jamais vu Danielle d'humeur joyeuse. Elle pouvait faire preuve d'amabilité quand les circonstances l'exigeaient, mais sans jamais aller plus loin. Son lugubre mariage avec Dean Hughes semblait toujours étendre des ombres épaisses sur son existence, même si Dean avait eu le bon esprit de la débarrasser de sa présence en se tuant dans un accident de voiture plusieurs années auparavant.

— Harry, déclara-t-elle de but en blanc en franchissant le seuil, je suis venue te parler de Brandon...

Elle s'arrêta net à la vue de Molly, debout à la porte du bureau, qu'elle toisa avec une hauteur méprisante.

— Qui est-ce ? reprit-elle comme si elle s'attendait à ce que Harry congédie l'intruse comme une domestique. Je ne savais pas que tu avais quelqu'un chez toi.

— Molly Abberwick, expliqua Harry. Molly, ma tante Danielle Hughes.

— Danielle *Stratton* Hughes, précisa l'intéressée avec froideur.

— Bonsoir, madame, dit Molly poliment.

— Ah ! Vous devez être la nouvelle petite amie de mon neveu. Olivia m'a dit vous avoir rencontrée.

Un éclair amusé s'alluma dans les yeux de Molly.

— La *petite amie* de Harry ? Quelle drôle d'idée ! Je ne m'étais encore jamais vue dans un rôle de *petite amie*.

Harry n'eut pas besoin de faire appel à son don

de voyance pour savoir que la situation risquait de devenir explosive d'une seconde à l'autre.

— Mlle Abberwick est une de mes clientes, Danielle.

— Une petite amie doublée d'une cliente, compléta Molly avec un sourire franchement narquois.

Danielle consulta ostensiblement sa montre, dont le cadran entouré de brillants lança des éclairs.

— N'est-il pas un peu tard pour parler d'affaires ?

— Tout dépend de quelles affaires, rétorqua Molly.

— Si vous voulez bien nous excuser, déclara Danielle, ulcérée, mon neveu et moi avons à parler d'importantes affaires de famille.

— Prenez tout votre temps, répondit Molly. Je m'en voudrais de vous déranger.

Sur quoi, elle adressa à Harry un clin d'œil complice et referma derrière elle la porte du cabinet de travail. Danielle décocha à la porte close un regard dédaigneux et se dirigea au pas de charge vers celle du living.

— N'essaie pas de me faire croire que cette femme est une cliente, Harry !

— Je ne pense pas que tu sois venue m'entretenir de mes relations avec Molly, répliqua Harry.

— Pas d'impolitesses, je te prie ! dit-elle en se posant dignement sur le canapé. Je ne suis pas d'humeur à les supporter, j'ai déjà assez de problèmes sur les bras.

Le dos tourné, Harry se posta devant la baie vitrée.

— Qu'attends-tu de moi au juste, tante Danielle ? demanda-t-il d'un ton las.

— Brandon t'a parlé, je crois ?

— Oui. Olivia aussi.

— Tu es donc au courant de l'idée grotesque que Brandon s'est mise en tête. Tu dois l'en empêcher, Harry.

— Pourquoi ? Brandon est un garçon intelligent et travailleur. Il a le droit de faire ce qu'il veut.

— C'est impossible, tu le sais très bien.

— Je le sais *trop* bien, je connais les arguments par cœur : le testament de grand-père, etc. Fichez-lui donc la paix, tous tant que vous êtes ! Ne lui rognez pas les ailes avant qu'il ait pu les déployer !

— Je n'ai pas de leçons à recevoir de toi sur la manière de traiter mon fils, Harry ! Tu lui as déjà fait assez de mal par ton exemple déplorable.

— C'est ce qu'Olivia a voulu me faire avaler. Eh bien, non, Danielle, ça ne prend pas ! Brandon veut se libérer du carcan de la famille et faire ses preuves par lui-même. Qu'y a-t-il de scandaleux là-dedans ? Un Stratton a le sens des affaires dans le sang. Il réussira.

— Pour sa femme, pour ses enfants, il n'a pas le *droit* de tourner le dos à la fortune familiale. Que tu aies eu l'inconscience de narguer ton grand-père, cela te regarde. Mais je n'admettrai pas de voir mon fils déshérité à cause de ta mauvaise influence sur lui ! Me comprends-tu, à la fin ?

— Quand bien même j'admettrais ma prétendue culpabilité pour mettre fin à cette discussion stupide, que diable veux-tu que j'y fasse ? Brandon est majeur et libre de ses actes.

— Tu ne t'en sortiras pas par une pirouette, Harry ! Dissuade Brandon de commettre cette folie. Je l'exige !

Découragé, Harry ferma les yeux. Il entendit

derrière lui Danielle se lever et sortir en claquant la porte. Quelques instants plus tard, il se retourna en entendant la porte se rouvrir doucement. Molly le regardait du seuil de la pièce, adossée au chambranle.

— Je n'ai pas pu m'empêcher d'entendre, lui dit-elle. Ta tante a une voix qui porte.

Harry se massa la nuque dans l'espoir de décontracter ses muscles tendus par l'énervement.

— Désolé de t'avoir fait subir cette scène ridicule.

— Ton grand-père t'a vraiment déshérité ?

— Parker Stratton croit pouvoir manipuler le monde entier avec son argent, c'est chez lui une seconde nature. J'ai grand besoin d'un remontant, ajouta-t-il en allant prendre une bouteille de cognac dans un placard de la cuisine. Veux-tu me tenir compagnie ?

— Volontiers, merci. Que vas-tu faire ? Essaieras-tu de dissuader ton cousin de quitter les affaires de la famille ?

Molly le rejoignit près du canapé. Harry versa un doigt de cognac dans deux verres ballons et lui en tendit un.

— Non. J'essaierai plutôt de convaincre Parker de laisser Brandon vivre sa vie sans exercer sur lui de représailles.

— Espères-tu y arriver ?

— Avec un peu de chance, je l'amènerai peut-être à ne pas commettre d'injustice.

— De la même manière que tu as amené ton oncle Léon à ne plus persécuter Josh ?

— Quelque chose de ce genre, oui.

Le regard de Molly par-dessus le bord de son verre parut à Harry d'un vert plus profond que jamais.

— Je me trompe peut-être, dit-elle, mais j'ai l'impression que, des deux côtés, tous les membres de ta famille s'accordent pour estimer que ton devoir consiste à résoudre leurs problèmes.

— Pas tous. Certains d'entre eux seulement.

— Comment t'es-tu fourré dans une pareille situation, Harry ? s'enquit Molly après avoir marqué une pause.

— Je me le demande moi-même.

— Voyons, Harry, c'est à moi que tu parles ! N'espère pas te débarrasser de moi avec une réponse aussi évasive, je suis trop futée pour m'en contenter !

— Exact, dit-il avec un sourire résigné. Sans oublier la légendaire curiosité des Abberwick.

— Écoute, si tu ne veux pas me dire pourquoi tu acceptes de subir des scènes aussi odieuses que celle que vient de te faire ta tante, je le comprends. Cela ne me regarde pas, je n'ai pas à mettre mon nez dans tes problèmes de famille.

— Ce n'est pas que je ne *veuille* pas te l'expliquer, répondit-il en contemplant son cognac. C'est plutôt parce que je ne suis moi-même pas sûr de la réponse. Personne ne m'avait d'ailleurs posé cette question jusqu'à présent.

— La curiosité Abberwick a encore frappé, dit Molly en souriant. Rien ne lui résiste.

Trente longues secondes, Harry réfléchit en silence avant de prendre sa décision. Lorsqu'il releva les yeux, il vit que Molly l'observait avec une sorte de compassion mêlée de compréhension.

— Je me suis fourré dans ce guêpier, commença-t-il enfin, parce que j'ai eu à un moment l'idée bêtement chevaleresque de réconcilier les Stratton et les Trevelyan.

Molly se borna à ponctuer ce début de confession d'un signe de tête approbateur.

— Mes parents, poursuivit-il, n'attendaient qu'une chose de leurs familles respectives : la paix. Et personne n'a jamais voulu la leur accorder.

— Et toi, enchaîna Molly, comme tu avais du sang des deux clans dans les veines, tu as décidé de bâtir un pont entre les Stratton et les Trevelyan pour rendre hommage à la mémoire de tes parents.

— En gros, c'est à peu près cela.

Harry était à peine surpris qu'elle ait compris du premier coup. Ce qui l'étonnait, en revanche, c'était le soulagement qu'il éprouvait d'avoir dévoilé à Molly la chimérique ambition de sa jeunesse.

— Autrement dit, tu as fait le serment de mettre fin aux hostilités entre les Stratton et les Trevelyan comme je suis vouée à la fondation de mon père.

— Entre nous, je crois que tes chances de réussite avec la Fondation Abberwick sont meilleures que les miennes avec les Stratton et les Trevelyan.

— Vraiment ?

— Les années ont beau s'écouler, ils s'obstinent d'un côté comme de l'autre à ne voir en moi que le passé sans jamais considérer l'avenir. Chacun veut me faire prendre parti et personne ne veut en démordre ni céder d'un pouce.

— Et tu t'y refuses, bien entendu.

— Je suis moitié Stratton, moitié Trevelyan. Comment pourrais-je choisir ?

— Leur guerre civile n'empêche pourtant aucun d'entre eux de t'exploiter sans vergogne. C'est invraisemblable !

— Qu'est-ce qui est invraisemblable ?

— Qu'on te traite comme une sorte de paria

bien que tu sois devenu, en un sens, le chef ou l'arbitre de chaque clan.

— Non, Molly, je ne suis le chef d'aucune famille, dit Harry avec mélancolie. Je ne suis que l'imbécile qui s'est laissé prendre entre deux feux. C'est tout à fait différent.

11

Haletante, Molly redescendit lentement d'un sommet de plaisir plus vertigineux qu'elle ne l'aurait imaginé dans ses rêves les plus fous. Mais ce ne fut qu'un moment plus tard, lorsque Harry se laissa aller sur elle de tout son poids, lui aussi épuisé de l'avoir si savamment guidée dans les contrées inconnues de ce royaume enchanté, qu'un éclair de lucidité lui fit entrevoir la vérité.

Tout avait été fabuleux, extatique même. Elle venait de connaître les instants les plus délicieusement sensuels, les plus incroyablement érotiques de sa vie. Pourtant, elle avait perçu une différence avec la veille : il manquait… quelque chose.

Un élément essentiel était absent.

Elle resta longtemps éveillée à se demander lequel. Son peu d'expérience dans ce domaine ne lui permettait pas de procéder à des comparaisons valables mais, la première fois, elle s'était sentie accordée à Harry d'une manière subtile, trop subtile peut-être pour qu'elle puisse la formuler. Ce soir, par chaque nerf, chaque muscle, chaque fibre de son corps, elle avait tenté de retrouver ces vibrations. Elle en avait été proche par moments, mais sans jamais les atteindre vraiment. L'impression d'une résonance à l'unisson ou, plutôt, d'un accord parfait, lui échappait.

Elle comprit alors que, la nuit dernière, Harry avait ouvert une porte et l'avait invitée à pénétrer dans une chambre secrète. Ce soir, la porte était restée cadenassée. Molly sut qu'elle ne serait pas pleinement satisfaite tant que Harry ne l'aurait pas rouverte.

Elle se réveilla seule dans le grand lit. Comme elle était encore à moitié assoupie, la situation lui parut d'abord tout à fait naturelle. Mais, quand elle ouvrit les yeux, l'obscurité qui régnait derrière la baie vitrée la déconcerta en lui rappelant qu'elle se trouvait dans le lit de Harry et n'aurait pas dû y être sans lui.

Un coup d'œil au cadran luminescent du réveil sur la table de chevet lui apprit qu'il était près de trois heures du matin. Molly n'eut pas besoin d'un sixième sens pour en déduire que Harry s'était levé afin de poursuivre l'étude des dossiers d'inventeurs refusés.

Les mains croisées derrière la nuque, Molly réfléchit à tout ce qu'elle avait découvert sur le compte de Harry. Elle commençait à y voir un peu plus clair.

Harry était revenu à Seattle au cours de l'année ayant suivi la mort de ses parents. Qu'il se soit fixé pour objectif d'établir la paix entre les clans antagonistes de sa famille en mémoire de son père et de sa mère, Molly n'en doutait pas. Elle subodorait cependant autre chose. Quelque chose dont Harry lui-même n'était peut-être pas conscient.

Une fois seul au monde, Harry s'était naturellement tourné vers les Stratton et les Trevelyan : il était de leur sang. Certes, ils l'avaient accepté. Mais, loin de lui donner ce qu'il leur demandait, ils exigeaient tous quelque chose de lui et cherchaient à l'exploiter.

Elle se leva, passa son peignoir et se dirigea pieds nus vers le cabinet de travail. Un rai de lumière filtrait par la porte entrebâillée. Molly entra.

Elle était sûre de n'avoir fait aucun bruit dans le couloir ; pourtant, Harry avait dû l'entendre car il était tourné vers la porte comme s'il l'attendait. Dans l'ombre dense, la lumière crue de la lampe durcissait les traits de son visage et donnait à ses yeux couleur d'ambre l'éclat cruel du regard de l'aigle prêt à planter ses serres dans sa proie.

Molly en comprit aussitôt la raison :

— Tu as trouvé ce que tu cherchais, n'est-ce pas ?

— Oui, il y a trois minutes. Viens voir.

Un dossier ouvert et des croquis étaient étalés devant lui. Molly s'approcha pour regarder par-dessus son épaule le titre de la page de garde : *Appareil de mesure des ondes paranormales du cerveau, par Wharton Kendall.*

— Je me souviens de ce dossier. Il me plaisait, mais tu l'as refusé comme les autres.

Harry fit une moue écœurée :

— Mesurer les ondes paranormales du cerveau ? On ne fait pas mieux dans le genre loufoque ! Ce Kendall est un charlatan, le type même du faux inventeur qui discrédite les vrais. Pas de formation scientifique, aucune expérience technologique sérieuse, absence totale d'originalité. Et, pour couronner le tout, il sévit dans la fumisterie de l'ésotérisme. J'aurais dû le reconnaître du premier coup.

— Hmmm… Qu'est-ce qui t'amène à croire que c'est lui l'auteur des mauvaises plaisanteries qu'on m'a faites ?

— Regarde le montage de son ridicule gadget.

Il tourna vers elle un schéma compliqué de bielles et d'engrenages, de moteurs électriques reliés par des dizaines de fils à un panneau de contrôle d'aspect vaguement futuriste hérissé de boutons et de voyants lumineux.

— Alors ? demanda-t-elle après l'avoir examiné.

— Alors, c'est de la mécanique élémentaire, tout juste bonne pour faire illusion sur des robots de bazar. Regarde ici et là, dit-il en désignant des sous-ensembles. On retrouve exactement la conception du faux pistolet et du fantôme sous ton lit. Notre homme, c'est bel et bien Kendall.

— Je suis stupéfaite que tu te sois souvenu de détails aussi insignifiants, Harry ! Ce dossier est un des premiers que je t'ai soumis, tu l'as regardé à peine dix secondes.

— C'étaient neuf de trop. Mais je m'efforçais encore de paraître consciencieux, dit-il avec un sourire ironique. Je ne me doutais pas que nous nous battrions ensuite comme des chiffonniers sur chacun de ces dossiers.

— Après que je me suis rendu compte à quel point tu aimais couper les cheveux en quatre, veux-tu dire ?

— C'est une manière de voir les choses…

Il repoussa les papiers sur la table et considéra Molly d'un air pensif.

— Et maintenant, qu'allons-nous faire au sujet de ce Kendall ? Ce que j'ai découvert là-dedans ne constituera pas une preuve suffisante aux yeux de la police.

— Une de tes célèbres intuitions non plus, j'imagine ? lâcha-t-elle avec une ironie à peine voilée.

— Épargne-moi ce genre d'âneries, c'est indigne de toi.

— Bon, bon... De toute façon, quand bien même tu disposerais de la preuve irréfutable de la culpabilité de Kendall, il n'est question ni de tentative de meurtre ni même de coups et blessures. La police se contenterait sans doute de lui donner un avertissement.

— Je pourrais aussi bien le faire moi-même.

— Voyons, Harry !...

Il balaya l'objection d'un geste péremptoire et rouvrit le dossier.

— Je me demande si Kendall est encore à cette adresse.

— Harry, je n'aime pas l'expression de ton regard.

Il redressa la tête si brusquement que Molly sursauta.

— Quelle expression ?

— Du calme ! Juste une façon de parler.

— Excuse-moi. Mon ex-fiancée faisait le même genre de commentaires sur mes *expressions* qui, paraît-il, la mettaient mal à l'aise.

— Ai-je l'air mal à l'aise ?

— Non, admit-il après l'avoir observée.

— Je te prie, Harry, de ne plus oublier à l'avenir que je ne suis pas ton ex-fiancée.

— Sois tranquille, dit-il avec un léger sourire. Je ne te confondrai jamais avec Olivia.

Une flamme brillait dans ses yeux ambrés, si brûlante que Molly en sentit la chaleur sur sa peau.

— Bien, fit-elle au bout d'un bref silence. Tout ce que je voulais te dire, c'est que je n'aime pas ton idée d'aller donner toi-même un avertissement à Kendall. Qu'as-tu en tête, au juste ?

— Lui rendre une petite visite, lui préciser ce que risquent les mauvais plaisants quand ils vont trop loin.

— Il niera tout en bloc.

— Je n'ai pas l'intention de lui en laisser le loisir. Je le persuaderai que je détiens des preuves contre lui et que, s'il s'avise de récidiver, j'irai tout droit à la police.

— Autrement dit, tu comptes l'intimider ?

— Oui.

Molly réfléchit un instant.

— Et tu penses y parvenir ?

Harry se tourna de nouveau vers elle. Son regard avait perdu toute sa chaleur.

— Oui.

Il l'avait affirmé d'un ton si glacial que Molly frissonna malgré elle et resserra d'une main les revers de son peignoir.

— J'irai le voir avec toi.

— Non, déclara-t-il en baissant délibérément les yeux sur le dossier.

Molly lâcha les revers du peignoir et se pencha vers Harry, les deux poings appuyés sur le bureau.

— Ne jouez pas les redresseurs de torts, *docteur* Trevelyan ! Vous travaillez pour la Fondation Abberwick, ce qui signifie que c'est *moi* qui donne les ordres. J'irai avec vous rendre visite à Wharton Kendall. Est-ce bien compris ?

Harry releva les yeux et considéra Molly avec attention.

— Compris, dit-il enfin avec un sourire en coin.

— Tant mieux.

228

— Il reste toutefois un petit problème à régler.

— Lequel ?

— Repérer Kendall risque de demander un certain temps, dit-il en montrant la page de garde. Il ne donne pas de numéro de téléphone. En guise d'adresse, une boîte postale dans un trou inconnu du nom d'Icy Crest.

— Où diable est-ce donc ?

— Aucune idée. Il faut donc localiser l'endroit avant de trouver Kendall, ce qui peut prendre une journée entière. Tu n'auras certainement pas envie de t'absenter au milieu de la semaine en négligeant tes affaires.

— Ah, non ! Tu ne te débarrasseras pas de moi aussi facilement ! Je confierai la boutique à Tessa, voilà tout. Elle est aussi capable que moi de s'en occuper.

— Tu en es sûre ?

— Absolument, positivement certaine, docteur Trevelyan !

— T'ai-je jamais signalé que j'avais horreur d'être appelé docteur Trevelyan ? demanda Harry d'un ton désinvolte.

— Non, répondit Molly avec un large sourire. Je me suis rendu compte toute seule, il y a déjà un bon moment, que cela t'exaspérait au plus haut point.

Icy Crest n'était rien de plus qu'un hameau à peine digne de figurer sur les cartes, niché au cœur de la chaîne des Cascades au bout d'une route étroite et tortueuse. En découvrant les lieux à travers le pare-brise de la voiture, Molly éprouva un profond sentiment de malaise.

De chaque côté de l'unique rue, quelques baraques en bois délavées par les intempéries se groupaient autour des témoins obligés de la civilisation, à savoir une station d'essence, un café-bar-cafétéria et une épicerie-bazar à l'enseigne de *Pete's*. Dans la vitrine crasseuse, une pancarte piquetée de chiures de mouches annonçait que l'établissement faisait aussi office de bureau de poste.

Devant la boutique, une poignée d'hommes en jean râpé, bottés et coiffés de casquettes aux sigles de fabricants de matériel agricole, tuaient le temps sur un banc. Lorsque Harry freina et coupa le contact, des regards dénués de bienveillance se posèrent sur la rutilante Sneath P-2.

— Quelque chose me dit que cela ne se passera pas aussi facilement que tu le pensais, murmura Molly.

Harry lança un coup d'œil au groupe laborieux qui les observait, en échangeant des propos vraisemblablement peu amènes sur les citadins venus se perdre dans leur désert.

— Qu'est-ce qui te donne cette impression ?

— Je ne sais pas… L'atmosphère me déplaît.

— Il est un peu tard pour reculer. C'est toi qui as insisté pour m'accompagner.

— Je sais. D'habitude, j'aime la campagne et les petits villages, mais celui-ci me fait froid dans le dos. Ces individus ont une allure inquiétante.

— Voilà un sentiment tout à fait naturel, compte tenu des circonstances. Nous sommes sur la piste d'un homme qui cherche à te faire mourir de peur. Je conçois parfaitement que l'idée de te trouver face à face avec lui ne te fasse pas sauter de joie.

Harry ouvrit sa portière, mit pied à terre. Molly le suivit en esquissant un sourire à l'adresse des travailleurs de force. Aucun d'entre eux ne le lui rendit.

Harry s'avança vers eux, marqua un temps d'arrêt, les salua d'un signe de tête. À la surprise de Molly, deux ou trois hommes l'imitèrent. Les autres détournèrent leurs yeux de Molly, qu'ils n'avaient pas cessé de toiser depuis sa descente de voiture.

Harry lui prit la main et l'entraîna dans la boutique. Molly fit d'un coup d'œil l'inventaire des rayons poussiéreux de conserves, de papier hygiénique et autres articles de première nécessité. Au fond, le compresseur réfrigérant d'un distributeur de boissons ronronnait avec bruit. Harry pêcha des pièces de monnaie dans sa poche, les inséra dans la fente, pressa des boutons. La mécanique grinça, les boîtes sélectionnées tombèrent avec un bruit de ferraille.

C'est alors qu'une imposante silhouette s'encadra dans la porte derrière le comptoir. Molly aperçut un ventre poilu retombant en plis sur la ceinture d'un jean usé jusqu'à la trame et se hâta de regarder ailleurs.

— Vous voulez quoi ? s'enquit le gorille dépoitraillé.

La voix de fausset surprenait dans un corps aussi massif. Le ton n'avait manifestement rien d'amical.

Harry prit les deux boîtes crachées par la machine.

— Pete, c'est vous ?

— Ouais.

— Moi, c'est Harry. Elle, Molly.

Pete loucha vers Molly. Elle le gratifia d'un large sourire, auquel il répondit par une brève inclination de la tête en faisant claquer son chewing-gum.

— Vous voulez quoi, Harry ? répéta le gros Pete.

— Nous cherchons un nommé Wharton Kendall. On nous a dit qu'il vivait à Icy Crest.

Pete mâcha longuement sa gomme, les yeux mi-clos, le front plissé par l'effort de la réflexion.

— Il y est plus, déclara-t-il enfin d'un ton définitif, comme s'il mettait Harry au défi d'en demander davantage.

La tension était palpable. Molly l'attribua à la répugnance naturelle qu'éprouve tout villageois à renseigner un étranger, mais son malaise ne fit que s'aggraver.

Apparemment insensible à la détérioration de l'atmosphère, Harry déboucha une boîte. Il avala une longue lampée avant de se tourner à nouveau vers le mastodonte derrière son comptoir.

— Il est parti depuis longtemps ?

— Non. Deux, trois jours.

— Il habitait loin d'ici ?

Les traits épais de Pete prirent une expression butée. À l'évidence, il n'avait aucune intention de répondre et repoussait d'avance toute nouvelle question.

Harry regardait Pete fixement, le silence devenait lourd. Molly résistait à grand-peine à l'envie de partir en courant. Seul la retenait le scrupule d'abandonner Harry.

Au bout d'un long moment, le silence persistant parut avoir raison de la détermination de Pete à ne pas en dire plus sur le compte de Wharton Kendall.

— Il louait une cabane à Shorty, lâcha-t-il avant de reprendre le cours interrompu de sa mastication.

Sans cesser de fixer Pete des yeux, Harry avala une nouvelle lampée de soda.

— Vous avez une idée de l'endroit où Kendall a pu aller ?

Manifestement mal à l'aise sous le regard froid de Harry, Pete se dandina avec la grâce d'un ours savant.

— Shorty m'a dit que le fils de pute était parti en Californie. Bon débarras. Un cinglé, ce Kendall. C'est un ami à vous ?

— Non. Qui est Shorty ?

— Il tient le café à côté.

— Merci.

— Pas de quoi, grommela Pete en grattant l'importante surface de ventre qui dépassait de sa chemise béante.

Harry tendit à Molly la boîte de soda intacte :

— Allons voir Shorty.

Une demi-heure plus tard, Harry arrêta la Sneath P-2 au bout d'un chemin de terre, devant une cabane préfabriquée érigée dans une clairière à l'écart du village. La bâtisse avait visiblement connu des jours meilleurs.

— Je me demande encore comment tu t'y es pris avec Pete et Shorty pour leur tirer les vers du nez ! dit Molly en riant. Tu as une étonnante influence sur les gens, Harry. En es-tu conscient, au moins ?

— Qu'est-ce qui te fait croire que Pete et Shorty ne m'ont pas renseigné de leur plein gré ? s'étonna-t-il.

— Allons donc ! Tu sais mieux que moi que tu as intimidé Pete et embobiné Shorty ! *Nous voudrions louer une petite maison dans un endroit tranquille*, récita-t-elle en brandissant une clef rouillée. Tu te doutes de ce que Shorty pense de nous, j'espère ?

Il lui prit la clef, descendit de voiture. Molly se hâta de le rejoindre.

— Je peux essayer de deviner.

— Facile, c'est toi qui lui as mis l'idée en tête. Quand même, tu exagères ! Nous faire passer pour des adultères !

— Si nous n'étions pas des amants illicites, nous ne chercherions pas à nous cacher.

— La ruine de ma réputation vaut-elle un coup d'œil dans l'antre de ce Kendall, à ton avis ?

— Ne t'inquiète pas. Si Shorty dessoûle assez longtemps pour parler de nous à Pete, il comprendra que nous nous intéressions davantage à Kendall qu'à son nid d'amour. Et à ce moment-là, nous serons déjà loin.

Harry tourna la clef dans la serrure, poussa la porte. Du seuil, Molly laissa échapper un cri horrifié :

— Ça, un nid d'amour ? Plutôt un taudis !

Du tapis usé jusqu'à la corde devant la cheminée au linoléum craquelé et incrusté de crasse dans la minuscule cuisine, tout était répugnant. Des relents de graillon et d'ordures pourrissantes empestaient l'atmosphère confinée.

— On dirait que Kendall a décampé en toute hâte, commenta Harry.

— Une abomination pareille n'est pas la preuve d'un départ précipité ! protesta Molly. Il faut des semaines, des mois pour en arriver là. Ce type est un vrai cochon !

— Je t'avais bien dit qu'il bâclait son travail, dit Harry avec un léger sourire.

— Ça se voit, approuva Molly en marchant

avec précaution sur le sol crasseux. Où pouvait-il bien fabriquer ses machines infernales ?

— Sans doute ici, dans le living. À moins qu'il n'ait transformé la chambre en atelier. Je vais voir.

Il poussa une porte au fond de la pièce, passa la tête.

— Tu trouves quelque chose ? demanda Molly.

— Rien qu'un lit défoncé et des rideaux poussiéreux à la fenêtre. La penderie est vide – erreur : il y a une vieille chaussette trouée et un lacet de chaussure par terre. Kendall a donc vidé les lieux. Je me demande pourquoi.

— D'après ce qu'a dit Shorty, il rentrait chez lui en Californie. C'est peut-être vrai.

— Possible. Il a pu aussi retourner à Seattle préparer d'autres mauvais tours contre toi.

— Il se peut tout bonnement que sa vengeance lui ait suffi, enchaîna Molly que le départ de Kendall rendait de nouveau optimiste.

— Peut-être. Ou alors, il s'est rendu compte qu'il allait trop loin et qu'il ferait mieux de se méfier. De quelque côté qu'on retourne la question, on tombe sur des suppositions et des points d'interrogation.

Harry délaissa la chambre et alla à la salle de bains.

— Que cherches-tu ? demanda Molly.

— Je ne sais pas. Je le saurai quand je le verrai.

— Kendall semble ne rien avoir laissé derrière lui.

— Oui, dit Harry en regagnant le living. Mais il a fait ses paquets précipitamment et il est désordonné de nature, c'est le moins qu'on puisse dire. Dans sa hâte, il a pu oublier quelque chose.

— Quoi, par exemple ?

— Un carnet d'adresses, un simple numéro de

téléphone sur un bout de papier. N'importe quoi qui me donnerait au moins un début de piste.

Tout en parlant, Harry ouvrait les placards et les tiroirs de la cuisine. Molly sentit s'évanouir son bref accès d'optimisme.

— Écoute, il est parti. C'est fini. Il ne va quand même pas poursuivre sa ridicule vengeance depuis la Californie.

— J'aimerais malgré tout être sûr de l'endroit où il se trouve. Qu'il se soit perdu dans la nature ne me satisfait pas. Je veux pouvoir retrouver sa trace.

— Ta prudence me paraît excessive, Harry.

— C'est dans ma nature. Je n'agis que méthodiquement et logiquement, tu devrais le savoir.

— Je sais ! soupira Molly avec résignation.

Elle souleva du bout des doigts un coussin du canapé et se hâta de le laisser retomber en découvrant des fragments de chips moisis. Voulant malgré tout faire preuve, elle aussi, de logique et de méthode, elle s'agenouilla sur le siège et regarda dans l'étroit espace obscur entre le mur et le dossier. À sa vive surprise, elle y distingua un objet ressemblant au dos d'un classeur.

— Haha ! s'écria-t-elle.

Occupé à inspecter un placard vide à l'autre bout de la pièce, Harry se retourna.

— Haha quoi ?

— J'ai vu quelque chose, mais je n'arrive pas à écarter ce maudit canapé du mur, il est trop lourd.

— Laisse-moi faire.

En deux enjambées, Harry la rejoignit et tira le meuble sans effort apparent. Molly se glissa derrière et ramassa le classeur tombé sur le parquet.

— Je me rappelle que mon père rangeait ses

236

notes dans un classeur à anneaux comme celui-ci, dit-elle en commençant à le feuilleter. On ne sait jamais…

Harry regarda par-dessus son épaule.

— Encore des croquis de gadgets ésotériques. Ce type est un vrai cinglé. Et tu étais prête à lui accorder dix mille dollars pour financer ses fumisteries ?

— Ne sois pas injuste, Harry ! Tu sais très bien que je n'ai pas protesté quand tu as refusé…

— Pas si vite ! l'interrompit-il. Retourne en arrière.

Molly revint à la page précédente et observa avec perplexité le croquis qui avait attiré l'attention de Harry.

— Eh bien ? demanda-t-elle.

— Tu ne reconnais pas ?

— Quoi donc ? Je ne vois qu'une sorte de boîte avec un fouillis mécanique à l'intérieur.

— Il s'agit de la boîte à surprise qui contenait le mécanisme du faux pistolet. Cette fois, nous tenons la preuve que Kendall est bel et bien ton mauvais plaisant.

Molly vit avec soulagement Icy Crest diminuer derrière eux et disparaître dans un virage. Rassurée, elle ajusta sa ceinture de sécurité et reprit l'examen du classeur de Wharton Kendall.

— Est-ce vraiment nécessaire de retrouver la trace de cet individu ? demanda-t-elle un instant plus tard.

— Indispensable. Il faut qu'il sache que nous l'avons démasqué et que nous disposons de preuves pour prévenir la police en cas de besoin. Néanmoins, ajouta-t-il après avoir négocié en souplesse une épingle à cheveux, plus j'y pense, plus je crains que tu n'aies raison. Nous aurons du mal à faire prendre cette affaire au sérieux par la police.

— Surtout si Kendall a quitté l'État. En dehors de nous deux, il n'intéresse personne.

Harry lança un coup d'œil à son rétroviseur et fronça brièvement les sourcils.

— Avec un peu de chance, il a peut-être renoncé à se venger de toi dans l'espoir de trouver un commanditaire en Californie. Là-bas, les cinglés du paranormal prêts à jeter leur argent par les fenêtres ne manquent pas.

— Tu es sans doute dans le vrai…, dit Molly. En tout cas, poursuivit-elle, maintenant que la dynamique équipe Trevelyan-Abberwick a résolu le mystère, je vais pouvoir réintégrer mes pénates.

— Mon appartement est assez spacieux.

— Je sais. Mais si je m'incrustais davantage, je franchirais la limite qui sépare l'invité du squatter.

— N'hésite pas à la franchir.

— Écoute, Harry, je ne peux pas rester indéfiniment chez toi, tu le sais bien.

— Pourquoi pas ?

— Parce que c'est impossible, voyons ! protesta-t-elle avec un soupir agacé. Nous étions convenus que tu m'hébergerais jusqu'à ce que nous ayons trouvé Kendall.

— Ce qui n'est pas encore le cas.

— Je ne peux pas laisser la maison inhabitée !

— Je ne vois pas le rap…

Harry s'interrompit soudain et enfonça l'accélérateur. Alarmée, Molly referma le classeur.

— Harry ! Qu'y a-t-il ?

— Un imbécile dans une Ford bleue derrière

nous, qui arrive beaucoup trop vite pour cette route.

Molly se retourna. Elle vit par la lunette arrière une voiture bleue d'un modèle récent qui se rapprochait en effet à une allure dangereusement rapide. Derrière le pare-brise teinté, le conducteur était invisible.

— Il a l'air pressé. Laisse-le passer, Harry.

— Impossible. La route n'a que deux voies et des séries de lacets sur plus de quinze kilomètres.

— Range-toi sur le bas-côté. Il est peut-être ivre.

Sans discuter, Harry leva le pied, rétrograda et serra à droite. La Ford bondit et déboîta.

— Ouf ! soupira Molly. Il a compris…

Mais, arrivée à leur hauteur, la Ford ne les dépassa pas. Horrifiée, Molly la vit se rapprocher avec l'évidente intention de les faire basculer dans le ravin, dont seul les séparait un rail de sécurité d'une minceur dérisoire.

— Harry ! cria-t-elle malgré elle.

— Tiens bon, murmura-t-il.

Le souffle coupé, Molly comprit qu'ils ne pourraient pas échapper à la manœuvre criminelle de la Ford. Les deux voitures se frôlaient sur la route étroite, une épingle à cheveux s'amorçait à quelques dizaines de mètres en avant. Les yeux fermés, Molly attendit le choc, la culbute…

Tout se passa en un éclair.

Sur un coup de frein brutal, la Sneath dérapa avec un hurlement de pneus sur l'asphalte. Molly rouvrit les yeux à temps pour voir la Ford bleue filer devant eux et tanguer en tentant de rétablir sa trajectoire avant d'aborder le virage tout proche, derrière lequel elle disparut.

La Sneath dérapait toujours. Dans une fraction

de seconde, elle percuterait à coup sûr la glissière de sécurité qu'elle fracasserait comme un morceau de carton avant de basculer dans le vide pour s'écraser au fond du ravin...

Molly referma les yeux.

12

Harry mit fin en souplesse au dérapage contrôlé et stoppa la voiture sur le bas-côté. Après s'être assuré dans le rétroviseur qu'aucun autre poursuivant ne surgissait du virage précédent, il se tourna vers Molly.

Solidement maintenue sur son siège par le harnais de sécurité, elle n'avait pas souffert du numéro de voltige auquel elle avait participé à son corps défendant. Harry la trouva pâle mais étonnamment calme. Il ne pouvait pas en dire autant de lui-même. Savoir que Molly avait frôlé la mort de près lui causait un tel choc qu'il lui faudrait longtemps, voire une vie entière, pour le surmonter.

— Tout va bien ? demanda-t-il d'une voix mal assurée.

— Oui, grâce à toi. J'étais sûre que nous passerions par-dessus bord. Tu es un virtuose, Harry.

— J'ai une bonne voiture, dit-il modestement.

— Non, elle a un bon pilote. Un autre en aurait perdu le contrôle. Josh a raison, tes réflexes sont exceptionnels.

Harry réussit à grimacer un semblant de sourire.

— Tout le monde a ses petits talents.

— Sauf que les tiens nous ont sauvé la vie ! dit-elle avec une sincérité venue du fond du cœur. Si je ne crevais pas de frousse au point de ne pas oser détacher ma ceinture, je te donnerais un gros baiser bien mouillé.

— Je te prendrai au mot tout à l'heure.

Sur un dernier coup d'œil au rétroviseur, Harry démarra à allure raisonnable. Il aurait eu largement le temps de prendre la Ford en chasse et de la rattraper, pensa-t-il non sans regret. La tenue de route et la puissance de la Sneath lui conféraient un avantage décisif, qu'il aurait exploité sans hésiter s'il avait été seul. Mais il n'était pas question d'exposer Molly à de nouveaux périls.

— Nous devrions signaler l'incident à la police de la route, dit Molly au bout d'un moment.

— Bien sûr, mais cela ne servirait à rien. Il n'y a pas même une éraflure sur ma carrosserie pour le prouver.

— Nous pouvons quand même décrire la voiture de ce chauffard. Une Ford bleue d'un modèle récent…

— Et sans plaques d'immatriculation.

Molly sursauta.

— Sans plaques ? Tout s'est passé si vite, je ne l'avais même pas remarqué… Alors, reprit-elle après une longue pause, penses-tu la même chose que moi ?

— Que le conducteur de cette Ford n'était autre que Wharton Kendall ? C'est plus que probable.

— Je m'en doutais, soupira-t-elle. Pourtant, Kendall est censé être parti en Californie.

— Censé est le mot juste. En réalité, Dieu seul sait où il se trouve en ce moment. Tous ceux qui l'ont approché sont d'accord pour dire qu'il est cinglé.

— C'est quand même invraisemblable ! Il a déménagé de la cabane de Shorty. Est-il resté à Icy Crest pour savoir si on le recherchait ? Où coucherait-il ?

— Dans sa voiture.

— Et pour se nourrir ?

— Il peut avoir des provisions dans le coffre.

— Et comment aurait-il su où et quand nous espionner ?

Harry réfléchit un instant avant de répondre :

— Il a pu se cacher dans les bois afin de surveiller la cabane. Ou, plus simple encore, charger quelqu'un d'Icy Crest de l'avertir en cas de danger. Le bon gros Pete, par exemple, ou le serviable Shorty, ou même un des bons à rien qui traînaient devant l'épicerie quand nous sommes arrivés.

— Cela suppose qu'il ait un téléphone à proximité.

— Le téléphone portable n'est pas précisément une nouveauté, de nos jours.

— Tu as toujours réponse à tout ! Les gens d'Icy Crest ne paraissaient pourtant pas porter Kendall dans leur cœur. Pourquoi lui auraient-ils rendu service ?

— Être antipathique n'empêche pas d'avoir de l'argent. N'importe qui au village a très bien pu se laisser soudoyer pour renseigner Kendall.

— Il ne roule pas sur l'or, voyons ! protesta Molly. S'il avait de l'argent, il n'aurait pas demandé de subvention à la fondation.

— Dans un bled comme Icy Crest, cinquante dollars est une somme amplement suffisante pour faire taire bien des scrupules de conscience. Tiens, je suis prêt à parier que le gros Pete vendrait sa propre mère pour moitié moins.

— Tu as sans doute raison… Décidément, plus

nous avançons, plus l'affaire se complique. J'ai bien peur qu'il ne nous faille du temps avant de trouver une solution.

Le silence retomba, se prolongea. S'il y avait une chose au monde que Harry comprenait mieux que personne, c'était le silence. Il le pratiquait lui-même des heures durant et connaissait assez Molly pour la savoir aussi capable que lui de s'absorber dans ses réflexions. Pourtant, l'humeur taciturne dans laquelle il la voyait glisser ne lui convenait pas, car il tenait à régler une question importante avant leur retour à Seattle. Il devait cependant s'y prendre avec précaution de peur de compromettre ses chances.

— Molly ?

— Hum... oui ?

— Après ce qui vient de se produire, il est entendu, je pense, que tu resteras chez moi tant que le problème n'aura pas été résolu.

— Comment as-tu deviné que je pensais justement à retourner chez moi ?

— Parce que je lis dans tes pensées, répliqua-t-il, agacé par cette nouvelle preuve d'entêtement.

— Ah, oui ! J'oubliais, dit-elle avec son plus beau sourire. Ton fameux don de voyance héréditaire.

— Je plaisantais, Molly.

— Je sais, excuse-moi, répondit-elle en lui touchant légèrement le bras. Je te taquinais, c'est tout.

Dans le bref silence qui suivit, Harry décida d'aborder la question selon l'angle de la logique pure – celui qui, en général, lui réussissait le mieux.

— Écoute, en restant chez moi jusqu'à ce que j'aie mis la main sur Kendall, tu seras plus en sûreté et je me ferai moins de souci à ton sujet.

— Cela peut prendre du temps. Et que se passera-t-il si tu ne peux pas le trouver ? S'il avait disparu dans la nature ?

La portée implicite de cette question raviva aussitôt chez Harry une flamme qui n'avait pas cessé de couver : et si Molly restait chez lui pour de bon ? Retrouver Kendall ne présentait pas de difficulté. L'individu était trop brouillon pour échapper longtemps aux recherches. Harry ferait le nécessaire, quand il l'aurait débusqué, afin qu'il laisse Molly en paix une fois pour toutes.

Mais si Molly, ensuite, ne partait pas ?

— Où est le problème ? demanda-t-il.

Les bras croisés, Molly affectait de regarder la route avec autant d'attention que si elle conduisait.

— Comme je te le disais juste avant d'être brutalement interrompue par la Ford bleue, je ne peux pas rester chez toi indéfiniment.

— Pourquoi ?

— Te crois-tu vraiment obligé de me poser une pareille question, Harry ? Dès le début, c'est toi qui as pris grand soin de m'énumérer tout ce que nous n'avons *pas* en commun !

— Et depuis, je te rappelle que tu en as complété la liste. Écoute, nous avons peut-être surestimé l'importance de nos désaccords. Admets que, jusqu'à présent du moins, nous réussissons à concilier ceux qui se présentent.

Molly délaissa sa contemplation de la route pour poser sur lui un regard plein de curiosité. Mais Harry eut beau s'évertuer à chercher le raisonnement logique capable de la convaincre que rester chez lui constituait la seule bonne résolution, son brillant intellect se refusa à le seconder en cet instant crucial. Il était incapable de forcer la décision de Molly, il ne pouvait que la lui suggérer.

245

Suggérer. Supplier. Espérer… Voilà une démarche qui lui était étrangère. Jamais encore il n'avait eu besoin d'implorer autrui pour obtenir ce qu'il voulait. Que diable lui arrivait-il pour en être réduit à cela ?

Il reconnut alors le phénomène, qui lui causa un choc. Ce qu'il ressentait en attendant la réponse de Molly était de même nature que ce qu'il avait éprouvé l'autre nuit, en se sentant aspiré par le gouffre quand elle lui était apparue vêtue de blanc, comme une épousée : certaines circonstances le dépouillaient de ses défenses sans qu'il comprenne pourquoi ni comment. La sensation le terrifiait au point de le priver de tous ses moyens.

— Passer quelques jours chez toi est une chose, lui dit-elle enfin avec douceur. Rester indéfiniment signifierait que nous avons décidé de vivre ensemble…

Oui ! faillit-il crier. *Tu passerais toutes tes nuits dans mon lit ! Tu prendrais tous les matins ton petit déjeuner en face de moi, avec moi !*

— Et cela, conclut-elle, ne fait pas partie de nos conventions, que je sache.

— Ce qui est convenu est convenu, se hâta-t-il de déclarer. Tu resteras jusqu'à ce que nous ayons retrouvé Kendall et réglé le problème.

Elle lui lança un regard inquisiteur, hésita.

— Eh bien, soit. Si tu y tiens…

J'y tiens parce que j'ai besoin de toi ! pensa-t-il.

— C'est la manière la plus logique de procéder, se borna-t-il à dire.

— Bien sûr. La plus logique.

Le lendemain matin, Harry débarqua au trente et unième étage d'une tour de bureaux dans le centre de Seattle. Sur le mur du palier, face à la batterie d'ascenseurs, s'étalait en éblouissantes lettres de cuivre massif la raison sociale de la compagnie d'où la famille Stratton tirait sa puissance et sa gloire :

STRATTON PROPERTIES INC.
PROMOTEURS-CONSTRUCTEURS
IMMOBILIER D'ENTREPRISE

Harry foula l'épaisse moquette du hall de réception, où une jeune femme à la sobre élégance l'accueillit avec un sourire empressé. Les apparitions de Harry dans les bureaux de Stratton Properties étaient rares, mais elles laissaient toujours chez le personnel des souvenirs impérissables.

— Bonjour, monsieur Trevelyan. Qu'y a-t-il pour votre service, ce matin ?

— Bonjour, Verna. Ayez l'obligeance de dire à mon grand-père que je désire le voir quelques minutes.

Verna pressa le bouton d'un interphone. La voix autoritaire et bougonne de Parker Stratton, que l'âge n'avait en rien amoindrie, fit vibrer le haut-parleur :

— Qu'est-ce que c'est, Verna ?

— M. Trevelyan est ici. Il souhaite vous parler.

Il y eut une pause.

— Dites-lui que je suis occupé, grommela Parker. Qu'il prenne rendez-vous la semaine prochaine.

Harry gratifia la réceptionniste d'un sourire.

— Merci, Verna, dit-il en s'éloignant vers un couloir. Filtrez tous les appels jusqu'à mon départ, voulez-vous ?

— Mais… Monsieur Trevelyan ! le rappela

Verna avec inquiétude. M. Stratton a dit qu'il était occupé…

— Cela m'étonnerait, lança Harry par-dessus son épaule. Officiellement, il est à la retraite.

Il atteignit en quelques pas la porte de son grand-père et entra sans frapper. Assis à son bureau, un stylo en or massif dans une main, Parker Stratton pressait encore le bouton de l'interphone.

— Que signifient ces manières ? gronda-t-il en décochant à Harry un regard furieux. Tu te conduis comme un Trevelyan !

Harry s'assit posément en face de lui.

— Je suis un Trevelyan. Malheureusement pour vous, je suis aussi un Stratton.

— Tu n'as pas fait irruption dans mon bureau pour discuter de généalogie, je suppose. Qu'est-ce que tu veux ?

— Je suis venu vous parler du projet de Brandon de monter sa propre affaire.

D'un geste rageur, Parker jeta son stylo sur la table.

— Bon sang de bon sang ! J'étais sûr que tu viendrais tôt ou tard fourrer ton nez dans ce fiasco ! C'est Danielle qui est venue pleurnicher sur ton épaule ? Ou Olivia ?

— Les deux. Brandon aussi m'en a parlé.

— Pourquoi diable faut-il toujours que tu te mêles des affaires de la famille, Harry ?

— Aucune idée. Peut-être parce que j'en fais partie.

Harry allongea les jambes et se carra dans son fauteuil pour mieux observer son grand-père.

Quelques années auparavant, à l'âge respectable de soixante-dix ans, Parker avait confié en maugréant les rênes de Stratton Properties à son fils

Gilford. En dehors d'un cataclysme, rien ni personne ne pouvait toutefois l'empêcher de venir tous les jours à son bureau. Pour lui, ses affaires se confondaient de manière indissociable avec sa vie.

Il en avait sucé le lait dès le berceau, et ce régime lui avait réussi. Un rhumatisme au genou le forçait parfois à se servir d'une canne, mais, ce léger handicap mis à part, il jouissait d'une santé florissante. Grâce à la robuste constitution héritée de ses ancêtres, il portait largement dix ans de moins que son âge ; son médecin lui disait même qu'il avait le cœur et les poumons d'un homme de vingt ans plus jeune. Son entreprise était donc devenue aussi indispensable à Parker Stratton que l'air qu'il respirait. Quand la mort viendrait enfin le chercher, elle le trouverait à coup sûr dans son fauteuil directorial.

— Venons-en au fait, reprit Harry. J'estime que vous devriez laisser Brandon tenter sa chance. Dites-lui que vous le soutiendrez. Ne le menacez pas de représailles.

— Ne te mêle pas de ça ! gronda Parker en pointant sur son petit-fils un index vengeur. C'est à cause de toi que cet imbécile s'est mis en tête ces idées idiotes !

— Je ne lui ai rien suggéré, parole d'honneur ! L'idée est de lui, et de lui seul.

— Allons donc ! Depuis que tu t'es avisé de cracher sur ton héritage, il rêve de démontrer à la famille qu'il a autant d'ingratitude que toi et la tête aussi dure !

— Vous me flattez...

— Non, je te rends responsable à cent pour cent de la stupidité de Brandon. Sans toi et ton mauvais exemple, il n'aurait jamais songé à déserter la compagnie.

— Il veut déployer ses ailes. Laissez-le donc faire.

— Seul, il ne sera pas même fichu de survivre un an !

— Qu'en savez-vous ? Il a du sang Stratton dans les veines. Il peut nous étonner par sa réussite.

— Tu as du sang Stratton dans les veines, toi aussi. Il n'a pas suffi à faire de toi un homme d'affaires.

— Nous savons l'un et l'autre que je n'étais pas fait pour ce monde-là.

— Dis plutôt que tu n'es pas capable d'affronter le monde réel. Tu préfères t'isoler dans ta tour d'ivoire ! Si tu étais entré dans la société à ton retour à Seattle, aujourd'hui tu serais vice-président.

— C'est peu probable. Gilford et vous m'auriez flanqué à la porte au bout de trois mois. Je n'aurais jamais pu m'adapter.

— Par manque de discipline ! Tu es trop arrogant et trop têtu pour daigner t'adapter. C'est la faute de ton père. Il t'a monté la tête contre tout ce qui vient des Stratton pour me narguer et se venger de moi, voilà tout.

— Nous avons déjà abordé le sujet assez souvent dans le passé, je crois, lâcha Harry sèchement.

Parker serra les poings, comme s'il s'apprêtait à reprendre le fil de cette vieille querelle. Au bout d'un moment, cependant, il se détendit un peu.

— On raconte que tu as une nouvelle bonne amie. C'est vrai, cette histoire ?

— Les potins vont vite, dit Harry, agacé. Oui, et elle s'appelle Molly Abberwick.

— D'après Danielle, elle s'est installée chez toi.

— En effet, pour quelque temps.

— Tu sais que je désapprouve ce genre de conduite !

— Je sais. Revenons à Brandon, voulez-vous ?

— Je n'ai rien de plus à en dire. Ne compte pas sur moi pour l'encourager à gâcher son avenir. Son devoir envers la famille est de rester ici.

— Danielle craint que vous ne le déshéritiez.

— Exact. Je l'en ai même averti l'autre jour.

— Donnez-lui plutôt votre bénédiction.

— Et pourquoi diable devrais-je le bénir ?

— Parce qu'il partira de toute façon et que Danielle dormira mieux si elle sait que vous l'approuvez.

— Dis-moi donc pourquoi je leur ferais plaisir, à elle et à son fils !

Harry marqua une pause.

— Vous devez au moins cela à Danielle.

— Moi, devoir quelque chose à Danielle ? C'est un comble ! J'ai déjà trop donné à ma fille comme au reste de la famille ! Ils sont gâtés, voilà le problème ! Ils croient que je leur dois tout ! Qu'est-ce que je dois à Danielle, hein ?

— Vous lui devez d'avoir sauvé votre chère entreprise en épousant Dean Hughes à la place de ma mère. C'est grâce à elle que vous avez eu les capitaux dont vous aviez le plus pressant besoin à l'époque, sans parler des relations apportées par les Hughes. Elles avaient encore plus de valeur que les capitaux et vous continuez à en profiter.

Parker Stratton resta un instant muet de stupeur et d'indignation.

— Comment as-tu l'audace d'insinuer que j'ai forcé Danielle à se marier ? explosa-t-il enfin. Comme si j'avais pu ! Nous ne vivons plus au Moyen Âge, que je sache !

251

— En ce qui vous concerne, si. Vous voulez toujours régenter la vie des autres comme si vous étiez un seigneur féodal.

— J'ai quand même le droit de prendre des décisions dans ma famille et mes affaires ! Sans moi, Stratton Properties n'existerait plus.

— Sans l'aide, non plus, de votre fille Danielle, ajouta Harry d'une voix douce. Elle s'est sacrifiée quand sa sœur aînée s'est enfuie avec mon père. Elle a accepté de subir un enfer conjugal pour sauver l'affaire. Sans elle, Stratton Properties aurait sombré il y a trente-cinq ans. Faites preuve de reconnaissance, c'est la moindre des choses.

— Que signifie ce soudain apitoiement sur le sort de ta tante ? On se marie dans le but de fonder une famille et d'assumer ses responsabilités, pas pour être heureux en ménage !

— Mes parents, si.

De fureur, Parker Stratton devint écarlate.

— Sean Trevelyan a arraché ma petite Brittany à sa famille ! dit-il d'une voix tonnante. Il l'a séduite, il l'a enlevée comme un voleur, il l'a privée de tout ce qui aurait dû lui revenir de droit, son foyer, son héritage…

— Mais il l'a rendue heureuse, intervint Harry sans élever la voix.

— Avec lui, elle n'a jamais eu ce qu'elle méritait !

Harry le dévisagea d'un air de défi :

— Si vous voulez savoir ce que serait devenue ma mère en vivant avec Dean Hughes, regardez donc Danielle.

— Au moins, elle serait encore en vie ! explosa Parker.

Harry eut soudain l'impression d'être catapulté dans un vide absolu, sans air et sans lumière. Les barrières qui le protégeaient d'une chute dans l'abîme vacillaient, prêtes à s'abattre. Au-dessous de lui, le gouffre noir lui faisait signe. Ce serait si facile de s'y laisser glisser…

C'est alors que l'image de Molly lui apparut. Elle se tenait sur l'autre rive du gouffre, elle lui souriait. En lui et autour de lui, la réalité reprit ses droits.

— Comme je vous le disais, répondit-il avec froideur, vous avez une dette envers tante Danielle. Donnez-lui la seule chose qu'elle attend de vous. Celle que vous seul êtes en mesure de lui donner.

— Laquelle ?

— Rassurez-la sur l'avenir de Brandon. Ce n'est pas lui qui en a besoin, mais elle. Danielle n'a pas eu souvent droit à la paix sa vie durant. Elle avait trop à faire pour s'efforcer de satisfaire vos désirs.

Parker serra les poings.

— Qui donc t'a conféré le rôle de justicier, dans cette famille ? gronda-t-il.

Harry se leva.

— Je n'en sais fichtre rien, répliqua-t-il en ouvrant la porte.

— Quand tu le veux, Harry, tu es un vrai salaud ! Le sais-tu, au moins ?

Du seuil, Harry lança par-dessus son épaule un dernier regard à son grand-père.

— Oui. Que voulez-vous, c'est de famille. Des deux côtés, précisa-t-il.

Sur quoi, il referma la porte derrière lui.

Il ne s'étonna pas de trouver dans le couloir son oncle Gilford qui l'attendait en faisant les cent pas. Harry lui sourit sans gaieté. La journée commençait mal.

Cadet des rejetons de Parker, Gilford était aussi

séduisant à quarante-neuf ans que les autres membres de la famille. Grand, svelte, les cheveux blonds et les yeux noisette, il avait une élégance innée. Il était marié depuis quinze ans à Constance Healey, héritière d'un riche armateur, qui lui avait donné deux enfants. Heureusement pour les Stratton, Gilford avait non seulement hérité de leur physique avantageux mais, surtout, de leur sens des affaires. Sous sa houlette, l'entreprise prospérait.

— Qu'es-tu venu faire, Harry ? demanda-t-il d'un air soupçonneux. Encore une scène avec Parker, n'est-ce pas ?

— Il ne lui faut pas grand-chose pour s'exciter. Tu sais aussi bien que moi qu'il perd son sang-froid rien qu'en me voyant. Ne t'inquiète pas, il n'en mourra pas.

— Tu es venu lui parler de Brandon et de ses projets ridicules, j'imagine ?

— Bien sûr.

— Tu ferais bien de ne pas intervenir, dit Gilford d'un ton menaçant. Tu sais ce que mon père pense de ceux qui trahissent les intérêts de la famille.

— Je sais.

— Alors, Harry, je te préviens : passe au large ! Laisse Parker régler la question comme il l'entend.

— Son attitude vindicative envers Brandon crucifie Danielle.

— Je le sais et je le déplore, mais cela ne te concerne pas. Ne t'avise pas de fourrer encore ton nez à tort et à travers dans nos problèmes. Il t'en cuirait.

Sur cette péremptoire mise en garde, Gilford tourna les talons et regagna son bureau au bout du couloir. Avec un haussement d'épaules, Harry le suivit des yeux avant de traverser le hall puis de reprendre l'ascenseur.

Si la journée commençait mal, la suite s'annonçait sous de meilleurs auspices : Molly devait déjeuner avec lui.

Les mains jointes sur son bureau, Molly considéra avec impatience la mine soucieuse qu'affichaient sa tante Venicia et Cutter Latteridge. Si leurs intentions étaient louables, elles n'en étaient pas moins exaspérantes.

— Ne vous inquiétez pas pour moi, répéta-t-elle pour la énième fois en cinq minutes. Je ne risque rien chez Harry.

— Mais enfin, ma chérie, si tu ne te sentais pas en sûreté chez toi, tu aurais pu venir me demander l'hospitalité, je t'aurais accueillie avec joie ! Tu ne devrais pas t'installer comme cela chez Harry Trevelyan, tu le connais à peine.

Drapée dans une robe orange et fuchsia, Venicia évoquait les poissons tropicaux de l'aquarium de Harry.

— Je le connais de mieux en mieux tous les jours, crois-moi, répliqua Molly.

Venicia se redressa d'un air déterminé et consulta son fiancé du regard.

— Écoute, ma chérie, Cutter et moi avons discuté de ton Dr Trevelyan. Nous avons tous deux le sentiment qu'il y a quelque chose de... troublant dans toute cette affaire.

— De troublant ? répéta Molly.

Cutter s'éclaircit la voix.

— Je me mêle sans doute de ce qui ne me regarde pas, je sais, déclara-t-il en posant une main sur celle de Venicia. Mais, si je ne suis pas encore un membre de la famille, je le serai bientôt et j'estime qu'il est de mon devoir de parler.

— Je vous en prie, Cutter, ne vous faites pas tant de souci pour rien ! protesta Molly.

— Je m'en fais, ma chère petite, c'est plus fort que moi, rétorqua Cutter de son air le plus pontifiant. Cette affaire, voyez-vous, me paraît extrêmement inquiétante. Si vous êtes sûre que les mauvaises plaisanteries dont vous avez été victime ne sont pas imputables aux amis de votre sœur, je ne saurais trop vous engager à laisser la police régler le problème. Vouloir vous faire justice vous-même vous expose à de trop grands risques.

— Harry est allé à la police pas plus tard qu'hier, répondit Molly. Elle ne peut pas faire grand-chose, surtout si ce Wharton Kendall est parti en Californie.

— Elle peut quand même agir au sujet de cette voiture qui vous a attaqués sur la route, intervint Venicia.

— Ils ont noté qu'il fallait rechercher le conducteur d'une Ford bleue au comportement dangereux, un point c'est tout. Harry et moi ne sommes pas même certains qu'il y ait un rapport entre cette agression et Wharton Kendall. Plus j'y pense, d'ailleurs, plus j'en doute. Nous n'avons peut-être échappé qu'à un chauffard en état d'ivresse.

— Qu'est-ce qui vous amène à penser qu'il n'y a pas de rapport entre les deux ? s'enquit Cutter.

— Jusqu'à présent, Kendall n'a cherché à se venger qu'en me faisant peur de manière puérile. Il n'a jamais essayé de m'agresser physiquement.

— Si cet individu est l'auteur de ces plaisanteries douteuses, il s'agit d'un malade mental, affirma Cutter. Sa démence peut s'aggraver et le rendre réellement dangereux. Votre tante a raison, vous devriez venir vous installer chez elle jusqu'à ce que l'affaire soit réglée.

— Je suis parfaitement en sûreté chez Harry…

Molly préféra ne pas ajouter que, si Kendall était aussi fou que le prétendait Cutter, elle ne voulait à aucun prix exposer sa tante aux mêmes dangers qu'elle.

— Je ne voudrais pas avoir l'air de te faire la morale, ma chérie, soupira Venicia, mais tu devrais te soucier un peu plus des apparences. Les gens se poseront des questions sur les intentions du Dr Trevelyan.

Molly leva les yeux au ciel.

— Je t'en prie, tante Venicia ! Nous ne vivons plus au siècle dernier !

— Les intentions de ce monsieur ne sont pas difficiles à deviner, déclara alors Cutter d'un air sombre.

— Que voulez-vous dire ? demanda sèchement Molly.

— Je veux dire qu'il faut considérer le dessous des choses. Cet homme vous attire, c'est évident, mais cela ne doit pas vous empêcher de garder la tête froide, ma chère petite. Vous êtes responsable de sommes considérables.

Agrippée des deux mains au bord de son bureau, Molly se pencha en avant :

— Insinuez-vous encore que Harry ne s'inté-resserait à moi que dans le but de soutirer des honoraires à la fondation ?

— Ne te fâche pas, ma chérie ! intervint Veni-cia. Cutter et moi sommes étonnés, et inquiets – oui, inquiets – de cette soudaine… intimité entre le Dr Trevelyan et toi.

— J'ai le regret d'ajouter, compléta Cutter, que je soupçonne fort le Dr Trevelyan de vouloir tirer profit de vos démêlés avec ce Wharton Kendall.

— C'est grotesque ! s'exclama Molly, indignée.

— Peut-être pas autant que vous le croyez, répliqua doctement Cutter. J'ai la nette impression que Trevelyan vous attire sciemment dans cette toile d'araignée afin de mieux vous persuader que vous avez autant besoin de sa protection que de son expertise scientifique. Et si, en plus, vos sentiments s'en mêlent…

— Pour la dernière fois, l'interrompit Molly, je vous répète que je sais ce que je fais !

— Quiconque assume la responsabilité d'une fondation richement dotée, reprit Cutter sans se laisser démonter, devrait s'interroger sur le bien-fondé de relations personnelles aussi étroites avec une personne susceptible d'en tirer profit. Je crains fort, voyez-vous, que vous n'ayez désormais deux dangers distincts à affronter. D'un côté, celui représenté par un inventeur au cerveau dérangé en quête de vengeance. De l'autre, celui, non moins redoutable, d'être grugée par un collaborateur sans scrupules.

Molly avait écouté la tirade en bouillant de colère.

— Si Harry n'était qu'un coureur de fortune, il n'aurait pas renoncé à celle des Stratton !

Cutter la considéra d'un air apitoyé.

— Il n'y a pas renoncé de gaieté de cœur, ma chère petite, vous l'ignoriez peut-être. Je sais de source sûre que c'est à la suite d'une violente querelle avec Parker Stratton, son grand-père, que ce dernier l'a déshérité. Et ce n'est pas tout. Il y a autre chose, que vous ne savez sans doute pas non plus.

— Quoi donc ?

Cutter hésita, comme s'il répugnait à dévoiler un secret qui ne lui appartenait pas.

— Eh bien… Selon certaines rumeurs, Harry Trevelyan ne serait pas tout à fait sain d'esprit.

— Quoi ? Où avez-vous entendu ces ragots ? fulmina Molly.

Cutter poussa un profond soupir.

— Je connais un ancien ingénieur de Stratton Properties qui a gardé des contacts dans la firme, répondit-il à regret. La fiancée de Trevelyan aurait rompu leurs engagements en découvrant qu'il souffrait de troubles psychiques. Étant psychologue de profession, cette jeune femme était particulièrement bien placée pour en discerner la gravité.

Outrée, Molly se leva d'un bond.

— C'est absolument faux ! Il est scandaleux de répandre des mensonges pareils ! Harry n'est pas plus fou que moi !

— Allons, Molly, allons, dit Venicia d'un ton apaisant. Un peu de bon sens, voyons.

— De bon sens ? s'exclama Molly en foudroyant sa tante du regard. Que suis-je censée faire ?

— J'ai justement ma petite idée là-dessus, répondit Venicia avec un sourire rassurant.

— Ah, oui ? Laquelle ?

— Tu pourrais me confier la gestion de la fondation. Je sais qu'elle a toujours été pour toi une lourde charge. Si je l'assumais à ta place, tu n'aurais plus à t'en soucier.

Bouche bée, Molly la dévisagea avec incrédulité.

— Te transférer la fondation ?

— Ce n'est qu'une idée, intervint Cutter, mais elle mérite réflexion. En apprenant que vous ne tenez plus les cordons de la bourse, Kendall n'aura plus de raison d'assouvir sa vengeance. Quant au Dr Trevelyan, il ne représentera plus le risque contre lequel je vous mettais en garde.

— Harry n'a jamais représenté un risque.

— Justement, renchérit Cutter. Si, disons, l'affection qu'il vous porte est sincère, il lui sera indifférent que vous soyez ou non responsable de la fondation.

— Et tu découvriras vite si ses intentions envers toi sont honorables, compléta Venicia.

Molly secoua la tête, effarée.

— Voyons, tante Venicia, tu ne veux pas te charger de cette corvée ! C'est un casse-tête permanent.

— À vrai dire, avoua Venicia, ce travail ne m'attire guère. Mais je veux quand même bien en accepter la responsabilité pour te rendre service, ma chérie, c'est la moindre des choses. Et puis, Cutter me seconderait, il est ingénieur, et très compétent dans ce domaine. Il pourrait, par exemple, se charger de sélectionner les dossiers valables.

— Cela m'intéresserait, c'est vrai, admit Cutter. Je resterais dans le bain sans m'encroûter.

— Nous sommes tous deux retraités, précisa Venicia. Nous aurons le temps de nous consacrer à une bonne œuvre.

Cutter se leva et prit la main de sa chère et tendre.

— Pensez-y, Molly, conclut-il. Confier les rênes de la fondation à votre tante pourrait résoudre d'un coup tous vos problèmes. Et maintenant, si vous voulez bien nous excuser, nous avons rendez-vous avec notre agent de voyages. Un voyage de noces ne s'improvise pas, vous savez, ajouta-t-il avec un sourire qui se voulait complice.

— Tu n'oublieras pas ta promesse de venir avec moi choisir ma robe de mariée, n'est-ce pas ? dit Venicia.

— Je n'oublierai pas, répondit Molly.

Venicia et Cutter se retournèrent… et s'arrêtèrent pile en découvrant Harry dans l'encadrement de la porte ouverte, une épaule appuyée contre le chambranle.

— Je ne vous empêche pas de sortir, j'espère ?

— Sûrement pas ! gronda Cutter, furieux.

Tirant Venicia par la main, il partit au pas de charge. Un instant plus tard, la porte de la boutique se referma derrière eux.

Molly déglutit avec peine.

— Je ne t'avais pas entendu entrer.

— Comment se fait-il, demanda Harry avec un sourire amusé, que chaque fois que j'arrive dans ton bureau à l'improviste je tombe sur quelqu'un qui s'efforce de te convaincre que je mets en péril la Fondation Abberwick ? D'abord, Gordon Brooke, aujourd'hui ta tante et son fiancé.

— Je suis désolée que tu les aies entendus. Ils se font du mauvais sang à cause de ce Kendall, voilà tout.

— Il n'y avait pas que cela. J'ai cru comprendre qu'ils s'interrogeaient aussi sur l'honorabilité de mes intentions à ton égard.

Molly piqua un fard.

— Cutter et Venicia sont un peu vieux jeu…

— Quelle coïncidence ! Je sors de chez quelqu'un dont le point de vue sur deux personnes qui vivent sous le même toit sans contrat de mariage est tout aussi *vieux jeu*.

— Heureusement pour nous, répondit Molly avec son plus éblouissant sourire, nous avons l'esprit moderne.

13

— Oui, un certain Wharton Kendall. Pouvez-vous retrouver sa trace et, si possible, découvrir où il était hier ?

Le téléphone à l'oreille, Harry arpentait son cabinet de travail.

— Je ferai de mon mieux, répondit la voix de Fergus Rice. Faxez-moi les documents dont vous disposez et tout ce qui vous paraît susceptible de m'aiguiller.

Il y eut une pause. Harry entendit le léger cliquetis d'un clavier d'ordinateur. Fergus prenait des notes.

Fergus Rice était détective privé, un des meilleurs sur la place. Harry avait déjà utilisé ses services lorsqu'il lui fallait des éléments matériels pour étayer sa propre enquête sur une fraude scientifique. Car, s'il était sans égal dans les domaines de la technologie et de la science appliquée, Harry n'avait pas de formation d'enquêteur au sens classique du terme. Plutôt que de s'initier à ce métier, il avait préféré consacrer son temps à des tâches moins ingrates que la vérification d'adresses ou de numéros de téléphone. Il trouvait donc plus commode, en cas de besoin, de faire appel à des spécialistes.

— C'est tout ? s'enquit Fergus Rice.

— Pour le moment, oui. Dès que j'aurai du nouveau, je vous en aviserai. Traitez cela en urgence, voulez-vous, Fergus ? Ce type est un malade. Les deux premières attaques étaient relativement anodines, mais si c'était bien lui qui conduisait la Ford bleue, il est devenu dangereux.

— Je lance les recherches tout de suite, Harry.

Harry raccrocha. Le spectacle des poissons multicolores qui évoluaient dans l'aquarium l'amena à se demander combien de quidams allaient encore se succéder auprès de Molly pour s'efforcer de la convaincre qu'elle devait se méfier de lui.

Il avait la réputation bien établie de savoir démasquer les aigrefins les plus dangereux, ceux qui détournent les conquêtes de la science au profit de leurs objectifs coupables. Il était l'auteur d'ouvrages de référence sur ce sujet ultrasensible. Grandes entreprises internationales et organismes gouvernementaux se reposaient sur son expertise. Il avait consacré sa vie entière à faire triompher la vérité et la justice. Il tenait des Trevelyan le don d'identifier les tricheurs et les illusionnistes, des Stratton l'instinct et le jugement de l'homme d'affaires avisé, de ses études supérieures la connaissance intime des sciences et des technologies de pointe. Il avait toujours défendu le bon droit et pourfendu les imposteurs.

Et voilà que, sans même le connaître, des gens faisaient le siège de Molly en l'accusant de vouloir la tromper et l'escroquer ! Et il ne disposait d'aucun moyen de se justifier et de lui prouver son innocence.

Certes, Molly semblait toujours lui faire

confiance. Mais combien de fois entendrait-elle répéter qu'il ne couchait avec elle que dans le dessein de mettre la main sur les capitaux de sa fondation avant que le doute se glisse dans son esprit ? Combien de fois lui affirmerait-on qu'il était un malade mental avant qu'elle commence à y ajouter foi ?

Il entendit un léger bruit dans le vestibule.

— Encore en train de ruminer ? dit gaiement Molly sur le pas de la porte.

Harry se retourna.

— Je ne t'avais pas entendue rentrer.

— Je suis arrivée au moment où Ginny partait.

En deux enjambées, elle traversa la pièce et vint se pendre à son cou. Harry la serra dans ses bras, lui donna un long baiser. Il était bon, non, mieux : il était *juste* qu'ils soient réunis à la fin d'une longue et pénible journée. Harry ne voulut plus penser à ce qui se produirait si elle prêtait l'oreille aux calomnies.

Le visage blotti au creux de son épaule, Molly leva vers lui ses grands yeux verts si lumineux.

— Si nous parlions du dîner ?

— Aurais-tu une idée derrière la tête ? demanda-t-il en souriant.

— Oui. Je crois que ce soir nous devrions sortir. Tu es dans une de tes périodes moroses – la pleine lune, sans aucun doute. Tu as besoin de te distraire.

Harry réprima un frisson. Commençait-il à l'indisposer par ses longs silences ? Cherchait-elle à s'étourdir sous prétexte de le distraire ? Son humeur s'assombrit davantage.

— Pourquoi pas ? parvint-il à répondre avec désinvolture. Mais c'est toi qui choisis l'endroit.

— J'ai très envie d'essayer ce nouveau restaurant polynésien, presque en face de…

Une sonnerie de téléphone l'interrompit.

— Ta ligne privée. Sûrement ta famille, dit-elle en le lâchant.

Harry étouffa un juron. Un instant, il fut tenté de ne pas décrocher. Il avait subi plus que sa part de problèmes familiaux pour une seule journée. Malgré tout, il décrocha.

— Harry ? Josh.

Quelque chose dans le son de sa voix plongea Harry dans un abîme d'anxiété.

— Qu'est-ce qui ne va pas ?

— Grand-père est à l'hôpital de Hidden Springs. Il a démoli son nouveau camping-car il y a une heure.

Harry ferma les yeux et laissa échapper un soupir.

— C'est grave ?

— Oui. Le docteur nous a dit que les prochaines heures seront critiques. Il risque de ne pas passer la nuit, ajouta Josh avec une sorte de désespoir incrédule.

Harry jeta un coup d'œil à sa montre.

— J'arrive le plus vite possible. Et tiens bon, Josh. Léon est un vieux dur à cuire, il s'en sortira.

— Vieux ? Il a à peine soixante-dix ans ! C'est trop jeune pour mourir...

Josh s'interrompit.

— Harry, il faut que tu saches, reprit-il d'une voix étranglée. Son camion a flambé, comme quand papa s'est tué.

— J'arrive, mon garçon.

— Merci, Harry.

Harry raccrocha, se tourna vers Molly :

— Désolé pour le dîner, je dois partir tout de suite à Hidden Springs. Léon a embouti son camping-car tout neuf et, bien entendu, il s'est arrangé pour que ce soit spectaculaire.

— Je t'accompagne, dit-elle sans hésiter.

Harry était tellement habitué à régler seul les crises familiales, tant chez les Stratton que chez les Trevelyan, qu'il n'identifia pas aussitôt le sentiment de soulagement que l'offre spontanée de Molly provoqua en lui.

Debout devant la fenêtre de la chambre d'hôpital, Molly écoutait couiner et cliqueter les machines qui empêchaient Léon Trevelyan de glisser dans la mort. Léon ignorait sa présence, son attention étant exclusivement accaparée par ses douleurs, d'une part, et par Harry, de l'autre.

Harry était seul à son chevet. La délégation Trevelyan, composée en particulier de Josh et Évangéline, avait été priée de rester dans la salle d'attente par une infirmière qui refusait, à juste titre, de laisser entrer tout ce monde auprès du blessé.

Molly avait pu constater comment la famille entière s'était tournée vers Harry lorsqu'il était arrivé à l'hôpital, quelques minutes auparavant. À l'évidence, les Trevelyan comptaient sur lui pour tout prendre en main. Et lui, d'une manière plus subtile mais tout aussi naturelle, avait fait exactement ce que les autres attendaient de lui.

Après avoir conféré avec le médecin, il avait annoncé qu'il désirait s'entretenir seul à seul avec Léon. Molly allait s'asseoir à côté de Josh quand, d'un regard, Harry lui avait fait comprendre qu'il voulait qu'elle vienne avec lui. Elle l'avait suivi sans discuter et, depuis quelques instants, écoutait discrètement leur dialogue.

— Eh bien, Léon, tu as failli décrocher la timbale, cette fois-ci.

— Qui t'a demandé de venir, Harry ? grogna Léon d'une voix rauque. J'ai pas besoin de toi ici.

— Il y a beaucoup d'autres endroits où je préférerais être en ce moment, crois-moi.

— Moi aussi. Où est Josh ?

— Dans la salle d'attente.

— Va le chercher, bon Dieu !

— Dans cinq minutes. Mais d'abord, discutons.

— De quoi ?

— J'ai questionné les policiers. Selon leur rapport, tu t'es jeté tout seul contre un arbre. Il pleuvait, tu roulais trop vite. Aucun autre véhicule n'est en cause.

— Jusque sur mon lit de mort, enfant de salaud, tu veux encore m'infliger un de tes foutus sermons sur la sécurité ! grommela Léon d'une voix qui faiblissait.

De son poste d'observation, Molly vit Harry serrer les dents mais demeurer impassible. Il poursuivait un objectif précis, et elle savait que rien ne pourrait l'en détourner.

— Je ne suis pas venu te faire un sermon mais te proposer un marché. Je suis convaincu que tu t'en tireras cette fois-ci comme tu t'en es toujours tiré...

— Les Trevelyan ont la vie dure, grogna Léon.

— Exact. Mais juste au cas où tu ne t'en tirerais pas, il faut que tu saches une bonne chose.

— Laquelle ?

— À moins que nous ne parvenions maintenant à un accord, ne compte pas sur moi après ta mort pour laisser de toi à Josh l'image d'un héros.

— Enfin, bon Dieu, Josh est mon petit-fils ! Je n'ai plus que lui au monde !

268

— Je sais. Mais si tu n'acceptes pas mes conditions, Léon, je lui raconterai tout.

Léon ouvrit un œil étincelant de fureur.

— Un fumier de maître chanteur, voilà ce que t'es !

— Tu sais bien que nous nous bluffons l'un l'autre depuis des années, Léon.

Étouffant d'indignation, Léon haletait.

— Tu parles ! Tu joues avec un jeu truqué. T'as toujours les atouts en main.

— Une dernière donne, Léon. À la loyale. Accepte, et tu mourras en héros aux yeux de Josh. Bien entendu, je préférerais que tu restes en vie, mais cela dépend de toi.

— Qu'est-ce que tu me veux encore, nom de Dieu ?

Accoudé à une des barrières latérales du lit, Harry observa un instant le visage défait de son oncle. Molly ne voyait que ses yeux. Sous la surface aussi dure que de l'ambre poli, elle aurait juré discerner une lueur de tristesse. Ce qu'il était en train de faire lui déplaisait, mais Harry irait jusqu'au bout. Pour l'avenir de Josh.

— Dans quelques minutes, je dirai à Josh de venir. Quand il sera ici, je veux que tu le libères du passé.

— Qu'est-ce que ça veut dire ?

— Cela signifie que tu lui diras que les temps ont changé. Dis-lui que c'en est fini de vivre au jour le jour en prenant des risques stupides. Dis-lui que son père n'aurait jamais voulu qu'il marche sur ses traces et que tu ne le veux pas non plus. Dis-lui que tu veux, au contraire, qu'il suive la nouvelle route qu'il s'est choisie et que tu es fier de lui. En un mot, Léon, donne-lui ta bénédiction.

— Bon Dieu, Harry, tu me demandes de lui dire

que je suis d'accord pour qu'il devienne comme toi ? Tu voudrais que je le pousse à tourner le dos aux traditions de la famille ?

— Je te demande de lui dire que tu avais tort. Que tu te rends compte désormais qu'il est grand temps que la nouvelle génération des Trevelyan évolue. Que les hommes de la famille feraient mieux de compter sur leur tête plutôt que sur leurs muscles et leurs réflexes.

— Tu l'as déjà encouragé à faire des études. Ça ne te suffit pas ?

— Pour lui, Léon, ça ne suffit pas. Il t'aime, il a besoin que tu l'approuves. Il a besoin d'entendre de ta bouche que tu ne le considères pas comme un raté parce qu'il s'engage sur une voie différente de la tienne.

— Josh se fiche bien de moi, se plaignit Léon avec amertume. Son héros depuis des années, c'est toi. Depuis que tu l'as enlevé à sa famille.

— Tu te trompes. Tu es son grand-père, et un grand-père ne se remplace pas. Il attend de toi ce que je ne peux pas lui donner : que tu légitimes ses choix pour son avenir.

Au prix d'efforts trop manifestes pour ne pas être affectés, Léon reprit son souffle. Harry ne s'y trompa pas : le vieux renard cherchait simplement à gagner du temps.

— Je me doute déjà de tes conditions, grommela-t-il.

— Les mêmes que d'habitude. Fais cela pour Josh et je ne lui parlerai pas de Willy.

— Merde ! J'en étais sûr… Et qu'est-ce qui me dit que je peux te faire confiance ?

Ce fut au tour de Harry de marquer une pause.

— T'ai-je jamais menti, oncle Léon ?

La réponse de Léon se noya dans une toux caverneuse.

— Tu as gagné, enfant de salaud, dit-il quand il eut recouvré la parole. Va le chercher et fous le camp d'ici. Je le ferai à ma manière.

Harry se redressa, dévisagea Léon quelques secondes encore. Molly se sentit submergée par une vague de tristesse. Elle était convaincue que Harry aurait voulu conclure non sur des menaces mais sur des paroles de paix, mettre un terme à leurs vieilles hostilités. Mais elle comprit aussi que Harry ne savait pas comment demander cette paix à laquelle il aspirait. Il imposait à Léon de libérer Josh d'un passé trop lourd sans pouvoir espérer pour lui-même un don de même valeur.

Harry se détourna enfin du lit, son regard croisant dans l'ombre celui de Molly, qui lui tendit la main. Il prit celle-ci, la serra comme s'il saisissait une bouée. Lui et Molly quittèrent la chambre du même pas.

— C'était incroyable ! dit Josh. J'avais l'impression que grand-père voulait me dire adieu. Je ne l'avais jamais vu comme cela. Gentil, presque tendre. Vieilli, aussi.

Josh posa le plateau sur une table de la cafétéria de l'hôpital. Molly s'assit et disposa devant eux les gobelets de plastique pleins d'un liquide fumant.

— Rien d'étonnant, tu sais. Ce par quoi il passe ce soir a de quoi le faire réfléchir à beaucoup de choses.

— Oui, bien sûr. Quand même…

Molly était pertinemment consciente que la métamorphose de Léon était due à l'intervention de Harry et non au traumatisme de son accident. Harry n'avait pourtant pas eu besoin de lui préciser que Josh devait rester dans l'ignorance de la scène édifiante dont elle avait été témoin.

Il était près de minuit. Molly avait invité Josh à la cafétéria après son entretien avec son grand-père. Harry réglait les problèmes de paperasseries hospitalières et de constats d'assurance. Estimant à l'unanimité que ces corvées lui incombaient, les autres Trevelyan se relayaient entre le chevet de Léon et la salle d'attente.

Le breuvage infect servi à la cafétéria sous le nom de thé fit faire à Molly une grimace de dégoût.

— Courage, Josh ! dit-elle en reposant son gobelet. Ton grand-père résiste bien jusqu'à maintenant. Le docteur a dit tout à l'heure que son état était stabilisé, je suis persuadée qu'il sera tiré d'affaire au matin.

— Pourtant, il me parlait comme s'il s'attendait à mourir, répondit Josh en tournant son pseudo-café avec une cuillère en plastique. Il m'a même dit qu'il avait eu tort pendant des années de me pousser à abandonner mes études pour faire des courses de stock-cars.

— Vraiment ? fit Molly d'un ton neutre.

— Oui. Il m'a dit aussi que les hommes de la famille qui ne comptaient que sur leurs muscles et leurs réflexes n'avaient jamais vécu longtemps, que le monde avait changé et qu'il fallait désormais compter sur sa tête. Il a ajouté que j'avais plus de cervelle dans la tête que mon père et lui réunis et que je n'avais pas le droit de la gâcher.

— Si je comprends bien, enchaîna Molly, il te souhaite un autre avenir que celui que ton père et lui s'étaient choisi.

— Oui… J'ai toujours voulu poursuivre mes

études jusqu'au doctorat, reprit Josh après une hésitation. À l'âge de treize ans, je voulais déjà suivre une carrière comme celle de Harry, mais grand-père me répétait qu'un homme digne de ce nom doit savoir défier la mort et vaincre la peur. Il jugeait Harry lâche. Même après avoir appris la vérité sur la mort de ses parents, ajouta-t-il en vidant son gobelet de café.

— Quelle vérité ? s'étonna Molly.

Conscient d'avoir fait une gaffe, Josh se mordit les lèvres.

— Harry ne te l'a donc pas raconté ? demanda-t-il d'un air penaud.

— Non.

— J'aurais mieux fait de me taire. Bien que toute la famille soit au courant, Harry n'en parle jamais.

— Je le comprends, mais tu en as trop dit pour ne pas continuer, Josh. Que s'est-il passé, au juste ?

Josh contempla un long moment le fond de son gobelet vide comme s'il pouvait y déchiffrer un oracle.

— Je connais l'histoire parce qu'un soir, quand j'avais quatorze ans, j'ai entendu Harry crier dans son sommeil. J'ai eu peur qu'il soit malade ou qu'il ait eu un accident, alors j'ai couru jusqu'à sa chambre. Je l'ai trouvé assis au bord du lit. Il regardait par la fenêtre d'un air hagard, comme s'il était encore au milieu d'un cauchemar. Je ne crois même pas qu'il m'ait vu entrer quand je lui ai demandé ce qu'il avait.

— Et alors, qu'a-t-il répondu ?

— Pendant très longtemps, rien. Pas un mot. J'en avais la chair de poule. Lui toujours si fort, si sûr de lui, je ne l'avais jamais vu comme cela.

Il me donnait l'impression de ramasser des débris de lui-même et d'essayer de les recoller, si tu vois ce que je veux dire.

Molly se rappela la nuit où elle avait trouvé Harry debout devant la baie vitrée, son expression égarée et le regard poignant de désarroi, si étranger à tout ce qu'elle connaissait de sa personnalité, qu'il avait posé sur elle.

— Je crois le savoir, répliqua-t-elle.

— Finalement, il a commencé à parler, mais comme jamais il ne m'avait parlé auparavant, peut-être parce qu'il sortait à peine de son cauchemar et n'avait pas tout à fait repris conscience. En tout cas, je ne l'oublierai jamais. Assis au bord du lit, les yeux dans le vague, il m'a raconté tout ce qui s'était exactement passé le jour où oncle Sean et tante Brittany ont été tués.

Molly sentit l'angoisse lui nouer la gorge.

— Tu veux dire que… Harry y était ?

— Mon oncle et ma tante avaient monté un centre de plongée à Hawaii, dans une des petites îles.

— Oui, je sais.

— Ce jour-là, ils avaient pris leur après-midi pour aller explorer une grotte sous-marine, formée par une coulée de lave, qu'ils avaient découverte quelques semaines plus tôt. Ils venaient d'entrer dans la grotte quand ils ont été tués par deux hommes qui les avaient suivis.

— Grand Dieu ! murmura Molly. Mais pourquoi ces hommes les ont-ils assassinés ?

— La malchance, voilà tout. Mon oncle et ma tante se sont trouvés au mauvais moment là où il ne fallait pas. Un fourgon blindé avait été attaqué à Honolulu trois jours avant et les bandits avaient caché leur butin dans la grotte, en attendant sans doute que les recherches se calment pour le récupérer. Entre-temps, pour surveiller la grotte, ils avaient loué un bateau et du matériel de plongée en se faisant passer pour des touristes.

— Si bien, compléta Molly, qu'en voyant les parents de Harry plonger à proximité ils les ont pris pour des policiers ou d'autres gangsters voulant faire main basse sur leur trésor.

Josh se massa la nuque d'un geste las, presque identique à celui de Harry.

— C'est probable. En tout cas, ils ont plongé derrière eux avec des fusils de pêche sous-marine, les ont repérés à l'entrée de la grotte et les ont abattus dans le dos. Oncle Sean et tante Brittany n'ont même pas eu le temps de s'enfuir, ni de se défendre.

Molly frémit.

— C'est affreux...

— Harry est arrivé deux minutes plus tard, reprit Josh.

— Oh, non !

— Il venait de débarquer sur l'île afin de rendre visite à ses parents. En apprenant qu'ils étaient partis explorer la grotte, il a voulu leur faire la surprise de les rejoindre. Il a pris un des bateaux du centre, du matériel de plongée, un fusil de pêche...

— Il aurait pu être tué lui aussi ! s'écria Molly.

— Bien sûr. Pourtant, ce sont les deux bandits qui y sont restés. Harry les a tués.

Molly sursauta :

— Quoi ? Tu es sûr de ce que tu dis ?

— Tout à fait. Le soir de son cauchemar, Harry m'a raconté qu'en voyant un autre bateau ancré à côté de celui de ses parents il avait eu le pressentiment de quelque chose d'anormal. Alors, à tout hasard, il a pris son fusil à harpon avant de plonger pour aller voir ce qui se passait. Les tueurs sortaient tout juste de la caverne. Ils espéraient sans doute que les requins se chargeraient de faire disparaître les preuves de leur crime. Et puis, Harry m'a dit…

Josh s'interrompit, comme s'il cherchait ses mots.

— Qu'a-t-il dit, Josh ?

— Il a dit que l'océan entier rougissait, qu'il avait l'impression de nager dans une mer de sang. Qu'il avait compris ce qui s'était passé avant même de découvrir les corps de ses parents.

Molly réprima un haut-le-cœur.

— C'est atroce…

— Il s'est trouvé nez à nez avec les tueurs mais, contrairement à oncle Sean, il était prêt. Il y a eu une courte lutte entre eux. Harry a des réflexes foudroyants…

— Alors, il a tué les deux hommes ?

— Oui. Il a failli y rester lui aussi, un des tueurs avait réussi à sectionner le tube de sa bouteille pendant qu'ils se battaient. En tout cas, Harry s'en est débarrassé et a réussi à remonter les corps de ses parents avant l'arrivée des requins. Mais il était déjà trop tard.

— Seigneur, murmura Molly, les larmes aux yeux.

— Je crois que Harry ne s'est jamais pardonné leur mort. C'est sans doute pour cela qu'il sombre par moments dans ses humeurs noires. Olivia lui a dit qu'il souffrait de troubles post-traumatiques, ou quelque chose de ce genre.

— Je ne comprends plus… C'est un drame épouvantable, mais Harry n'y est pour rien. De quoi s'estime-t-il responsable ?

— Il se reproche de n'avoir pas sauvé ses parents. Le soir où je l'ai trouvé assis au bord de son lit, il m'a dit que, s'il était arrivé cinq minutes plus tôt, il aurait pu leur sauver la vie. Dix fois, vingt fois, il me l'a répété : Je suis arrivé trop tard. Trop tard…

À cinq heures et demie du matin, Harry ouvrit les yeux et secoua doucement Molly qui dormait encore, la tête appuyée sur son épaule. Au seuil de la salle d'attente, un médecin semblait attendre leur réveil. Un regard à sa mine suffit à Harry pour comprendre que Léon était tiré d'affaire. La profondeur de son soulagement l'étonna lui-même. La vieille canaille était décidément increvable…

Le médecin gratifia d'un sourire les Trevelyan assoupis et se racla la gorge pour attirer leur attention.

— J'ai le plaisir de vous annoncer que l'état de M. Trevelyan est passé de critique à satisfaisant. Je peux vous affirmer qu'il sera bientôt en mesure de payer les traites du véhicule neuf qu'il a si bien démoli hier soir et qu'il pourra même en conduire un autre. Mais avec précaution !

Un concert de vivats salua sa déclaration. Josh décocha à Harry un sourire épanoui.

— Je savais bien que Léon ne tirerait pas si facilement sa révérence, déclara Évangéline avec un soupir de soulagement.

— Il a toujours prétendu avoir neuf vies, comme un chat, dit Raleigh. Sauf erreur, il en a quand même usé huit.

— C'est vrai, approuva avec lassitude sa jeune épouse enceinte. Il a beau se croire éternel, le vieux chenapan finira un jour ou l'autre par prendre un risque de trop.

— Ce n'était pas encore cette fois-ci, en tout cas, fit observer Harry.

— Il vous demande, lui dit le médecin.

Harry se leva, s'étira. Prête à le suivre, Molly lui lança un regard interrogateur.

— Inutile, je vais voir ce qu'il veut. Nous prendrons ensuite un petit déjeuner à la cafétéria et nous repartirons pour Seattle.

— D'accord. Je t'attends ici.

Le soleil commençait à filtrer dans la chambre de Léon. Harry attendit le départ de l'infirmière pour s'approcher du lit.

— Félicitations. Je savais que tu t'en sortirais.

Léon le fusilla du regard.

— Ah, oui ? Eh bien, pas moi ! Si j'avais été sûr de ne pas passer l'arme à gauche, je ne me serais pas laissé faire comme un imbécile hier soir. Tu as abusé de ma faiblesse !

— On ne revient pas sur un marché conclu, Léon.

— Facile à dire ! Tu m'as roulé dans la farine pour avoir ce que tu voulais. Comment va Josh ?

— Bien. Il a répété à tout le monde ce que tu lui as dit. Tu passes pour un sage et un philosophe, maintenant.

— Il est content, au moins ?

— Très. Tu l'as déchargé d'un grand poids, Léon. Tu lui as donné ce que je ne pouvais pas lui donner. Quelque chose qui le soutiendra toute sa vie.

— Quoi donc ?

— Savoir que tu es fier de lui et que son père l'aurait été aussi. Il ne se sent plus coupable d'avoir trahi les traditions de la famille.

278

— Oui, bon, t'avais sûrement raison, bougonna Léon. Ce n'est peut-être pas une mauvaise idée de lancer de nouvelles traditions, après tout.

Harry sourit, amusé.

— Je n'en crois pas mes oreilles ! Avoir aperçu la mort de loin t'aurait donné un nouveau point de vue sur la vie ?

— Non, j'ai juste l'esprit un peu plus pratique. Les bagnoles ne m'ont jamais rapporté grand-chose. Quant à Willy, nous savons toi et moi ce qui lui est arrivé. Ce ne serait pas un mal que Josh essaie de faire mieux que nous.

— Tu m'étonnes, Léon. Je ne sais pas trop quoi te dire, à part un grand merci.

— Puisque tu parles de remerciements, reprit Léon avec un clin d'œil canaille, il y aurait bien une manière de me manifester ta gratitude éternelle.

— Laquelle ?

— J'aurai bientôt besoin d'un camion neuf.

Molly boucla sa ceinture en pouffant de rire :

— Léon a le culot de te demander de lui payer un nouveau camping-car ?

— Léon n'est pas homme à laisser passer une occasion.

Harry manœuvra et sortit du parking. Il était sept heures et demie, il fallait une petite heure de route pour atteindre Seattle. Molly arriverait donc largement à temps pour ouvrir sa boutique.

— Quel personnage, ton oncle !... Tu ne le ménages pas beaucoup, ajouta-t-elle en hésitant.

— Si c'est une façon délicate de me dire que j'étais sadique hier soir quand il se croyait à l'article de la mort, je plaide coupable. Une longue expérience m'a appris qu'avec lui rien ne réussit mieux que la manière forte.

Dans le silence qui suivit, Harry se demanda si Molly ne réprouvait pas ses méthodes.

— Cela ne me regarde pas, je sais, dit-elle enfin. Mais voudrais-tu me dire quelle est cette épée de Damoclès que tu brandis au-dessus de sa tête ? A-t-il vraiment peur que tu discrédites complètement sa mémoire auprès de Josh ?

— Oui.

— Et qu'est-ce qui lui fait craindre que tu mettrais ta menace à exécution ?

Harry réfléchit un instant. Molly avait le droit de savoir, conclut-il. Peut-être était-ce la raison qui l'avait poussé à lui demander de le suivre la veille au soir dans la chambre de Léon. Plus ou moins consciemment, il avait cherché à lui avouer la vérité.

— Léon et moi, vois-tu, partageons un secret. Nous sommes les deux seules personnes au monde à savoir que Willy, le père de Josh, s'est tué parce que le mécanicien chargé de l'entretien de sa moto ne l'avait pas révisée à fond la veille de son numéro. Un simple problème de tuyau d'arrivée d'essence mal fixé, que le mécanicien aurait dû remarquer s'il avait fait correctement son travail.

— Qui était le mécanicien de Willy ?

— Léon.

— Je m'attendais à ta réponse. Pourquoi Léon n'a-t-il pas révisé la machine de son fils ?

— Parce que, ce soir-là, il était trop occupé dans un motel avec la femme du shérif.

— Tu m'avais dit que Léon était en prison le jour de la mort de Willy.

— En effet. Le shérif l'a arrêté à dix heures du matin. Willy s'est tué à une heure de l'après-midi.

280

— Mais alors, comment as-tu découvert que Léon n'avait pas fait son travail ?

— En examinant l'épave après l'accident, j'ai compris que le tuyau s'était débranché en pleine accélération, au moment où Willy quittait le tremplin pour franchir l'obstacle enflammé. L'essence qui giclait a pris feu au contact des flammes et a fait exploser le réservoir.

— Es-tu sûr de ce que tu avances ?

— Oui. J'ai passé beaucoup de temps à faire parler les moindres débris de la moto.

— À la suite d'une de tes… intuitions ?

— Si on veut.

Molly marqua une pause.

— Comme le jour de la mort de tes parents ? demanda-t-elle avec précaution. C'est en voyant les deux bateaux ancrés l'un près de l'autre que tu as compris qu'il s'était passé quelque chose et que tu as plongé armé d'un fusil ?

Harry mit plusieurs secondes à reprendre sa respiration.

— Josh t'a tout raconté ?

— Oui.

Il serra le volant avec tant de force qu'il craignit de l'avoir brisé.

— Si seulement j'étais arrivé cinq minutes plus tôt…

— Non ! l'interrompit Molly. Tu n'étais pour rien dans leur mort tragique. Tu n'en es pas responsable, Harry. La vie est pleine de *si j'étais* ou de *si j'avais* qui ne mènent nulle part. Pour un homme qui s'est consacré à l'étude des sciences exactes et de la logique, tu devrais savoir mieux que personne combien il est vain de revenir sur des événements passés. On ne remonte pas le cours du temps.

Harry ne pouvait réfuter un raisonnement aussi rigoureux.

— Tu es aussi un homme qui sait maîtriser son univers, poursuivit Molly. Mais personne ne peut toujours *tout* maîtriser autour de soi, Harry. Il est normal que certaines choses, certains actes échappent à notre contrôle. C'est un fait qu'on doit accepter, sinon on devient fou.

— Éventualité qu'il m'arrive d'envisager…

Harry trembla intérieurement. Exprimer à haute voix sa terreur secrète en rendait la menace encore plus réelle.

— Ne sois pas ridicule ! dit Molly en souriant. C'était une façon de parler, voilà tout. Le fait même de te demander si tu es sain d'esprit prouve que tu l'es. Les vrais fous ne se posent pas de questions sur leur démence. Ils se considèrent au contraire comme les seules personnes normales de leur entourage.

Harry parvint à esquisser un sourire.

— Voilà un point de vue intéressant sur l'état actuel de la psychologie pathologique.

Molly lui effleura le bras.

— Souviens-toi de ce que tu as écrit dans ton livre sur les illusions de la certitude : « Une certitude absolue est la plus grande des illusions. »

— Je m'en souviens, mais je ne vois pas du tout le rapport avec ce dont nous parlons.

— La maîtrise totale de soi-même et de son univers est une illusion, Harry. La plus monumentale de toutes. Tu n'es pas responsable du monde entier et de tout ce qui s'y passe. Dieu merci, tu n'es qu'un homme. Pas un surhomme.

14

Dès son retour, Harry alla dans son cabinet de travail interroger le répondeur de sa ligne privée. Molly s'adossa au chambranle en bâillant, l'esprit rempli de visions de douche chaude et de tasses de thé roboratives. Elle croyait connaître le mode de vie de Harry, mais celui des dernières vingt-quatre heures menaçait de devenir habituel.

Trois messages avaient été enregistrés depuis leur départ précipité de la veille au soir. Molly ne s'étonna pas en constatant qu'ils émanaient tous trois des Stratton.

Harry, c'est Brandon. Où diable es-tu encore passé ? Appelle-moi dès que tu seras rentré, il faut que je te parle de toute urgence.

La machine cliqueta.

Harry, rappelle immédiatement ta tante Danielle.

Le troisième message était encore plus péremptoire.

Harry, ici Gilford. Si tu fais semblant d'être absent, décroche sur-le-champ. Si tu es vraiment sorti, rappelle-moi au plus vite. Il est sept heures trente du matin. Que fais-tu dehors à une heure pareille ?

Un bip marqua la fin des enregistrements. Harry rembobina la cassette, jeta un coup d'œil à sa montre, prit un stylo et s'assit devant un bloc-notes.

— Veux-tu un bon conseil ? intervint Molly.

— Lequel ? s'enquit Harry sans lever les yeux.

— Tu as réglé suffisamment de problèmes familiaux ces dernières heures pour t'accorder un peu de répit.

— Il ne s'agit pas de la même famille, répondit-il avec un sourire dénué de gaieté.

— Si, la tienne. Tu n'as pour ainsi dire pas dormi de la nuit. Va prendre une bonne douche et fais-toi du café. Tu répondras plus tard à ces messages. Beaucoup plus tard. Ce soir, par exemple, ou même demain. La semaine prochaine, ce serait encore mieux, ajouta-t-elle.

Harry reposa son stylo et se tourna vers elle.

— Que veux-tu dire, au juste ?

— Que tu as le droit, de temps en temps, de penser d'abord à toi-même. Viens, dit-elle en lui tendant la main. Allons prendre une douche.

Elle le vit hésiter. Puis, à son vif soulagement, il prit sa main tendue et se laissa entraîner dans le couloir.

À cinq heures, cet après-midi-là, Molly titubait d'épuisement en fermant la porte du magasin.

— Je n'en peux plus, Tessa ! Je vais passer chez moi prendre quelques affaires. Après, je filerai directement chez Harry. À l'idée de reposer mes pauvres jambes en buvant un chardonnay bien frais, je me sens déjà mieux.

— Pas possible ? déclara Tessa, qui se tartinait la bouche de rouge à lèvres marron foncé. Toi, fatiguée ?

— Oui. Je n'ai plus l'âge des nuits blanches suivies de pleines journées de travail. Je ne sais pas comment tu arrives à tenir le coup.

Tessa lâcha son tube de fard dans sa besace béante et sortit de derrière le comptoir.

— La musique me donne des forces. Combien de temps vas-tu encore rester chez T-Rex ?

— Je ne sais pas… Pour te dire la vérité, la situation commence à m'inquiéter un peu. J'ai l'impression de vivre en dehors de la réalité.

— Ta situation m'inquiète aussi. Je comprends que tu ne veuilles pas rester chez toi en ce moment, mais pourquoi ne t'es-tu pas installée chez ta tante ? Ça me gêne de te voir vivre avec Trevelyan, ce n'est pas ton genre.

— Qu'est-ce qui te prend ? s'écria Molly, stupéfaite. C'est toi qui me cassais les oreilles depuis des mois pour que je retrouve une vie sentimentale !

L'expression bienséante de Tessa jurait de façon comique avec son maquillage, ses cheveux fluo, son anneau dans le nez et son accoutrement grunge.

— Tu as vraiment une vie sentimentale ? Ou ne devrions-nous pas parler plutôt d'une vulgaire vie sexuelle ?

La question prit Molly au dépourvu.

— Je… je voudrais bien le savoir, soupira-t-elle.

— Voilà ce que je craignais.

— Tessa, il est cinq heures passées. Dehors !

— Écoute, si tu as envie de parler…

— Non, aucune. Merci quand même.

285

— Bon, comme tu voudras, dit Tessa avec résignation. Tu sais que tu peux toujours compter sur moi en cas de besoin.

— Je sais, Tessa. Merci.

Tessa ouvrit la porte, se ravisa :

— Au fait, j'allais oublier !

— Quoi, encore ?

— Une de mes copines voudrait te voir. Elle a inventé un truc bizarre. Je lui ai parlé de ta fondation et elle brûle d'envie de te rencontrer. L'argent lui permettrait de finir la mise au point de son engin.

— Tu as une amie inventeur ? demanda Molly, intéressée malgré elle.

— Oui, Héloïse Stickley. Elle tient la guitare basse dans notre groupe, mais ce qui l'occupe surtout, c'est l'étude des niveaux de conscience alternatifs.

— Les niveaux de conscience alternatifs ? répéta Molly. Qu'est-ce que c'est ?

— Aucune idée. Elle prétend appliquer une théorie sur les gens capables de sentir certaines choses qui nous échappent, comme les couleurs au-delà du spectre normal ou des trucs du même genre. Sa machine est censée détecter des ondes spéciales du cerveau ou je ne sais quoi.

Molly ne put réfréner une grimace.

— Euh... tu ferais mieux de ne pas trop l'encourager à soumettre un dossier à la fondation. Harry n'est pas très indulgent envers les inventeurs qui travaillent dans le paranormal. En fait, il les traite tous de fumistes.

— Ne me dis pas qu'il te faut la permission de T-Rex pour approuver toutes les demandes !

— Non, bien sûr. Mais je paie ses conseils assez cher, ce serait bête de m'en priver.

— Parle quand même à Héloïse, veux-tu ? Il n'y a pas de mal à ça, non ?

— Toi, tu vendrais de la glace en Alaska en plein hiver ! D'accord, dis à Héloïse de venir me voir.

— Parfait, conclut Tessa en rouvrant la porte avec un large sourire. À demain.

Après son départ, Molly procéda à ses vérifications rituelles, baissa les stores de la devanture. Une fois tout en ordre, elle sortit à son tour et ferma la porte à clef. Sur la promenade du bord de l'eau, la foule commençait à se raréfier. Les fontaines scintillaient au soleil du soir.

Molly remontait vers la 1re Avenue et l'arrêt d'autobus le plus proche quand Gordon Brooke apparut sur le pas de sa porte, la gratifiant de son sourire le plus charmeur.

— Bonsoir, Molly ! Tu rentres chez toi ?

— Oui. Bonne journée, aujourd'hui ?

— Moyenne. Écoute, je voulais te présenter mes excuses pour mon esclandre de l'autre jour, dans ton bureau. Je ne voulais pas te faire honte devant Trevelyan.

— Je n'y pensais déjà plus, voyons.

— Je me suis très mal conduit, je l'avoue, reprit Gordon avec un soupir contrit. Mais je me faisais vraiment du souci pour toi, tu sais. Tu as l'air de t'enticher de lui...

— Ne t'inquiète donc pas de moi, Gordon.

— Tu m'inquiètes, je n'y peux rien. Nous sommes de vieux amis, après tout. Cela me ferait de la peine que tu fasses une bêtise avec un type comme Trevelyan, il n'a pas du tout le genre qui te convient.

— C'est incroyable que tant de gens aient leur

opinion sur ce qui ne les regarde pas ! Excuse-moi, Gordon, je ne veux pas rater mon bus.

Molly se hâta de gravir les marches et arriva juste à temps pour sauter dans un autobus bondé. Elle en descendit au premier arrêt desservant le vieux quartier résidentiel après Capitol Hill. En remontant la paisible rue bordée d'arbres, elle éprouva un élan d'affection à la vue de sa vieille maison biscornue. *Jamais je ne pourrai la vendre,* pensa-t-elle, *j'y suis trop attachée.*

La lourde grille s'écarta docilement quand elle composa le code. Le long de l'allée, elle constata que le système d'arrosage du jardin installé par son père avait fonctionné sans anicroche en son absence. Le perron franchi, elle ouvrit la porte et fit halte sur le seuil du vestibule en se laissant pénétrer par les souvenirs accumulés entre les murs. Si des fantômes hantaient la maison, c'étaient les siens, ceux de sa famille. Comment aurait-elle le cœur de les abandonner ?

Le parquet luisant de cire témoignait de l'inlassable activité des robots ménagers. Au salon, pas un grain de poussière sur les rayons de la bibliothèque. Satisfaite de son inspection, Molly monta dans sa chambre.

Décidément non, je ne me résoudrai jamais à vendre la maison, se dit-elle en plaçant des vêtements propres dans sa Valise Automatique Anti-froissage (brevet Abberwick). De toute façon, elle était invendable – sauf à un promoteur qui s'empresserait de la raser pour édifier des immeubles de rapport sur le terrain. Les amateurs de vieilleries kitsch, assez fortunés ou excentriques pour l'apprécier à sa juste valeur, ne couraient pas les rues.

Et tout compte fait, elle pouvait très bien continuer à l'habiter. Bien sûr, la maison était trop grande pour une personne seule, mais elle était facile à entretenir grâce aux petites merveilles inventées par son père.

Elle serait idéale, en revanche, pour une famille. Une famille bien particulière, dont le père serait un homme exceptionnel aux yeux couleur d'ambre…

Cette pensée, venue elle ne savait d'où ni comment, s'imposa soudain à elle. Molly se figea au milieu de sa chambre, une veste de tailleur à la main.

L'image de deux enfants lui apparut alors. Un garçon et une fille aux cheveux bruns et aux yeux couleur d'ambre, qui riaient aux éclats, impatients de courir au sous-sol jouer dans l'ancien atelier de son père avec les fabuleux automates inventés et réalisés par Jasper Abberwick pour amuser Molly et Kelsey quand elles étaient petites.

La jeune femme en eut le souffle coupé : *les enfants de Harry* !

La vision s'évanouit, mais pas les émotions qu'elle avait éveillées en Molly.

Au bout d'un moment, Molly reprit toutefois assez sur elle pour activer le mécanisme de rangement interne de la valise et rabattre le couvercle. Par acquit de conscience, elle fit une rapide tournée d'inspection des autres pièces de l'étage. Puis, descendue au rez-de-chaussée, elle déposa sa valise près de la porte et s'assura que tout allait bien à ce niveau. Il ne lui restait qu'à vérifier au sous-sol la machinerie et les commandes des robots ménagers.

Au bas des marches, la lumière s'alluma automatiquement lorsqu'elle ouvrit la porte de l'atelier. À l'autre bout de la pièce, le panneau de contrôle qui commandait l'ensemble des systèmes électro-mécaniques de la maison brillait de toutes ses lampes témoins multicolores.

Molly venait à peine d'entrer quand elle entendit un léger grincement.

Deux pensées lui vinrent en même temps à l'esprit. La première, logique et rationnelle : on entend souvent des bruits indéfinissables dans une vieille maison. La seconde, purement intuitive, montait du plus profond de ses instincts vitaux : elle n'était pas seule. Quelqu'un la guettait, qui l'attendait tapi dans une cave ou un débarras du sous-sol pendant qu'elle inspectait les étages.

Il y eut un nouveau grincement. Une lame de parquet sous le poids d'un homme, un gond de porte mal huilé ?

La panique la saisit. Pour regagner l'escalier, elle devait repasser devant toutes les portes du couloir. Et l'intrus était à l'affût derrière l'une d'elles.

Molly s'efforçait encore d'évaluer ses chances de lui échapper quand elle vit s'ouvrir une porte. Un homme apparut dans la pénombre du couloir, le visage dissimulé par une cagoule. L'homme leva une main. La main tenait un pistolet.

Molly n'avait plus le choix.

Elle rentra d'un bond dans l'atelier, claqua la porte de bois, tira le loquet. Elle entendit dans le couloir des pas étouffés qui se rapprochaient, s'arrêtaient derrière la porte. L'antique bec de cane s'agita furieusement sous la main de Molly qui le tenait encore. Elle le lâcha en sursautant et recula de quelques pas.

Elle était au milieu de l'atelier quand un coup violent ébranla la porte, que l'agresseur tentait d'enfoncer. Molly savait que le bois vermoulu et le loquet mangé par la rouille ne résisteraient pas longtemps.

Molly tourna en rond comme un animal pris au piège. Autour d'elle se dressaient les parois de brique aveugles. La pièce ne comportait pas d'autre issue que la porte. Elle ne disposait d'aucune cachette.

Alors que son regard tombait sur des formes recouvertes de housses alignées le long d'un mur, l'image des deux enfants bruns aux yeux couleur d'ambre revint la visiter.

Les enfants voulaient jouer avec les fabuleux jouets mécaniques créés par Jasper Abberwick pour ses filles.

Ébranlée par un nouveau coup, la porte gémit comme frappée à mort. Molly était désormais certaine que l'intrus était venu dans l'intention de la tuer. L'imminence du péril la fouetta, un afflux d'adrénaline chassa la sentiment d'impuissance qui la paralysait. Faute d'imaginer très vite une parade, n'importe laquelle, elle mourrait là, dans le sous-sol de sa propre maison.

Harry ! Harry, j'ai besoin de toi !…

Son appel à l'aide ne résonna que dans sa tête. À quoi bon crier ? Personne ne pouvait l'entendre. Hormis le tueur, là, derrière la porte.

Les enfants aux yeux couleur d'ambre voulaient jouer…

En deux enjambées, Molly gagna le fond de la pièce et arracha la première housse de la rangée. Un énorme automate apparut, une sorte de monstre hideux qu'elle avait baptisé la Créature du Lagon Pourpre. Aussi grand qu'elle, il avait une bouche béante pleine de dents et une longue queue. Lorsqu'elle avait huit ans, Molly était fière d'exercer un pouvoir absolu sur une bête aussi redoutable.

Elle mit le monstre d'aplomb sur ses énormes pattes et pressa un bouton de son panneau de contrôle, en se félicitant de n'avoir jamais négligé la consigne paternelle de recharger tous les six mois les batteries des compagnons de son enfance.

Le monstre rugit, ses yeux lancèrent des éclairs rouges. Avec un halètement de machine à vapeur, il se redressa et s'ébranla pesamment en balayant le sol de sa queue.

Un nouveau coup fit trembler la porte sur ses gonds.

Molly découvrit l'automate suivant, un vaisseau spatial de la guerre des étoiles équipé de canons à rayons cosmiques maniés par deux astronautes en scaphandres fantaisistes. Molly pressa l'interrupteur ; l'engin vibra, des lumières stroboscopiques s'allumèrent sur ses flancs et les canons crachèrent de longs jets de luminescence verdâtre.

La porte subissait des coups de plus en plus violents pendant que Molly finissait de ranimer ses jouets futuristes, issus du cerveau fertile de son père. Monstres légendaires, humanoïdes, engins aux formes improbables et aux fonctions indécises, ils constituaient la petite armée sur laquelle Molly devait désormais compter pour avoir la vie sauve.

Elle finissait d'actionner une machine volante, prototype de celle dans laquelle son père et son oncle s'étaient tués, quand la porte céda avec un horrible craquement.

Alors, Molly bascula le coupe-circuit général.

À l'instant même où le tueur cagoulé enjambait les débris de la porte, le noir absolu s'abattit sur l'atelier que les défenseurs de Molly remplissaient d'éclairs et de rayons éblouissants. Dans un concert de rugissements, de vrombissements, de sifflements, les robots chargeaient à l'aveuglette, se bousculaient les uns les autres, percutaient les murs et les obstacles sur leurs trajectoires.

Abritée sous un établi, Molly retenait son souffle. La scène était digne d'un film de science-fiction, capable d'affoler le spectateur aux nerfs les plus solides.

— Nom de Dieu ! Qu'est-ce que ?...

Il y avait plus de terreur que de surprise dans le cri du tueur. Un coup de feu éclata comme un coup de tonnerre. Molly s'aplatit davantage sous l'établi.

— Nom de Dieu ! s'exclama à nouveau l'agresseur.

Il criait cette fois de douleur après un contact brutal avec une machine de guerre, comme le confirma un fracas métallique. Désorienté, paniqué, l'homme essayait sans doute de se défendre en cognant au hasard avec la crosse de son arme. Les éclairs, les rayons, le bruit surtout, faisaient régner une ambiance de fin du monde.

Dans les faisceaux de lumière verte crachés par les canons du vaisseau spatial, Molly vit le tueur affolé se débattre désespérément entre ses assaillants et tenter de prendre la fuite. Hurlant de rage et de terreur, il trébucha sur la queue d'un dinosaure, tomba, se releva. Au moment où une rafale de rayons verts éclairait la porte, Molly aperçut sa silhouette qui la franchissait avant de disparaître dans l'obscurité du couloir.

Le vacarme amplifié par l'espace clos du sous-sol empêcha Molly d'entendre le tueur remonter l'escalier, mais les vibrations du parquet au-dessus de sa tête un instant plus tard lui apprirent qu'il traversait précipitamment le vestibule en direction de la porte d'entrée.

Molly resta longtemps accroupie sous l'établi, derrière ses dérisoires défenseurs qui poursuivaient leurs évolutions anarchiques. Finalement assurée du départ de son agresseur, elle regagna à tâtons le panneau de contrôle, rétablit le courant et décrocha le téléphone d'une main tremblante.

Le premier numéro qu'elle composa fut celui de la police. Le second, celui de Harry.

Ce dernier appel n'était pas nécessaire : trois minutes plus tard, Harry pénétrait en courant dans le vestibule.

— Nous sommes maintenant certains que ce fou criminel de Kendall n'est pas en Californie. Cette fois, le misérable est allé trop loin. Il faut le retrouver d'urgence.

Harry faisait les cent pas devant la baie vitrée, plus énervé qu'un lion en cage. Pelotonnée dans un fauteuil, Molly sirotait un verre de chardonnay frappé.

— Harry, de grâce, arrête de marcher de long en large ! Tu me donnes le tournis.

Il ne l'entendit même pas.

— J'aurais dû, je devrais faire autre chose…

— Tu as communiqué à la police tout ce que nous savons, tu as appelé Fergus Rice, ton détective privé. Que veux-tu faire de plus ? Calme-toi, détends-toi.

— Me détendre ? Comment diable pourrais-je me détendre ?

Molly leva son verre.

— D'abord, en faisant comme moi. Sers-toi à boire, nous avons grand besoin d'un remontant.

Harry tremblait de rage impuissante. Kendall avait été à deux doigts de la tuer ! L'idée seule suffisait à lui nouer les entrailles.

En fait, vers cinq heures de l'après-midi, il s'était senti saisi d'une angoisse indéfinissable qui, peu à peu, avait grossi jusqu'à prendre les proportions d'une lame de fond. Il était dans son cabinet de travail, l'oreille aux aguets pour entendre la clef de Molly dans la serrure, quand la vague l'avait frappé de plein fouet. Tout à coup il avait eu *besoin* de savoir ce qu'elle faisait et de s'assurer qu'elle était en sûreté.

Après avoir téléphoné sans succès à la boutique, il s'était dit que Molly était peut-être passée chez elle chercher des affaires. Il commençait à composer le numéro quand, pour une raison inconnue, il s'était senti littéralement forcé de prendre sa voiture et d'aller lui-même à Capitol Hill. Cette impulsion lui semblait tellement illogique qu'il avait d'abord tenté de la combattre. Au bout de quelques instants, il y avait cédé.

La grille ouverte, les sirènes des voitures de police qui se rapprochaient lui avaient alors confirmé que son angoisse était fondée. À part une valise près de la porte, aucune trace de Molly dans le vestibule. La cacophonie montant du sous-sol lui avait fait craindre que les machines de Jasper Abberwick ne se soient déchaînées pour une raison ou une autre et que Molly n'ait été victime d'un accident. Il avait dévalé les marches, couru au bout du couloir…

Jamais Harry ne pourrait oublier le spectacle de Molly environnée d'une incroyable troupe de monstres mécaniques. Un regard à son visage défait lui avait suffi pour comprendre qu'elle avait frôlé la mort de près dans cet atelier.

Il avait aussi compris qu'il serait arrivé trop tard s'il avait dû lui sauver la vie...

Cessant brusquement ses allées et venues, il s'arrêta devant elle et s'appuya aux accoudoirs de son fauteuil pour la forcer à lever les yeux vers lui :

— À partir de maintenant et jusqu'à ce que Kendall soit en prison, tu n'iras plus seule nulle part. Est-ce clair ?

— Écoute, Harry, je sais que ce qui s'est passé t'a énervé, mais je crois que tu réagis un peu trop...

— Je t'accompagnerai le matin à ton magasin, je viendrai te chercher à l'heure du déjeuner et je reviendrai le soir pour te ramener ici. Compris ?

— Je n'irai plus seule chez moi, concéda-t-elle dans l'espoir de gagner du temps.

— J'ai dit : tu n'iras plus seule *nulle part* !

— Si tu me traites comme une prisonnière, Harry, tu finiras par me rendre folle ! protesta-t-elle.

— N'emploie pas ce mot à la légère. Tu ne sais pas ce que c'est que la folie.

— Et toi, qu'en sais-tu ?

— Certaines personnes estiment que je connais d'assez près ce genre de troubles de la personnalité.

— Tu n'es pas fou ! Je croyais que nous avions réglé leur sort à ces balivernes... Ah ! j'oubliais, ajouta-t-elle. Tu te réfères à l'opinion d'Olivia, n'est-ce pas ?

— Olivia est une professionnelle.

— Peut-être. Mais si j'étais toi, je ne me soucierais pas trop de ses diagnostics.

— Facile à dire, grommela Harry. Je peux témoigner que cet après-midi, je n'étais pas dans mon état normal en constatant que tu ne rentrais pas à l'heure habituelle et que j'ignorais où tu étais.

— Voilà qui est intéressant…

— Ce qui fait perdre la raison n'a rien d'*intéressant* ! Je ne veux plus subir cela. Jamais. Et c'est pourquoi tu n'iras plus seule nulle part jusqu'à ce que Kendall soit sous les verrous.

Molly fit une moue pensive.

— À quel moment as-tu eu le sentiment que je pouvais être en danger ?

— J'ai pris conscience de ton retard vers cinq heures et demie, répondit-il avec méfiance. Pourquoi ?

— Parce que c'est à peu près l'heure à laquelle j'ai souhaité très fort que tu sois près de moi. Je me souviens nettement d'avoir prononcé ton nom à voix basse.

— Pour l'amour du ciel, Molly, n'essaie pas de me faire croire qu'il y a de la télépathie là-dessous !

— Il s'agit peut-être tout simplement d'une de tes fameuses intuitions, dit-elle d'un air innocent.

Harry lâcha les accoudoirs du fauteuil et se redressa.

— Tu ne parles pas sérieusement, j'espère ?

— Si nous considérons de manière rationnelle…

Harry l'interrompit d'un ricanement :

— Voilà une manière inédite de considérer l'irrationnel !

Molly ne releva pas l'interruption.

— Dis-moi, comment savais-tu que j'étais allée chez moi chercher des affaires ?

— Je n'ai bénéficié d'aucun pouvoir surnaturel, je te le garantis ! répliqua-t-il en reprenant ses allées et venues. Il s'agissait d'une déduction tout ce qu'il y avait de plus logique, compte tenu des circonstances.

— Hum…

— Je t'en prie !

— Quoi donc ?

— Ne dis pas Hum sur ce ton, ça m'exaspère !

— D'accord. Mais malgré tout, Harry, je commence à me demander s'il n'y a pas quelque chose de vrai dans tout ce paranormal dont tu fais si peu de cas.

— Pour la dernière fois, Molly, je t'affirme que je ne dispose d'aucun pouvoir surnaturel ! Dans la famille, les plus convaincus de l'existence du don de voyance héréditaire ne croient pas qu'il englobe la télépathie. Aucun d'entre nous n'a jamais communiqué avec quiconque à distance et sans l'aide des mots ! Le premier Harry Trevelyan lui-même s'en savait incapable ! Combien de fois faudra-t-il te le répéter ?

— Hum…

Harry la fusilla du regard.

— Excuse-moi, je réfléchissais. Il faut donc revenir à l'intuition pure et simple.

— Non, au raisonnement, répondit-il d'un ton sévère. Une rigoureuse déduction logique donne parfois l'illusion d'un phénomène qui échappe aux esprits ordinaires.

— C'est donc un raisonnement logique qui t'a permis de déduire que j'étais en danger chez moi ?

Harry ferma les yeux, soudain accablé.

— Oui, et en pure perte. Je suis arrivé trop tard pour t'être utile. Trop tard… Si tu n'avais pas eu l'inspiration de te cacher dans l'atelier de ton père et de te défendre à l'aide de ces vieux robots, je t'aurais retrouvée…

Harry se tut, hors d'état de terminer sa phrase.

Molly but une gorgée de chardonnay, le regard soudain absent.

— C'était une bonne inspiration, n'est-ce pas ?

— Où as-tu pris l'idée de te servir de ces jouets comme tu l'as fait ? demanda Harry en rouvrant les yeux.

— Et si je te disais qu'elle m'a été soufflée par deux enfants ?

— Quels enfants ? Y avait-il des enfants impliqués dans cette agression ? Tu n'en as pas parlé à la police.

— Je n'aurais pas pu, ils ne sont pas encore nés, répondit-elle d'un ton étrangement rêveur.

Harry la dévisagea, mi-déconcerté, mi-inquiet. Elle en a trop subi aujourd'hui, pensa-t-il. Elle réagit sans doute à retardement au stress de son aventure.

— Viens te coucher, Molly. Tu as grand besoin de repos.

Elle lui sourit comme si elle n'avait pas entendu.

— As-tu déjà voulu avoir des enfants, Harry ?

Il stoppa net. Son imagination projeta devant ses yeux l'image d'une Molly épanouie par la maternité, lourde de l'enfant qu'elle portait – *leur* enfant. Un désir inavoué monta du plus profond de lui-même, avec une intensité presque douloureuse.

Il ne reprit contenance qu'au prix d'un violent effort :

— Je crois que le vin te monte à la tête, Molly. Le stress, surtout. Viens, je vais t'aider à te déshabiller. Tu as besoin d'une bonne nuit de sommeil.

— Hum...

15

— Trop tard…

La voix était rauque, presque inaudible, mais elle suffit à tirer Molly d'un mauvais rêve où elle se voyait poursuivie par des robots aux intentions malveillantes.

Elle ouvrit les yeux, regarda Harry endormi près d'elle. Sous la lumière froide d'un rayon de lune, un voile de sueur luisait sur ses épaules nues.

— Trop tard, murmura-t-il dans l'oreiller. J'étouffe.

— Harry, réveille-toi.

— J'étouffe. Trop tard…

Molly lui effleura l'épaule. Il réagit comme si elle l'avait branché sur une prise électrique. D'un seul mouvement, il roula au bord du lit, bondit sur ses pieds, se retourna. La lumière de la lune ne permit pas à Molly de distinguer ses yeux, mais son air hagard ne pouvait lui échapper.

Elle se redressa lentement, s'adossa à l'oreiller et remonta son drap jusqu'au cou.

— Tu rêvais ? dit-elle à mi-voix.

— Désolé, je…

Il cligna les yeux à plusieurs reprises comme

s'il voulait chasser ses fantômes et respira profondément pour maîtriser son tremblement.

— Tu faisais un cauchemar ? insista Molly.

Encore mal remis, il se passa la main dans les cheveux.

— Oui. Je ne l'avais pas fait depuis des années. J'avais même oublié à quel point il était atroce.

Molly repoussa les couvertures, se leva, courut de l'autre côté du lit. Elle le prit dans ses bras afin de lui offrir le seul réconfort qu'elle pouvait lui apporter.

— C'est fini, Harry, murmura-t-elle.

Il resta figé entre ses bras puis, avec une sorte de gémissement résigné, l'étreignit à son tour. De longues minutes, ils restèrent ainsi enlacés au clair de lune, sans dire un mot.

Molly se hasarda enfin à prendre la parole :

— C'est à cause de moi, n'est-ce pas ? Ce qui m'est arrivé cet après-midi a provoqué ton rêve. Tu te sens coupable d'être arrivé après le départ de Kendall.

— Je suis arrivé trop tard, dit-il amèrement. Tu aurais pu te faire tuer cent fois.

— Comme tes parents ?

— Oui.

— Et c'est cela qui a ranimé tes vieux souvenirs et tes cauchemars oubliés.

— Peut-être, répondit-il avec lassitude.

— Tu ne peux pas sauver la vie de tout le monde, Harry, même de ceux que tu aimes. La vie ne nous laisse pas toujours le choix, j'ai appris la leçon à mes dépens. N'y pense plus.

— Je ne pourrai jamais l'oublier.

— Alors, partage-le avec moi. Dis-moi ce qui s'est réellement passé le jour de la mort de tes parents.

— Je ne veux pas t'infliger cela.

Molly savait qu'elle s'aventurait en terrain dangereux, que Harry serait en droit d'éluder ses questions et de lui en vouloir. Quelque chose cependant la poussa à insister.

— Tu as dit que tu étais arrivé trop tard pour sauver tes parents ce jour-là.

D'un coup, une fureur et une douleur trop longtemps contenues firent éclater le barrage qui les retenait en lui.

— Oui, beaucoup trop tard ! Trop tard, comme hier. J'arrive toujours trop tard. Trop tard…

Bouleversée, Molly le serra plus fort dans ses bras.

— Tu avais plongé avec un fusil…

— Josh te l'a raconté ?

— Oui. Tu as failli mourir toi aussi, n'est-ce pas ?

Elle leva les yeux. Ceux de Harry étaient brillants de larmes.

— Ils m'ont vu en sortant de la caverne. J'avais déjà compris ce qui s'était passé. J'ai tué le premier, l'autre m'a tiré dessus avant que j'aie pu recharger. Il m'a manqué, mais il avait un poignard dans un fourreau à la cheville et il a sectionné le tube de ma bouteille. Moi aussi j'avais un couteau, que mon père m'avait donné. J'ai tué ce salaud avec, mais je n'avais plus d'air. J'ai réussi à lui enlever sa bouteille, à la brancher sur mon masque et à pénétrer dans la caverne. Trop tard, bien entendu. Ils étaient déjà morts tous les deux.

Le silence retomba. Molly prit le visage de Harry entre ses mains. Elle sentait que son récit était incomple ; il voulait l'achever mais il hésitait encore.

— Tu as dit avoir eu le sentiment d'un danger

dès ton arrivée sur les lieux, se hasarda-t-elle à ajouter pour l'inciter à poursuivre.

Le regard tourné vers la nuit au-delà de la fenêtre, Harry ne répondit pas aussitôt.

— En voyant l'autre bateau ancré près du leur, j'ai touché la coque et j'ai… senti que c'était anormal.

— Je comprends, murmura-t-elle.

— J'ai trouvé leurs corps dans la caverne, je les ai remontés à la surface. Malgré ma bouteille presque pleine, je ne pouvais plus respirer, je suffoquais. Et puis, poursuivit-il en se frottant les yeux, l'eau était rouge, d'une teinte bizarre. Les reflets du soleil couchant, sans doute. Pourtant, je croyais voir du sang. Une mer de sang.

— Je comprends que cela t'ait donné des cauchemars. Mais si tu n'as pas pu sauver tes parents, Harry, n'oublie jamais que ton père a sauvé la tienne.

Il détourna son regard de la nuit pour le poser sur elle avec une totale incompréhension.

— Quoi ?

— Ton père t'avait appris à te servir d'un poignard. C'est lui qui t'a donné celui que tu as utilisé pour te défendre. Celui que tu portes encore sur toi.

— Il m'avait appris tout ce qu'il savait. Sans lui, je n'aurais pas survécu à ce combat.

— C'est ce que je te disais. Les enseignements de ton père t'ont sauvé la vie ce jour-là, comme les inventions du mien ont sauvé la mienne hier après-midi.

Harry garda le silence un long moment.

— Peut-être, dit-il enfin.

— Il est bon de s'en souvenir de temps en temps, Harry. Nos destins sont tous liés. Parfois nous sauvons la vie de quelqu'un, parfois c'est lui qui sauve la nôtre. Personne ne peut toujours sauver tout le monde, c'est ainsi.

Harry ne répondit rien, mais il n'essaya pas non plus de se dégager de son étreinte.

— En t'apprenant ce dont tu as eu besoin pour survivre en cet instant tragique, reprit-elle, ton père a fait son devoir envers toi. Plus que son devoir.

— Je ne sais pas ce que tu as en tête, Molly, mais si tu cherches à m'infliger une séance de psychologie appliquée, tu perds ton temps, dit-il avec un ricanement amer. Olivia s'y est déjà essayée – et c'est une professionnelle.

— Que disait Olivia ?

— Elle me faisait de longs discours sur le caractère destructeur du sentiment de culpabilité, sur les remèdes censés soigner les troubles du stress posttraumatique. Je lui répondais que réécrire l'histoire à coups de pilules miracles ne m'intéressait pas.

— Je ne te parle ni de remèdes ni de psychothérapie, moi, mais de réalité. Tu es censé être l'expert sachant distinguer la réalité de l'illusion. Eh bien, considère ce que je viens de te dire et dis-moi sincèrement s'il s'agit d'un mensonge ou d'une vérité.

— Et quelle est-elle au juste, cette vérité que tu agites sous mon nez ?

Molly ne se laissa pas intimider par son ton soudain rageur. Son instinct lui disait qu'il était bon de le laisser extérioriser des émotions si longtemps réprimées qu'elles étaient devenues des poisons.

— Écoute-moi bien, Harry. Ton père t'a sauvé la vie ce jour-là comme il l'aurait lui-même souhaité. Tu étais son fils, il a pris soin de toi parce que c'était son devoir de père, mais aussi son droit.

Ta mère aurait pensé de même. Et tu les as remerciés de leur don en le transmettant.

— Je ne comprends rien de ce que tu dis.

— Imagine un instant que Josh ait plongé à ta place et se soit trouvé face à ces deux assassins…

Il resta impassible, Molly comprit qu'elle avait fait vibrer la bonne corde. Harry avait élevé Josh, il éprouvait pour lui des sentiments paternels.

— Qu'un homme tel que toi refuse de réécrire l'histoire à seule fin de se sentir mieux dans sa peau, rien de plus naturel. Ce ne serait pas une solution. C'est pourquoi tu compenses en rétablissant l'équilibre. Il ne s'agit pas de psychothérapie, mais d'un principe de base du karma.

— Le karma ? Ne me dis pas que tu sombres toi aussi dans ce genre de mysticisme fumeux !

— Tu es un scientifique, considérons donc la question en termes scientifiques. Applique la loi de Newton sur la gravitation : toute action provoque une réaction. Ton père t'a sauvé la vie, tu as réagi de même envers Josh.

— Qu'est-ce que Josh viens faire là-dedans ? demanda Harry sèchement. Je ne lui ai jamais sauvé la vie.

— Si. Tu l'as sauvé d'une tradition qui aurait pu le tuer avant l'âge comme son père ou faire de lui un vieillard usé et amer à l'image de son grand-père. Tu l'as sauvé d'une vie stérile en lui ouvrant un avenir plein de promesses. C'est un don qui n'a pas de prix, Harry.

— Je n'ai fait que lui assurer une bonne éducation.

— Non, tu lui as offert bien davantage ! Tu lui as procuré la stabilité, tu l'as conseillé, guidé, tu t'es conduit envers lui comme un vrai père. Tu as lutté pour arracher son âme à Léon, ce vieux démon, et tu as gagné.

Avec un soupir de lassitude, Harry appuya son front moite contre celui de Molly.

— Quelle étrange conversation, et à une heure pareille !

— Et Josh n'est pas le seul, reprit Molly. Je me rends compte que tu passes ton temps depuis des années à sauver aussi bien les Stratton que les Trevelyan.

— De quoi parles-tu, maintenant ? demanda-t-il, agacé.

— Eh bien, par exemple, de ton cousin Brandon. Tu as intercédé de manière qu'il puisse mener ses projets à bien sans être déshérité.

— Brandon ne m'en remerciera pas pour autant.

— S'il est ingrat, tant pis pour lui. Je sais aussi que tu as aidé ton cousin Raleigh et je te soupçonne même d'avoir permis à ta tante Évangéline d'acheter le Palais des Glaces dont elle tire l'essentiel de ses revenus. J'ai l'impression que la liste serait interminable.

— Tout cela n'a rien à voir…

— Si ! Aider les gens est important. Et tu sais quoi ? ajouta-t-elle en souriant. Tu m'as aussi sauvé la vie cet après-midi. Indirectement, il est vrai.

— Ne plaisante pas, Molly ! Ce n'est pas drôle.

— Je ne plaisante pas, répondit-elle en le fixant des yeux dans l'espoir qu'il y discernerait la vérité. Je t'ai dit comment l'idée d'utiliser mes automates pour me défendre contre Kendall m'était venue.

— Oui, tu parlais de deux enfants.

— Ces enfants étaient les tiens, Harry.

Il y eut un long silence.

— Je croyais être le seul ici à avoir l'esprit dérangé.

— Ces enfants étaient les tiens, insista Molly. Je les voyais comme je te vois. Un garçon et une fille. Ils avaient tes yeux.

Il l'agrippa par les épaules. Dans la lumière de la lune, ses yeux brillaient d'un éclat presque sauvage.

— Veux-tu me faire croire que tu as eu une vision ?

— Je prenais peut-être simplement mes désirs pour la réalité, répondit-elle avec un sourire mal assuré.

— Tes désirs pour la réalité ? répéta Harry comme si le fil du dialogue lui échappait.

— J'ai toujours eu beaucoup d'imagination. C'est de famille, comme la curiosité.

— Écoute, Molly…

Elle le fit taire en posant un doigt sur ses lèvres.

— Il serait temps, je crois, que tu penses à avoir des enfants à toi, Harry. Tu ferais un excellent père, tu sais. Tu as des dons innés pour la paternité.

Il ouvrit la bouche, la referma sans pouvoir proférer un mot. Puis il prit Molly par le cou et l'embrassa avec une telle fougue qu'elle crut défaillir. Une vague de désir d'une force prodigieuse l'emporta sur sa crête et la laissa pantelante – et remplie d'impatience.

Harry l'embrassait comme la première nuit. Telle une fleur par grand vent, Molly frémissait sous la violence de ce cyclone, dont elle distinguait en même temps l'œil obscur. Harry l'écrasait sous son poids, l'étouffait de ses baisers. La chambre basculait, tous ses sens chaviraient.

Elle reprit haleine lorsqu'il délaissa un instant

sa bouche pour poser ses lèvres sur sa gorge, mais ses sens affolés refusaient de s'apaiser.

Une faim vorace, un besoin désespéré trop longtemps réprimés menaçaient de la consumer. Leurs flammes se nourrissaient de désir physique, certes, mais ce désir ne constituait qu'un ingrédient du mélange détonant. Il y avait autre chose, pensa-t-elle à demi consciemment. Un élément plus puissant, plus dangereux.

Autour d'elle, le typhon hurlait, menaçait de l'aspirer tout entière.

Ce déchaînement de passion venait de Harry.

En un éclair de lucidité, Molly comprit que ces émotions qui la bouleversaient, cet intolérable sentiment de solitude, cette quête désespérée, tout émanait de lui et s'amplifiait en éveillant des échos au plus profond d'elle-même. Elle sut qu'elle pouvait combler ses aspirations, mais qu'elle avait en même temps besoin de lui pour rassasier les appétits inconnus qu'elle découvrait en elle.

D'instinct, Molly se serra contre lui.

— Je suis là, murmura-t-elle. Viens.

— Non…

Harry s'écarta brusquement, comme s'il voulait rompre le courant magnétique qui les soudait l'un à l'autre. Les traits altérés par le désarroi, il la dévisagea.

— Je ne voulais pas en arriver là… Je m'étais juré de ne jamais recommencer… Non, je ne peux pas.

Molly eut alors conscience que ce qui la troublait n'était rien comparé à ce qui le terrifiait – et cette nouvelle découverte lui apporta un réconfort inattendu.

— Si, tout va bien, lui chuchota-t-elle à l'oreille. Tu n'es pas seul.

Elle le prit par les épaules, l'attira vers elle, lui couvrit le visage de baisers fervents. Avec un frémissement, il capitula. Leurs bouches s'unirent à nouveau, leurs souffles se mêlèrent. Molly s'ouvrit à lui, corps et âme.

Elle sentait que, depuis des années, Harry luttait contre cette faim qui le dévorait lui-même. À force de volonté, il était parvenu à la mater ; cette nuit, sa volonté fléchissait – comme lorsqu'ils avaient fait l'amour la première fois. Elle comprenait maintenant pourquoi cette première fois avait été différente des autres.

— Tu n'es plus seul, mon amour, chuchota-t-elle. Nous sommes deux.

— Oh, Molly...

Leurs corps fondus l'un dans l'autre s'accordèrent jusqu'à ne plus faire qu'un. Ils atteignirent à l'unisson l'extase de l'orgasme. Et le sentiment de plénitude qui les submergea ensemble allait au-delà du plaisir physique.

C'était le couronnement d'une longue patience. Le but enfin atteint d'une recherche éperdue. Une cime au-dessus de laquelle il n'y avait que le ciel.

Des heures d'ennui entrecoupées d'instants de terreur...

Les mots tournaient avec tant d'insistance dans la tête de Harry qu'ils finirent par le réveiller. Il ouvrit les yeux à regret. Malgré son obsession de la vérité, il aurait volontiers vendu son âme pour une poignée de mensonges dont il aurait pu se leurrer sans trop de honte.

Son pire cauchemar s'était réalisé : Molly avait vu le gouffre noir. Elle lui avait tenu la main et s'était penchée avec lui pour en regarder le fond.

Les paroles d'Olivia revinrent le hanter : *Nos rapports sexuels sombraient dans le... bizarre.* Et pourtant, Olivia n'avait jamais vu la vérité en face. Elle n'avait eu que quelques aperçus de la réalité que Molly venait de subir. L'ombre de sa noirceur avait cependant suffi à terrifier Olivia au point de la faire fuir à toutes jambes.

Cette nuit, il avait exposé Molly au pire. Rien n'avait manqué à la représentation. Il avait tout gâché, tout perdu. Un suaire de désespoir glacé lui tomba sur les épaules.

Molly bougea près de lui. Harry se tourna vers elle et contempla son visage au clair de lune. Elle le rejetterait, il en était certain à présent. Et il ne pourrait s'en prendre qu'à lui-même.

Un sourire apparut sur les lèvres de Molly.

— Alors, dit-elle sans ouvrir les yeux, as-tu réfléchi à mon idée d'avoir des enfants ?

Harry crut sentir le monde se dérober sous lui. Ses réflexes les plus aiguisés s'évanouirent. Ébahi, désorienté, il ne put que la regarder fixement sans même oser espérer.

Il lui fallut un long moment pour retrouver la parole.

— Des enfants ? parvint-il enfin à articuler.

— Oui. Avec moi.

— Avec toi ? répéta-t-il.

— Oui. Il vaudrait même mieux ne pas attendre trop longtemps. Nous ne rajeunirons pas, tu sais.

— Des enfants. Avec toi.

Il se sentait décidément hors d'état de rassembler deux pensées cohérentes.

Elle lui caressa la joue et lui lança un regard interrogateur. Ses yeux étaient plus lumineux que la lune.

— Je suis consciente de ne pas correspondre à

ta conception de l'épouse idéale. Je n'ai pas oublié ta liste.

Il avait la bouche si sèche qu'il eut du mal à déglutir.

— Ma liste ?

— Les raisons pour lesquelles nous ne sommes pas faits l'un pour l'autre. Des tempéraments opposés. Aucun intérêt commun en dehors des dossiers d'inventeurs. Bref, nous sommes deux navires qui se croisent dans la nuit...

— Non ! Je n'ai jamais dit cela ! protesta-t-il.

Redressé sur un coude, il posa une main sur sa cuisse pour en savourer la douceur soyeuse. Elle lui prit une mèche de cheveux qu'elle tortilla autour de son index.

— Alors, tu m'as peut-être reproché de ne pas avoir de beaux diplômes encadrés sur mes murs, comme les tiens...

— Jamais de la vie !

— Tu en es sûr ?

— Absolument certain ! Écoute, Molly, avant que nous nous lancions dans cette digression tu parlais d'enfants, je crois.

— Ce n'était qu'une subtile allusion.

Il prit une lente et profonde inspiration :

— Tu veux que... nous nous mariions ?

— Ce qui me plaît chez un homme intelligent et cultivé, répondit-elle en souriant, c'est que, si on lui met assez longtemps une évidence sous le nez, il finit par s'en apercevoir. Alors, Harry, veux-tu m'épouser ?

Les mots eurent beaucoup de mal à lui venir aux lèvres.

— Mais...

— Mais quoi ?

— Les heures d'ennui entrecoupées d'instants de terreur, parvint-il à articuler les dents serrées.

— Eh alors ? Jusqu'à présent, je ne me suis pas encore ennuyée.

— Et… le reste ? se força-t-il à demander. Écoute, Molly, je ne comprends pas ce que j'ai eu quand nous avons fait l'amour, je te le jure. Je ne cherche même pas à le comprendre. Je sais seulement qu'il m'arrive de… de me laisser surprendre. Je… m'excite trop, peut-être.

— Veux-tu savoir ce que je pense ? Toutes ces histoires sur les dons paranormaux héréditaires des Trevelyan ne sont peut-être pas aussi absurdes que tu le dis.

Harry ferma les yeux, accablé.

— Tu ne parles pas sérieusement, j'espère.

— Une personne intelligente doit garder l'esprit ouvert à toutes les hypothèses, Harry. Une autorité indiscutée de l'histoire de la science a écrit, je crois, que s'imaginer toujours capable de distinguer le possible de l'impossible constitue une dangereuse illusion.

— C'est moi qui l'ai écrit.

— Une autorité indiscutée, c'est ce que je disais. Or, il se trouve que je suis d'accord avec toi sur ce point. Je descends d'une longue lignée d'inventeurs plus ou moins farfelus qui ont réussi parce qu'ils refusaient de se laisser entraver par l'illusion de la certitude. J'estime, par conséquent, que nous devons envisager l'existence en toi d'une dose, même minime, d'une sorte de sixième sens.

— Non !…

— Il se peut que, sous l'emprise d'une puissante émotion telle que le désir sexuel, poursuivit-elle sans se démonter, l'intensité accrue de tes sentiments apporte un surcroît d'énergie à tes aptitudes extrasensorielles.

— Je t'en prie, Molly…

— Aussi n'est-il pas impossible que ces instants de sensibilité extrême favorisent l'apparition de phénomènes inhabituels. Certaines de tes pensées les plus secrètes pourraient, par exemple, se communiquer à l'esprit d'une personne avec laquelle tu aurais à ce moment-là des rapports disons… intimes.

— C'est absurde ! Sans aucun fondement scientifique !

— C'est, au contraire, la seule explication logique d'un phénomène qui, autrement, resterait incompréhensible. Et maintenant, veux-tu cesser de grommeler je ne sais quoi et répondre à ma question ?

Harry parvint à reprendre pied dans un univers dont le contrôle lui avait complètement échappé. Il attira Molly vers lui, plongea une main dans sa merveilleuse chevelure ébouriffée, lui prit la nuque de l'autre et l'immobilisa le temps d'un long baiser passionné.

Le baiser constituait une réponse assez éloquente. Mais pour le cas où elle ne l'aurait pas bien saisie il préféra la répéter à haute voix :

— Oui, Molly, je veux t'épouser.

16

Effarée, Venicia repoussa du pied la traîne de la robe de mariée et se détourna de son image dans le miroir.

— Te marier avec Harry Trevelyan ? C'est insensé ! Tu ne parles pas sérieusement !

— Si, le plus sérieusement du monde.

Assise près du comptoir, Molly lui faisait signe de se taire. La vendeuse tendait l'oreille sans vergogne, une cliente affectait de regarder ailleurs, et il était évident que la boutique entière se régalait de leur conversation. Venicia ne prêtait aucune attention aux discrètes injonctions de sa nièce et ne baissait pas la voix.

— Enfin, ma chérie, tu disais toi-même que Trevelyan et toi n'aviez aucun point commun !

— Eh bien, nous avons décidé de nous intéresser à ce qui nous rapproche plutôt que le contraire. Es-tu sûre de vouloir t'encombrer d'une traîne aussi longue ?

— Comment ? Ah ! la traîne… Oui, j'ai toujours rêvé d'une robe à traîne. Dans celle-ci, je me sens une autre femme. Je n'avais pas les moyens de m'acheter une robe neuve quand j'ai épousé ton oncle, c'est pourquoi je tiens cette fois à faire les choses comme il faut.

— Bonne idée, répondit Molly, saisie d'une soudaine inspiration. Je crois que j'en ferai autant.

— De quoi donc parles-tu ?

— De mon mariage. Belle robe, grande réception, les petits plats dans les grands. Tout, quoi. J'en ai les moyens et cela fera plaisir à Harry.

Venicia en oublia une fois de plus la joie que lui apportaient ses propres préparatifs nuptiaux.

— Te marier pour faire plaisir à Harry ? Cutter et moi avions raison de nous faire du souci à ton sujet ! Écoute, ma chérie, tu es assez grande pour reconnaître la différence entre une toquade passagère et un amour durable. Ce qu'il te faut, c'est ce que nous avons Cutter et moi. Une profonde affection, de l'estime mutuelle, des affinités solides.

— Bien sûr.

— Eh bien, vois-tu, je ne crois pas que tu les trouveras avec un homme comme Trevelyan. Il n'a pas du tout le genre qui te convient. Pour ton bien, tu dois reconsidérer tes rapports avec lui d'un point de vue plus... réaliste.

— Le mien est tout à fait réaliste.

Infiniment plus réaliste que quiconque s'en doutera jamais, s'abstint-elle d'ajouter.

Être réaliste, c'était comprendre que Harry n'était pas un être comme les autres.

Être réaliste, c'était le savoir encore loin d'admettre qu'il était amoureux, si tant est qu'il l'admette jamais. Il rejetait tout ce qui ne pouvait s'expliquer par la logique pure – et il y avait encore en lui trop de contradictions et d'aspects complexes à démêler pour qu'il soit à même d'analyser un sentiment aussi illogique que l'amour.

Être réaliste, c'était accepter le fait que Harry

était un homme en lutte contre lui-même. La nuit dernière, dans l'orage de passion qui avait éclaté entre eux, la vérité était enfin apparue à Molly.

Ce n'était pas la mort de ses parents qui le hantait, comme Olivia l'avait supposé. Si Harry restait sujet à des cauchemars, de plus en plus rares au fil des ans avait-il lui-même dit à Molly, il avait dominé ce terrible souvenir. Sa volonté lui avait permis de mener une vie riche et productive. Le traumatisme ne l'avait pas empêché de poursuivre une brillante carrière et d'être pour Josh un excellent substitut de père. Il faisait aussi bien face aux exigences de sa profession qu'à celles, encore plus éprouvantes, de ses deux familles. Il ne parviendrait sans doute jamais à échapper tout à fait à un sentiment de culpabilité chaque fois qu'il évoquerait la mort de ses parents, mais le fond du problème n'était pas là.

En réalité, Harry souffrait de se trouver écartelé entre les forces antagonistes de sa propre nature. Pour un homme tel que lui, scientifique féru de logique, fier de ses capacités intellectuelles et de sa maîtrise de soi, rien ne pouvait être plus effrayant que de se croire pourvu de facultés paranormales. Le concept même d'un sixième sens, échappant à toute définition scientifique et à toute explication rationnelle, constituait un blasphème. Harry était incapable de se forcer à en concevoir l'éventualité, encore moins d'admettre qu'il en était lui-même doté.

Être réaliste, c'était faire preuve de patience pendant que Harry luttait pour concilier en lui-même ces éléments en apparence inconciliables. Et pourtant, par un tour de passe-passe digne de son atavisme Trevelyan, Harry réussissait l'exploit de faire parfois appel à ce sixième sens tout en persistant à nier la réalité de son existence. Il le qualifiait alors de perspicacité.

Perspicacité, allons donc ! pensa Molly. Quelle que soit la nature de ce sixième sens ou l'étendue de ses pouvoirs, il n'avait rien à voir avec un raisonnement logique poussé à l'extrême. Harry le sentait, le savait avec plus ou moins de certitude. Là se situait sa déchirure.

Être réaliste, c'était se résigner au fait que ce don lui interdirait peut-être d'éprouver les émotions de l'amour comme la plupart des gens normaux. Molly savait qu'un lien puissant les unissait, et que Harry en était conscient. Elle ne parvenait cependant pas à deviner comment Harry percevait ce lien ni comment il l'interprétait.

Oh oui, elle était réaliste dans ses rapports avec Harry ! Scrupuleusement, douloureusement réaliste. Elle aurait même beaucoup donné pour l'être un peu moins. Après tout, elle s'apprêtait à épouser un homme qui ne lui avait pas encore dit qu'il l'aimait. Bien sûr, elle ne le lui avait pas dit elle non plus…

Venicia poursuivait sa tirade sans même remarquer l'air distrait de sa nièce :

— Et tu n'es pas dans l'indigence, Molly, ne l'oublie pas ! Je suis désolée de devoir insister, ma chérie, mais une femme dans ta position doit sérieusement s'interroger sur l'intérêt que lui porte un homme avant de s'engager à l'épouser. Ton expérience avec Gordon Brooke aurait dû te servir de leçon.

— Tu n'es pas non plus sur la paille, tante Venicia. Pourtant, tu ne sembles pas te soucier des motivations de Cutter en ce qui te concerne.

— C'est très différent, tu le sais bien. Cutter est

un homme prospère, établi. Tu as vu son yacht et sa maison de Mercer Island. Il a du répondant.

— Harry aussi.

— Il est un Stratton par sa mère, je sais. Mais tu as entendu ce qu'en a dit Cutter : il ne touchera pas un sou de la fortune familiale.

— Harry ne veut pas de cet argent. Il en gagne assez par lui-même.

— Avec ses livres et ses honoraires ? Allons donc, ils lui permettent peut-être de vivre décemment, mais ce n'est pas ainsi qu'il fera fortune ! Il écrit des ouvrages scientifiques, pas des best-sellers dont on tire des films ou des séries télévisées. Quant à ses honoraires, je veux bien admettre qu'ils sont substantiels, mais sans commune mesure avec tes revenus. Tu es une riche héritière, Molly.

— La fondation est riche, pas moi.

— Mais c'est toi qui la contrôles, ma chérie ! Que Trevelyan te fasse payer des honoraires exorbitants avait déjà de quoi nous inquiéter, Cutter et moi. Nous sommes également en droit de nous demander s'il ne t'épouse pas à seule fin de s'approprier les capitaux de la fondation.

— Rassurez-vous, Harry ne m'a pas forcé la main. De fait, il ne m'a même pas officiellement demandée en mariage.

— Il ne t'a pas demandée… ? s'exclama Venicia, ébahie.

— Non. C'est moi qui le lui ai proposé. Et ce n'était pas facile, crois-moi. Il m'a fallu lui arracher la réponse.

Harry possède peut-être le don de voir l'invisible, se dit Molly, mais il est myope comme une taupe pour bon nombre d'autres choses.

— Non, je n'en crois pas mes oreilles ! Vous allez vous marier ? s'écria Tessa, avec une expression aussi effarée que celle de Venicia. Je croyais qu'il ne s'agissait que d'une aventure sans lendemain.

— On peut changer d'avis.

Molly déplia sur son bureau le numéro du *Seattle Post* et examina le pavé publicitaire de l'Abberwick Tea & Spice Co.

— Bien joué, reprit-elle. Fabuleux emplacement. Juste à côté de l'article sur les bienfaits diététiques du thé.

— Facile. Mon copain au journal m'avait prévenue que l'article sortirait aujourd'hui. Il a suffi d'un petit coup de pouce à la régie publicitaire.

— Bon travail. Rappelle-moi de te donner une augmentation, un de ces jours.

— Si tu veux… Écoute, boss, sais-tu au moins ce que tu fais ?

— Tu as raison, une augmentation serait peut-être un peu excessive. Que dirais-tu d'une belle lettre de félicitations à ajouter à ton dossier de références ?

— Je ne te parlais pas de mon augmentation mais de tes projets de mariage ! Ta tante et son fiancé s'inquiètent eux aussi des intentions de Trevelyan, je les ai entendus t'en parler l'autre jour.

— Ils croient que Harry en veut à l'argent de la fondation. En réalité, ajouta-t-elle en fronçant les sourcils, c'est Cutter qui a mis cette idée en tête à ma tante.

— Je ne vois rien à redire à cela, Molly. L'idée me paraît plutôt sensée. Après tout, c'est à cause de la fondation que tu as fait la connaissance de Trevelyan.

— C'est moi qui suis allée le chercher, il ne m'a pas sollicitée !

— Je veux bien. Mais après, avoue qu'il n'a pas perdu de temps. Regarde les choses en face, Molly. Tu es une femme d'affaires hors pair, c'est toi qui as fait vivre ta famille après la mort de ta mère et tu as fait un boulot du tonnerre pour élever ta petite sœur.

— Bon. Et alors ?

— Alors, j'admets que tu as de l'expérience pour les réalités de la vie, mais tu es loin d'en avoir autant en ce qui concerne les hommes. Qu'est-ce que tu sais de ce type ?

— J'en sais suffisamment.

— Mon œil ! Tu en savais dix fois plus sur Gordon Brooke et regarde où ça t'a menée !

— Je ne crois vraiment pas risquer de découvrir un jour Harry dans l'arrière-boutique en train de sauter une vendeuse sur une pile de sacs de café.

— Qu'est-ce que tu en sais ? s'exclama Tessa, les yeux au ciel. Avec les hommes, il ne faut jamais jurer de rien !

Molly ne répondit pas aussitôt. Elle était hors d'état de décrire la puissance du lien qui l'unissait à Harry, d'expliquer que, si quoi que ce soit menaçait de briser ce lien, elle le saurait immédiatement et l'aurait senti venir longtemps avant que la situation dégénère. Même sans tenir compte de son intuition, elle savait pouvoir compter sur la raison et la logique. Les rapports de Harry avec son invivable parenté prouvaient qu'il était homme à respecter ses engagements coûte que coûte, alors que chacun semblait vouloir l'en détourner. Et Molly avait la ferme intention de tout faire pour l'encourager.

— Harry est loyal et fidèle de nature, se borna-t-elle à répondre.

— Je veux bien te croire sur parole, dit Tessa avec un soupir résigné. En as-tu parlé à Kelsey ?

— Non. Elle est en plein milieu de son séminaire, je ne veux pas la distraire. Je lui apprendrai la nouvelle à son retour. Elle et toi pourriez être mes demoiselles d'honneur, ajouta Molly en souriant.

— Allons bon ! Ne me dis pas que tu veux t'offrir un grand mariage avec tout le tralala !

— Si, confirma Molly. Avec tout le tralala.

Harry arpentait à pas lents les couloirs obscurs de l'aquarium de Seattle. Dans chaque bassin, des regards froids, impassibles, se tournaient vers lui comme s'ils étaient conscients de sa présence.

Il ne put maîtriser un frisson. Il se sentait soupesé, jugé par les créatures qui ondoyaient de l'autre côté de l'épaisse plaque de verre. De leur point de vue, il ne pouvait appartenir qu'à l'une de ces deux catégories : proie ou prédateur. Le monde est simple, se dit-il, pour qui possède un cerveau rudimentaire régi par des impératifs élémentaires. Les choix sont limités, les décisions faciles, les émotions complexes inexistantes. Dans la pénombre des abysses ne règnent que les sentiments les plus fondamentaux : la colère, la peur, la faim. L'espoir n'y a pas sa place.

Arrêté devant un bassin, Harry laissa les souvenirs de la nuit passée lui réchauffer le cœur.

Molly le désirait. Elle n'avait pas peur du gouffre obscur en lui. Elle lui avait demandé de l'épouser. Elle voulait avoir des enfants avec lui. Cette pensée se grava dans son âme et des flammes vinrent illuminer sa nuit.

Au bout d'un moment, il se détourna du bassin et reprit le chemin de la sortie.

Dehors, Molly l'attendait sous le soleil.

Harry marqua une pause et la contempla avec un sentiment d'émerveillement. Elle était accoudée à la rambarde de la jetée, ses cheveux couleur de miel dansaient autour de son visage radieux. En le voyant émerger de la foule, elle lui sourit et courut vers lui avec la hâte joyeuse d'une femme amoureuse. Non, se reprit-il, pas une simple femme amoureuse. Ma femme. Ma future épouse pour la vie.

— Harry ! Je suis là !

Une sensation indéfinissable le parcourut en laissant derrière elle une trace douloureuse comme une blessure à vif. Cette fois, pourtant, il n'en éprouva pas la terreur qu'il aurait encore ressentie peu de temps auparavant.

— Je meurs de faim ! dit-elle en le rejoignant, hors d'haleine.

— Moi aussi. Allons déjeuner.

Il lui prit le bras et l'entraîna vers la terrasse d'un des cafés au bord de l'eau.

— Qu'est-ce qui ne va pas ? demanda-t-elle au bout de quelques pas.

— Je ne sais pas, au juste.

— Que veux-tu dire, Harry ? Qu'y a-t-il ? insista-t-elle avec un regard anxieux.

— Probablement rien.

— Hum… Encore une de tes déductions logiques ?

— Peut-être. Je t'expliquerai quand nous serons installés.

Harry ne s'étonnait plus de l'acuité de son intuition. Il s'était accoutumé au fait que Molly savait identifier le degré d'intensité et la nature de ses humeurs, de la simple réflexion à l'angoisse. Ses parents eux-mêmes ne l'avaient jamais compris aussi bien que Molly. Personne, en fait, ne le connaissait mieux qu'elle – et il y avait là de quoi le décontenancer.

Dix minutes plus tard, attablés sous un parasol devant des brochettes de praires et des pommes chips, Harry se décida enfin à aborder le sujet.

— J'ai épluché le classeur de Kendall, commença-t-il.

— Qu'as-tu trouvé d'intéressant ?

— Rien de plus que ce que nous y avions déjà découvert.

— Aucune note sur son désir de se venger de moi ?

— Non, rien. Les plans du pistolet à ressort et du fantôme ne comportent que des indications techniques, comme s'il s'agissait de projets ordinaires.

— Hum… Autrement dit, sans passion particulière ?

Harry réfréna un mouvement de surprise : une fois encore, Molly avait mis le doigt sur ce qui le troublait.

— Très juste. On pourrait croire qu'un homme animé par la haine se passionnerait pour l'instrument de sa vengeance. Les dessins d'un inventeur sont extrêmement révélateurs. Ils constituent sa signature, en un sens.

— Je l'ai constaté moi aussi dans les croquis de ma sœur, approuva Molly. Ceux pour lesquels elle se passionne sont mieux tracés, les lignes sont plus affirmées, comme si elle y projetait son enthousiasme.

— Exactement. J'ai été chargé, il y a un certain temps, d'examiner les croquis exécutés par un homme qui accusait un laboratoire de recherches de lui avoir volé ses idées. Il avait conçu un engin explosif qu'il avait l'intention d'envoyer par la poste.

Harry s'interrompit pour manger une praire.

— Alors ?

— Alors, j'ai vu dans ces croquis un élément absent de ses autres dessins. Une sorte de fureur qu'on pouvait presque sentir irradier du papier.

— Raisonnement ou intuition ?

— Ni l'un ni l'autre, rétorqua-t-il avec impatience. Une simple étude comparable à une analyse graphologique. La folie meurtrière de ce type était visible à l'œil nu.

— Au tien, pas à beaucoup d'autres. Et qu'est-il advenu de cet inventeur enragé ?

— Il s'est fait prendre en voulant expédier son colis piégé, répondit Harry distraitement.

— Il s'est fait prendre, compléta Molly en souriant, parce que tu avais déduit son état d'esprit de l'étude de ses dessins, ce qui a permis à la police de le surveiller.

— Si on veut. On m'avait demandé mon opinion, je me suis contenté de dire que cet individu avait l'intention de tuer et que son engin était assez habilement conçu pour avoir de fortes chances de fonctionner.

— Tu mènes une existence agitée, ma parole !

— En fait, jusqu'à ce que tu y fasses ton apparition, ma vie était plutôt paisible.

— Je n'en crois pas un mot ! répondit Molly en riant.

— Pour être tout à fait franc, je me passerais volontiers de l'agitation supplémentaire que tu as

324

apportée dans ma vie. Malheureusement, je n'en vois pas se profiler la possibilité, du moins tant que Kendall n'aura pas été pris.

— Il le sera. Tu as entendu ce que disait le détective hier : maintenant que la police sait qu'il est dangereux, elle le coincera. Si nous parlions plutôt de nos projets de mariage ?

Harry s'étrangla avec une praire et dut avaler une longue gorgée de thé glacé pour enrayer sa quinte de toux.

— Ça va ? s'inquiéta Molly.

— Ça va, répondit-il en reposant son verre. Je pensais à une cérémonie simple et intime. Las Vegas, par exemple.

— J'envisageais au contraire une noce somptueuse.

— Tu as beaucoup d'amis à inviter ? s'enquit Harry d'un air méfiant.

— Oui. Sans compter les tribus Stratton et Trevelyan.

— Tu plaisantes ? Ni les uns ni les autres ne consentiront à s'asseoir dans la même pièce assez longtemps pour qu'un pasteur prononce les paroles magiques.

— Hum…

— Non, pas question de grand mariage. Ce sera un juge ici même ou une chapelle à Las Vegas, à toi de choisir. À condition, bien entendu, que tu n'aies pas changé d'avis, ajouta-t-il après avoir marqué une pause.

— Oh ! Je n'ai nulle intention d'en changer !

Harry sentit son estomac se dénouer. Et il finit d'engloutir ses praires avec un indicible soulagement.

Le lendemain soir, seule dans le grand living de Harry, Molly écoutait le silence. Un silence trop profond, anormal, chargé de présages et de sous-entendus.

Depuis vingt minutes, Harry était enfermé avec Olivia dans son cabinet de travail. Lorsque Olivia avait déclaré en arrivant qu'elle désirait parler à Harry sans témoin, Molly s'était immédiatement éclipsée. La perspective d'un tête-à-tête avec son ex-fiancée avait paru contrarier Harry, mais il s'y était résigné avec son stoïcisme coutumier.

Tandis que le crépuscule faisait lentement place à la nuit, Molly pensa à Harry et Olivia. À l'exception de leurs doctorats respectifs, Molly s'expliquait mal que Harry ait cru avoir des points communs avec Olivia. Comment un homme doué d'une intelligence aussi pénétrante avait-il pu commettre une telle erreur dans sa vie privée ? Il semblait, à vrai dire, avoir le chic de se fourrer le doigt dans l'œil chaque fois qu'il voulait appliquer ses aptitudes intellectuelles au domaine affectif…

Cinq minutes de plus s'écoulèrent. Molly baissait de nouveau les yeux sur le livre qu'elle essayait de lire quand elle entendit s'ouvrir la porte du cabinet de travail. Elle se retourna et vit qu'Olivia s'avançait dans sa direction. Aucune trace de Harry, en revanche.

— Vous avez fini ? demanda Molly.

— Oui. Nous traitions des affaires de famille.

— Harry en traite beaucoup, ces temps-ci.

— Plaît-il ? s'enquit Olivia d'un air pincé.

— Rien, rien…

— Harry était d'une humeur impossible ! fulmina Olivia en lançant un regard irrité à la porte du cabinet de travail.

— Il était sans doute absorbé dans ses réflexions. Voulez-vous une tasse de thé ?

— Non merci. Le téléphone a sonné quand je m'apprêtais à partir et il n'a pas encore fini de parler.

— Je vous raccompagne, offrit Molly en se levant.

— Inutile de vous déranger, je connais la maison, répliqua Olivia avec froideur.

— Je n'en doute pas.

— Harry m'apprend que vous allez vous marier.

Molly la gratifia de son plus beau sourire.

— En effet. Je compte même organiser un grand mariage. Les deux branches de sa famille seront invitées, bien entendu.

— Ce serait intéressant… Puis-je vous poser une question personnelle ? ajouta Olivia après une légère hésitation.

— Bien sûr, mais je ne peux pas vous promettre d'y répondre.

— Êtes-vous sûre de savoir ce que vous faites ?

— Oui, tout à fait.

Olivia lança un nouveau coup d'œil à la porte close du cabinet de travail.

— Je ne devrais sans doute pas vous le dire mais j'estime, professionnellement parlant, que Harry souffre de sérieux troubles mentaux. Il devrait suivre un traitement.

— Que Harry soit particulier à bien des égards, je vous l'accorde. Toutefois, pour ma part, j'estime qu'un traitement psychologique ne lui ferait aucun bien.

— Excusez-moi, mais je le connais beaucoup mieux que vous et je pense que le mariage serait pour lui une grossière erreur. Quelle que soit la femme qu'il épousera, le ménage ne pourra pas marcher.

— Vous êtes complètement à côté de la plaque.

Olivia décocha à Molly un regard outragé.

— Savez-vous, au moins, que je suis praticienne de psychologie clinique ?

— Oui, Harry m'en a touché un mot. Vos qualifications professionnelles sont sûrement fort respectables, Olivia, mais je ne crois pas que vous compreniez grand-chose à la personnalité de Harry. Il est unique en son genre.

— Il est névrotique, pas unique. Il souffre de stress post-traumatique et d'accès dépressifs récurrents. En toute sincérité, c'est un excellent candidat à la psychothérapie.

— Candidat à la psychothérapie ? Je ne savais pas qu'il envisageait de se présenter à ce genre d'élection.

— Je ne plaisante pas, Molly ! C'est trop grave. En conscience, je ne peux pas vous conseiller d'épouser un homme affligé de problèmes aussi sérieux.

— Rassurez-vous, votre responsabilité n'est pas engagée. Je n'avais pas l'intention de vous demander votre avis.

Olivia poussa un soupir excédé.

— Écoutez, je serai franche. Vous ne connaissez pas Harry depuis très longtemps. Sachez donc que, tôt ou tard, Harry manifestera des déviations cliniquement significatives dans ses rapports sexuels avec vous et...

Molly l'interrompit d'un geste impérieux :

— Stop ! Je ne suis pas un de vos patients et je n'ai nulle intention de discuter avec vous de ma vie sexuelle.

— Je m'efforce de vous épargner une terrible erreur.

— Épargnez-vous plutôt la peine de me protéger de Harry, c'est parfaitement inutile.

La bouche pincée, les yeux mi-clos, Olivia modifia son angle d'attaque :

— Savez-vous, au moins, que Harry ne touchera pas un sou des Stratton ? Il s'est brouillé avec son grand-père qui l'a déshérité.

— L'argent n'a rien à faire là-dedans. Bonsoir, Olivia.

— Êtes-vous inconsciente ou complètement idiote ?

— Vous voulez dire que j'ai le choix ? s'enquit Molly avec un large sourire.

Olivia tourna les talons et, sans même un bonsoir, quitta l'appartement en claquant la porte derrière elle. Les bras croisés, adossé au chambranle de son cabinet de travail, Harry la suivit des yeux. Un instant plus tard, il rejoignit Molly dans le living.

— Des déviations cliniquement significatives, hein ? dit-il en détachant les syllabes. Beau programme.

— Tu l'as entendue ?

— Seulement vers la fin. T'a-t-elle fait part de son diagnostic complet ?

— Oui mais, à ta place, je n'accorderais pas grande valeur à ses théories. Elle est plutôt dérangée – c'est d'ailleurs sans doute pourquoi elle est devenue psy. En fait, elle cherche des solutions à ses propres problèmes.

Harry esquissa un sourire ironique.

— Je vois…

— Je ne dis pas que tous les psys sont cinglés, reprit Molly. Il y en a d'excellents qui peuvent rendre de réels services, mais il faut les choisir avec précaution.

— Précaution ?

— Oui. Tu connais le phénomène de transfert, n'est-ce pas ? Les névroses du psy auquel on se confie ne doivent pas influer sur le traitement du patient.

— Tu parles comme un expert.

— J'ai consulté une psy pendant quelque temps après la mort de ma mère. En fait, j'ai essayé une demi-douzaine de charlatans avant de trouver une psy avec laquelle je pouvais m'exprimer. Elle m'a aidée à résoudre deux ou trois trucs.

— Quel genre de *trucs* ?

Molly hésita au souvenir de la période difficile qu'elle avait vécue à vingt ans, des craintes qu'elle avait dû affronter avant de parvenir à les vaincre.

— Le sentiment d'être écrasée sous les responsabilités qui me tombaient dessus. La rage de me sentir obligée de les assumer, de ne pouvoir y échapper. Ma psy a été parfaite. Je ne l'ai pas vue souvent parce que je n'avais pas les moyens de la payer, mais nos petites séances m'ont fait du bien et m'ont beaucoup appris.

— Ce qui fait de toi un expert sur le sujet, dit-il en souriant.

— Il suffit d'un peu de bon sens, répondit-elle d'un ton sérieux, pour comprendre qu'Olivia n'est absolument pas qualifiée pour porter un diagnostic sur toi. Ses problèmes sont trop liés à ses rapports avec toi.

Un réel intérêt brilla dans les yeux de Harry.

— Ses problèmes ? Lesquels ?

— Ils ne sont pas évidents ?

— Pas pour moi, en tout cas.

— En gros, elle se culpabilise d'avoir rompu

vos fiançailles. Depuis, elle essaie de se justifier vis-à-vis d'elle-même en cherchant à te persuader que tu souffres de troubles pathologiques qui t'interdisent d'avoir des rapports normaux avec les femmes.

— Et tu ne penses pas qu'elle pourrait avoir raison ?

— Certainement pas ! Tu n'es pas comme les autres, Harry, tu es unique en ton genre. Cela posé, tu feras quand même un mari idéal et un père exemplaire.

Il garda le silence quelques instants.

— Peut-être éprouves-tu un certain attrait pour les *déviations cliniquement significatives* ?

— Possible… Qui était au téléphone ?

— Fergus Rice, le détective privé que j'avais chargé de retrouver la trace de Kendall.

— A-t-il découvert quelque chose ?

— Il y a deux heures, Wharton Kendall, au volant d'une Ford bleue, a défoncé un parapet de la Highway n° 1 qui longe le Pacifique dans la traversée de l'Oregon. Il roulait en direction de la Californie. La voiture s'est écrasée au pied d'une falaise et Kendall a péri dans l'accident.

Il fallut plusieurs secondes à Molly pour assimiler la portée de ce qu'elle venait d'entendre. Quand elle s'en fut pénétrée, elle bondit du canapé et courut se jeter dans les bras de Harry.

— C'est fini, murmura-t-elle. C'est fini…

— C'est du moins ce que Rice m'a dit, répondit-il.

Et il la serra plus fort contre lui.

17

Molly se redressa en fusillant Harry du regard.

— Maintenant, ça suffit ! Pourquoi ne dors-tu pas encore ?

— Je réfléchis.

De sous ses paupières à demi baissées, il la regarda avec surprise. Il était étendu, rigide, les bras croisés derrière la nuque, le front plissé par la concentration.

— Tes réflexions me causent une sévère insomnie.

— Désolé, je ne pouvais pas me douter que je t'empêchais de dormir.

— Comment veux-tu que je dorme pendant que tu regardes fixement le plafond ?

— En quoi cela te dérange-t-il que je fixe le plafond ? demanda-t-il avec une sincère curiosité.

— Si je le savais ! J'ai l'impression que tu fredonnes dans ma tête. C'est horripilant.

— Je n'y peux rien. Quand je réfléchis, je réfléchis.

— Non, il ne s'agit pas du fredonnement que j'entends quand tu te contentes de réfléchir.

Celui-ci est du genre : « Nous avons un sérieux problème sur les bras. »

— Que diable signifie cette histoire de fredonnement dans ta tête ? s'étonna-t-il.

— Je ne peux pas te l'expliquer. C'est une curieuse sensation que j'éprouve depuis quelque temps. Tu ne sens rien, toi ?

— Non, rien. Puisque je t'empêche de dormir, je vais aller réfléchir dans une autre pièce.

Harry repoussa les couvertures, posa un pied par terre. Molly lui empoigna une épaule et le força à se recoucher.

— Pas question ! Reste ici.

Il se laissa faire sans protester en levant un sourcil interrogateur. Molly rajusta son oreiller à coups de poing et s'adossa à la tête du lit.

— Et maintenant, dis-moi de quel problème il s'agit.

Harry eut une hésitation marquée :

— Du classeur de Kendall.

— Tu t'en inquiètes encore ? Je croyais que nos ennuis avaient pris fin avec la mort de Kendall.

Harry se redressa à son tour et ajusta son oreiller plus confortablement derrière son dos.

— Je sais, mais il y a quelque chose qui cloche dans ce classeur. Quelque chose que je n'arrive pas à définir.

— Tu disais ne pas avoir décelé de fureur vengeresse dans les croquis du pistolet à ressort et de l'épouvantail.

— Oui, mais ce n'est pas ce qui me tracasse.

— Alors, qu'est-ce qui te tracasse, au juste ?

— Le comportement de ton agresseur chez toi, l'autre jour, ne correspondait pas au style des croquis de Kendall.

Molly ne put retenir un frémissement.

— Il m'a pourtant paru tout ce qu'il y a d'efficace.

— C'est justement là que le bât blesse. Efficace, direct, simpliste même. Rien de personnel ni d'original.

— Cela dépend de ta définition de l'originalité. Et je peux te garantir que je l'ai pris très personnellement… Attends, ajouta-t-elle, je crois voir où tu veux en venir.

Harry pianotait distraitement sur le drap.

— Si un homme tel que Kendall voulait vraiment commettre un crime, il aurait tendance à utiliser un gadget de son invention pour tuer sa victime, n'est-ce pas ?

— Harry, je pense que tu pousses tes déductions un peu loin…

— Il s'est servi de gadgets pour te terroriser, reprit-il sans relever l'interruption. S'il était décidé à aller jusqu'au crime afin de se venger de toi, il aurait donc dû logiquement employer une méthode similaire.

— Écoute, Harry…

— Un engin conçu et fabriqué par lui-même lui aurait apporté la satisfaction d'une réussite intellectuelle. Selon la même logique, sa tentative de nous faire basculer dans le ravin en voiture ne colle pas non plus avec sa mentalité.

— Écoute-moi une minute, intervint Molly. La Ford bleue appartenait à Kendall. Ton détective, Fergus Rice, a vérifié qu'elle était immatriculée à son nom, n'est-ce pas ?

— Oui.

— Nous pouvons donc raisonnablement supposer que c'était bien Kendall qui conduisait la Ford en question quand on a tenté de nous faire tomber dans le ravin.

— Quelqu'un d'autre aurait pu se servir de la voiture de Kendall pour essayer de nous tuer.

— Mais personne d'autre n'a de raison de nous tuer !

— C'est ce que nous pensions jusqu'à présent. Or, quand tu as interrompu ma réflexion, je me demandais s'il n'y avait pas une tierce personne dans le coup.

— Admettons. Mais quel mobile aurait cette autre personne ? Kendall voulait se venger parce que nous avions refusé son dossier.

— C'était en effet une hypothèse naturelle dans le cas de Kendall, répondit Harry en se levant. Cette autre personne pourrait obéir à un mobile différent.

Tout en parlant, il faisait les cent pas le long de la fenêtre. Molly sentait émaner de lui des ondes d'intense concentration. La lumière pâle de la lune conférait une allure quasi spectrale à son corps nu, dont un slip blanc soulignait la puissante musculature.

— Quelle autre personne ? demanda-t-elle. Et à quel autre mobile obéirait-elle ? J'ai refusé près d'une centaine de demandes de subvention. Même si plusieurs inventeurs se sont sentis frustrés, il est quand même peu probable qu'il y ait deux criminels dans le lot.

— Qui sait ?

— Cela supposerait, reprit-elle en poursuivant son raisonnement, que Kendall et l'autre inventeur frustré se soient connus et aient coopéré à un moment ou à un autre.

— Cela pourrait aussi signifier que l'autre a eu vent du projet de vengeance de Kendall et s'en est servi dans le but de couvrir ses propres desseins criminels.

— Seigneur ! soupira Molly. Veux-tu dire qu'il existe un autre inventeur assez vicieux pour vouloir me tuer et faire accuser Kendall de ma mort ?

— Ce ne serait pas absurde, en tout cas.

Harry poursuivait ses allées et venues. Son effort de concentration semblait charger l'atmosphère d'électricité.

— Peut-être… C'est quand même tiré par les cheveux. Je crois plutôt que la mort de Kendall met un point final à toute l'affaire, comme l'a dit Fergus Rice.

— Je ne la sens pas terminée, moi, déclara Harry.

— Alors, dit Molly avec un léger sourire, il va falloir que tu fasses quelque chose. Sinon, nous ne sommes pas près de retrouver le sommeil, toi et moi.

— J'en ai bien peur, répondit-il sombrement.

— As-tu une idée ? s'enquit Molly après un silence.

— Je voudrais pouvoir examiner d'autres croquis de la main de Kendall. Ils me permettraient peut-être de déterminer si j'ai tort ou raison de croire qu'il préfère utiliser des armes de son invention.

Molly réfléchit un moment.

— S'il y a vraiment un troisième larron dans l'affaire, dit-elle enfin, la mort de Kendall n'est peut-être pas accidentelle.

Harry s'immobilisa sous un rayon de lune.

— Bon sang, mais… tu as raison ! Je me concentrais tellement sur l'hypothèse des deux complices que j'en négligeais les implications. Si Kendall avait un associé, ou s'il jouait à son insu le rôle du bouc émissaire, l'autre a pu vouloir s'en débarrasser parce qu'il devenait compromettant.

336

— De plus en plus compliqué – et de plus en plus vicieux.

— Il faut que je jette un coup d'œil à cette Ford bleue, déclara Harry en se dirigeant vers le téléphone. Rice saura où elle a été déposée après l'accident.

— Il est une heure du matin, Harry. Fergus Rice est en train de dormir, lui, dit Molly en bâillant. Il ne pourra rien faire à une heure pareille. Viens te recoucher.

— Je n'ai pas envie de dormir.

— Dans ce cas, nous pourrions peut-être procéder à une étude approfondie de tes « déviations cliniquement significatives », dit-elle avec son sourire le plus angélique.

Harry était déjà au milieu de la pièce. Il s'arrêta et se retourna, une étrange lueur dans le regard.

— Qu'est-ce que tu viens de dire ?

— Quoi ? Tu n'aimes pas que je dise des grossièretés ?

— Écoute, Molly…

— Reviens te coucher, Harry. Tu ne pourras rien faire d'utile jusqu'à l'heure du petit déjeuner. Si tu ne peux pas te rendormir, nous trouverons le moyen de passer le temps.

Il hésita. Ses traits figés se détendirent un peu, puis il se rapprocha du lit et la fixa d'un air sérieux, que contredisait l'éclat de ses yeux couleur d'ambre.

— Mes « déviations cliniquement significatives », hein ?

— Que veux-tu, j'en raffole. Je ne peux plus me passer de ces « heures d'ennui entrecoupées d'instants de terreur », dit-elle en pouffant de rire.

Avec un sourire d'une incroyable séduction, il s'agenouilla au bord du lit, l'emprisonna entre ses bras. Molly leva les siens pour le prendre par le cou et l'attira vers elle. Dans un élan sensuel, ils roulèrent l'un sur l'autre jusqu'à se retrouver empêtrés dans les draps à l'autre bout du lit, secoués par un fou rire.

Molly sentit la bouche de Harry prendre la sienne en un baiser qui la fit chavirer. Un instant plus tard, pour eux deux, le monde extérieur cessa d'exister.

Molly referma le réfrigérateur et posa la barquette de framboises sur le plan de travail.

— Tu sais, Harry, ton appartement est agréable et a une vue extraordinaire, mais il n'est pas fonctionnel.

Le combiné du poste mural à la main, Harry composait le numéro de Fergus Rice.

— Pas fonctionnel ? répéta-t-il distraitement.

— Non, absolument pas. Mes machines automatiques me manquent. Je me demande comment tu t'en sors avec ces appareils démodés, dignes du Moyen Âge.

— J'ai une femme de ménage, répondit-il en écoutant avec impatience la sonnerie retentir dans le vide à l'autre bout de la ligne. Repose ce couteau !

— J'allais couper des muffins…

— Je le ferai moi-même quand j'aurai téléphoné.

— Oh ! là, là ! Es-tu toujours aussi grognon, le matin ?

— Seulement quand je te vois un couteau à la main.

Molly posa le couteau sur le comptoir et s'y accouda.

338

— Tu devrais déménager et t'installer chez moi quand nous serons mariés, déclara-t-elle.

Le téléphone continuait à sonner. Harry jeta un coup d'œil à l'horloge : bientôt huit heures. Fergus Rice avait pourtant l'habitude d'arriver de bonne heure à son bureau.

— Au « château Abberwick » ? Tu veux vraiment rester dans cette vieille baraque ?

— Elle sera idéale pour les enfants. Ils auront le parc et tous nos vieux jouets, tu disposeras d'une aile pour ton bureau et ta bibliothèque. Nous aurons peut-être les enfants sur le dos, mais je suis sûre que tu t'y feras.

— Les enfants ?

— Bien sûr. Combien en veux-tu ? Je sais déjà que nous en aurons au moins deux.

— Écoute…

Harry s'interrompit en entendant Rice décrocher enfin.

— Fergus ? Harry, à l'appareil. Où étiez-vous ?

— Bon sang, Harry, il est huit heures moins deux ! Je viens tout juste d'ouvrir la porte et je n'ai même pas eu le temps de prendre mon café ! Qu'y a-t-il de si urgent ?

— Je vous appelle au sujet de l'affaire Kendall.

— Quelle affaire Kendall ? Elle est réglée par l'accident dans l'Oregon. Votre type est mort, Harry.

— Je sais, mais je voudrais examiner sa voiture. Savez-vous où la police l'a entreposée ?

— Pour le moment, elle doit être encore à la fourrière. Ils l'emporteront sans doute aujourd'hui chez un casseur. Pourquoi ? Quelque chose qui cloche ?

— Je ne sais pas encore. L'enquête est-elle bouclée ?

— Oui, depuis hier soir. Dossier classé, rien de suspect. La Ford est en miettes, en tout cas.

— Pouvez-vous vous arranger pour que j'aille la voir ?

— Ça doit pouvoir se faire. Je me renseignerai sur l'adresse du casseur et je vous prendrai un rendez-vous.

— Merci, Fergus. Dès que ce sera confirmé, je descendrai en avion à Portland et je louerai une voiture sur place.

— Comptez sur moi.

Harry raccrocha et se tourna vers Molly :

— Je vais pouvoir examiner la Ford.

— Qu'espères-tu y découvrir ?

— Je ne sais pas. Rien peut-être. Rice me dit que la police a bouclé son enquête sans découvrir d'indices suspects, mais un détail a pu leur échapper.

— Par exemple ?

— Que sais-je ? Les freins sabotés, une trace de choc avec une autre voiture.

Molly réfléchit un instant en rinçant les framboises.

— Tu penses qu'on aurait pu pousser Kendall par-dessus le bord de la falaise ?

— Nous sommes bien placés pour savoir que cela n'aurait rien d'impossible…

L'interphone lui coupa la parole.

— Qui diable peut venir à cette heure-ci ?

— C'est pourtant facile, dit Molly. Un Stratton ou un Trevelyan, je te laisse deviner.

Avec un soupir excédé, Harry pressa le bouton.

— Ici Georges, le portier de jour, monsieur Trevelyan. M. Hughes désire vous voir.

— À une heure pareille ? grommela Harry.

— Dites-lui que c'est important, fit avec autorité la voix de Brandon à l'arrière-plan. Une affaire de famille.

— Faites-le monter, Georges, dit Harry, résigné.

— Veux-tu que je disparaisse ? lui demanda Molly.

— Non ! répondit-il d'un ton sans réplique, se souvenant de la visite d'Olivia la veille au soir. Ne bouge pas d'ici.

La sonnette de l'appartement tinta quelques instants plus tard. Harry alla ouvrir à regret. Il avait d'autres soucis en tête, ce matin-là, que les problèmes de sa parenté.

— Bonjour, Brandon, dit-il.

En tenue décontractée, la mine courroucée, Brandon entra sans lui rendre son salut.

— Tu veux un café ? demanda Harry en refermant la porte.

Une fois encore, Brandon ne répondit pas.

— Olivia est venue te voir hier soir, n'est-ce pas ? questionna-t-il de but en blanc.

— Oui.

— Je lui avais pourtant dit de ne pas s'en mêler, bon sang ! Je l'ai dit aussi à ma mère. Pourquoi diable veulent-elles toujours fourrer leur nez dans mes affaires ?

— Sans doute parce qu'elles se font du souci pour toi.

— Je n'ai pas besoin qu'on se soucie de moi ! Je suis parfaitement capable de m'occuper de moi-même !

Tout en fulminant, Brandon était entré au pas de charge dans le living. Il s'arrêta net en découvrant Molly derrière le comptoir séparant la pièce de la cuisine.

— Qui êtes-vous ? Une nouvelle femme de ménage ?

— Non, la fiancée de Harry, répondit Molly avec urbanité.

— Sa fiancée ? Ah, oui ! Olivia m'avait dit que Harry se fiançait avec la patronne de la Fondation Abberwick, j'avoue que je ne l'avais pas crue.

— Tu aurais dû, dit Harry exaspéré par le comportement cavalier de son cousin. Je te présente Molly Abberwick. Molly, mon cousin Brandon Hughes. Le fils de ma tante Danielle. Le mari d'Olivia.

— Je sais. Bonjour, Brandon. Nous allions nous mettre à table. Vous avez pris votre petit déjeuner ?

— Oui, merci... Alors c'est vrai, ces fiançailles ? ajouta-t-il à l'adresse de Harry.

— Tout à fait vrai, répondit Harry en s'asseyant.

— Un peu... hâtif, non ?

— Depuis Einstein, chacun sait que le temps est relatif, intervint Molly en saupoudrant de sucre les framboises. Harry et moi nous connaissons assez bien, je crois, pour nous sentir capables de nouer des liens conjugaux. N'est-ce pas, Harry ?

— Oui. Assieds-toi donc, Brandon.

— Je préférerais te parler dans ton cabinet de travail.

— Dommage, moi je préfère déjeuner. Molly, donne-moi donc les muffins et le couteau, s'il te plaît.

Harry entreprit de trancher les muffins selon les règles de l'art.

— Si vous ne voulez pas de café, Brandon, voudriez-vous du thé ? lui offrit Molly. J'en prépare pour moi.

— Non, merci... Harry, j'ai à te parler de sujets

personnels. Familiaux, précisa Brandon avec un regard appuyé en direction de Molly.

— À partir de maintenant, annonça Harry, Molly fait partie de la famille. *Ma* famille. Tout ce que tu as à me dire peut l'être devant elle.

— Vous n'êtes pas encore mariés, protesta Brandon.

Harry tendit à Molly les muffins irréprochablement sectionnés par le milieu dans le sens de l'épaisseur.

— Cela revient au même en ce qui me concerne. Si tu veux parler, parle. Sinon, va-t'en. J'ai une journée chargée.

Brandon lança un regard embarrassé à Molly, qui le gratifia d'un sourire épanoui, et fit un pas vers Harry.

— Écoute, dit-il en baissant la voix, c'est gênant… Allons dans ton bureau, je n'en aurai que pour cinq minutes.

— Non.

— Tu ne veux quand même pas que j'aborde des sujets confidentiels devant une étrangère ! s'indigna-t-il.

— Je t'ai déjà dit que Molly n'est pas une étrangère. Elle sera bientôt ma femme.

Brandon perdit son sang-froid :

— Pas si j'en crois Olivia ! Elle considère que ces fiançailles n'ont pas plus de chances de durer que les précédentes – et elle est particulièrement bien placée pour le savoir.

— Crois-tu ?

— Tu oublies que c'est son métier d'étudier les gens ! Ma femme est psychologue, expliqua-t-il à Molly avec un regard contrit. Une des meilleures de la ville.

— Je sais, répondit-elle, nous avons fait

connaissance. Elle a eu l'amabilité de m'offrir une consultation gratuite.

— Je suis sûre que Molly est la discrétion même, reprit Brandon en se tournant de nouveau vers Harry. Je n'ai absolument rien contre elle, mais je refuse de déballer mes affaires personnelles devant une tierce personne.

À bout de patience, Harry se leva si brusquement que Brandon recula d'un pas malgré lui.

— Tu es venu me parler, dit-il d'un ton dangereusement calme. Dis ce que tu voulais me dire ou va-t'en.

— Bon. Puisque tu le prends comme cela, je reviendrai plus tard.

— Je ne serai pas ici plus tard. Je crois t'avoir déjà signalé que j'avais une journée chargée devant moi.

— Tu fais exprès de me compliquer les choses, n'est-ce pas ? Qu'attends-tu de moi ? Que veux-tu que je fasse ? Que je me prosterne à tes pieds parce que tu as réussi à convaincre grand-père de me laisser vivre ma vie ?

Harry se rassit et reprit calmement sa cuillère :

— Pose plutôt ces questions à Olivia, elle se prétend très qualifiée pour analyser mes motivations.

— Holà ! intervint Molly. Je vote pour une trêve ! Si vous n'aimez pas le thé, Brandon, prenez du café, en voici une tasse. Le mélange premier choix de Gordon Brooke, entre parenthèses.

Harry leva les yeux de son bol de framboises.

— Je ne savais pas que nous devions ingurgiter du café de Gordon Brooke, dit-il d'un air ulcéré.

— Parle pour toi, j'ai horreur de ce breuvage. Et ne me regarde pas avec cet air mauvais, c'est ta femme de ménage qui l'a acheté.

— Rappelle-moi de dire à Ginny de changer de marque. Quant à toi, Brandon, assieds-toi ou va-t'en. Je n'aime pas qu'on regarde par-dessus mon épaule quand je mange.

Brandon rumina un instant en silence. Puis, s'étant résigné à s'asseoir, il but une longue gorgée du café que Molly lui avait servi.

— Bien, dit-il en reposant bruyamment la tasse dans sa soucoupe. Parlons.

— Je t'écoute.

— Je suis venu discuter avec toi du financement de mes projets. Grand-père veut bien me laisser quitter la société sans exercer de représailles, au vif soulagement de ma mère et d'Olivia, mais il refuse de m'aider à…

— Arrête ! l'interrompit Harry. Je ne suis pas banquier. J'ai bien voulu intercéder auprès de Parker, mais je ne peux pas aller plus loin.

— Ce n'est pas vrai, Harry. Tu connais des tas de gens. Je sais aussi que tu as obtenu des financements importants pour tes proches du côté Trevelyan.

— Cela n'a rien à voir.

— Comment, rien à voir ? Nous autres Stratton ne comptons pas, pour toi ?

— Les Stratton sont riches.

— Pas tous, répliqua Brandon d'un ton amer. Quand je quitterai la compagnie, je ne disposerai que de mes économies – et elles sont maigres.

— Olivia demande à ses patients des honoraires dignes d'un conseiller fiscal. Vous ne mourrez pas de faim.

— Nous pourrons vivre des revenus d'Olivia jusqu'à ce que mes affaires tournent rond, c'est vrai. Mais elle n'a pas de quoi capitaliser une opération de l'envergure de celle que je prévois, tu le sais aussi bien que moi.

— Et alors ? s'enquit Harry.

— Alors, les banques ne m'accorderont pas un sou de crédit sans l'aval de Stratton Properties. Bien sûr, je pourrais tenter de fléchir grand-père ou oncle Gilford, mais j'aimerais autant pas. Tu les connais : quand ils mettent le doigt dans une affaire, ils finissent par l'absorber.

— Exact.

— Je comprends d'ailleurs pourquoi tu n'as jamais voulu entrer dans la société, observa Brandon.

— J'avais et j'ai toujours d'autres centres d'intérêt.

— Dis-moi : savais-tu que, quand tu es revenu vivre à Seattle, la famille entière était convaincue que tu avais pour seul but d'en soutirer le maximum ?

Harry reposa sa cuillère avec le plus grand soin.

— C'était l'évidence même.

L'ironie de sa réponse échappa à son cousin.

— Grand-père disait que c'était ton sang Trevelyan qui parlait, que tu tenterais par tous les moyens d'obtenir ce que tu considérais devoir te revenir, mais qu'il ne te donnerait pas un sou si tu ne lui prouvais pas que tu étais un vrai Stratton...

— En entrant dans la société, compléta Harry avec lassitude. Écoute, Brandon, c'est de l'histoire ancienne, sans importance. Que veux-tu, au juste ?

— Voilà, répondit Brandon en se redressant. Par tes activités de conseil, tu as les contacts qu'il faut pour obtenir du capital-risque. Je voudrais que tu me présentes à des financiers. Je ne te demande pas de t'engager en mon nom, je n'ai besoin que d'introductions. À partir de là, je serai assez grand garçon pour me débrouiller tout seul.

Harry lança un coup d'œil à Molly, qui se borna à lui retourner un sourire compréhensif. Après avoir marqué une pause, il se tourna de nouveau vers Brandon :

— Je verrai ce que je peux faire.

Un éclair de soulagement illumina le regard de Brandon.

— Merci, Harry ! Tu ne le regretteras pas, je te le promets. Comme je te l'ai dit, je présenterai moi-même mes dossiers aux investisseurs avec lesquels tu me ménageras des contacts.

— À une condition.

— Laquelle ?

— Donne-moi ta parole d'honneur de faire l'impossible pour dissuader Olivia de clamer sur les toits ses diagnostics sur mon état mental. Cela devient agaçant.

Visiblement désarçonné par cette requête inattendue, Brandon mit quelques secondes à se ressaisir.

— Je ferai de mon mieux, ce ne sera pas facile.

— Je sais, mais je te serai reconnaissant de lui recommander de garder à l'avenir ses opinions pour elle-même. Dis-lui simplement que certaines personnes ne reculent pas devant des heures d'ennui entrecoupées d'instants de terreur.

Déconcerté, Brandon ne sut que dire. Puis, avec un haussement d'épaules fataliste, il se leva afin de prendre congé et gratifia Molly d'un sourire courtois.

— Merci pour le café, il était excellent.

— Il n'y a pas de quoi, répondit-elle. Au fait, Brandon, Harry et moi organisons un grand mariage où toute la famille sera invitée. Nous comptons sur Olivia et vous, bien entendu.

— Olivia et moi y assisterons volontiers. Mais à votre place, ajouta-t-il, je ne compterais pas trop sur les autres Stratton – à moins que vous ne garantissiez qu'aucun Trevelyan n'y sera présent.

— Je compte sur la famille au complet, affirma Molly sans se démonter.

Brandon lança un coup d'œil à Harry, qui resta impassible. Ils savaient l'un et l'autre qu'il n'y avait aucun espoir de convaincre les Stratton et les Trevelyan de venir ensemble au mariage. Voilà une évidence dont Molly devrait tôt ou tard finir par s'accommoder.

— Bon, eh bien… il est temps que je m'en aille, dit Brandon en dissimulant son embarras.

Et il se dirigea vers le vestibule d'une démarche notablement plus légère qu'au moment de son arrivée.

18

— Comment sais-tu que Trevelyan ne t'épouse pas pour mettre la main sur l'argent de la fondation ? grommela Gordon Brooke en ramassant ses papiers étalés sur le comptoir. Qu'est-ce qui te permet de l'affirmer, hein ? Il sera ton mari, il prendra toutes les décisions importantes.

— J'ai toujours pris moi-même mes décisions ! Quant à la fondation, je ne la confierai jamais à personne !

Molly était à bout de patience. Il était cinq heures du soir passées, Tessa finissait de préparer une expédition, Harry allait arriver d'un instant à l'autre. Elle avait hâte de se débarrasser de Gordon et de rentrer à la maison.

À la maison...

Avec Harry, Molly se sentait partout chez elle. Harry éprouvait-il avec elle le même sentiment ? Elle l'espérait. Plus qu'aucun homme de sa connaissance, il avait besoin de racines, de la sécurité d'un vrai foyer.

Gordon était arrivé juste avant la fermeture. Pour la énième fois, il avait exposé ses projets d'expansion en expliquant pourquoi la Fondation

Abberwick devait en assurer le financement. Pour la énième fois, Molly lui avait opposé une fin de non-recevoir polie mais ferme, et, pour la énième fois, Gordon s'était fâché. Il semblait aussi incapable de se résoudre aux refus réitérés de Molly qu'à ses fiançailles avec Harry Trevelyan. Ces dernières, d'ailleurs, pour une raison que Molly concevait mal, lui inspiraient un ressentiment encore plus violent, comme si, dans son esprit, elles étaient la cause directe des premiers.

— Nous nous connaissons depuis longtemps, dit-il d'un air ulcéré. Je me tracasse pour ton bien, c'est naturel.

Exaspérée, Molly s'accouda au comptoir.

— Soyons francs ! Ce que tu me demandes en réalité, c'est si je suis sûre de ne pas être tombée avec Harry sur un autre toi-même. Tu crois que je découvrirai un jour pour mon malheur qu'il a lui aussi du goût pour les jeunes et jolies petites serveuses. C'est bien ça, non ?

Gordon piqua un fard.

— Ne déforme pas mes propos, je te prie !

— Je peux te garantir, en tout cas, que Harry n'est pas un autre Gordon Brooke. Et maintenant, plus un mot ! J'en ai assez de t'entendre dénigrer mon fiancé et essayer de semer la mésentente entre nous. Est-ce clair ?

— Bon, si tu le prends comme cela, libre à toi. Le jour où tu t'apercevras que les capitaux de ta chère fondation se sont évanouis dans la nature, ne viens surtout pas me reprocher de ne pas t'avoir ouvert les yeux sur…

— Dehors !

— Sois tranquille, je n'ai pas envie de me faire insulter plus longtemps, dit Gordon d'un air pincé.

Mais si tu avais deux sous de jugeote dans la tête...
Aïe !

Tout en parlant, il s'était éloigné à reculons...
et avait percuté Harry, debout sur le pas de la porte.

Après avoir repris son équilibre, Gordon se
retourna pour identifier l'obstacle imprévu. En le
reconnaissant, il rugit de fureur :

— Qu'est-ce que vous foutez ici, Trevelyan ?

— Je suis le fiancé de Molly, au cas où vous
l'auriez oublié, répondit Harry tranquillement.

— Vous auriez pu vous annoncer avant
d'entrer !

— Cet établissement est ouvert au public et la
porte n'était pas verrouillée. Que faites-vous ici
vous-même ?

Inquiète de la tournure que prenaient les événements, Molly intervint :

— Gordon était justement en train de partir.

— Ah ! ça oui ! grommela Gordon. Je m'en
voudrais de rester une minute de plus.

— Alors, dit Harry, je m'en voudrais de vous
retenir.

Tessa sortit à ce moment-là de l'arrière-boutique :

— Les étiquettes sont faites, les paquets sont
prêts à être expédiés, annonça-t-elle. À demain !

Molly lui lança un coup d'œil pensif.

— Attends une seconde, Tessa. Gordon !

Un pied déjà dans la rue, l'interpellé se retourna
de mauvaise grâce :

— Quoi, encore ?

— Veux-tu un bon conseil ?

— Un bon conseil ? De toi ? demanda-t-il avec
méfiance.

— Oui. Écoute, tes produits sont de première
qualité. Je n'aime pas le café, mais cela ne

m'empêche pas de savoir que les tiens sont parmi les meilleurs qu'on trouve en ville.

— Grande nouvelle ! Et alors ?

— Tes ennuis viennent de ce que tu as monté ta chaîne de bars avec trop de précipitation. Si tu veux sérieusement renflouer tes affaires, tu dois réviser tes techniques de base : marketing, conditionnement, publicité, etc. Comme tu n'y connais rien, il te faut les conseils d'un spécialiste.

— Ah, oui ? ricana Gordon, mi-outragé, mi-intrigué. Et d'après toi, qui me les dispensera, ces sages conseils ?

— Tessa.

Un silence stupéfait salua cette déclaration.

— Tu me demandes de sauver la mise à un concurrent ? s'indigna Tessa. De lui montrer comment faire sa publicité ? Redessiner ses emballages ? Traiter avec ses fournisseurs ? Tu veux faire de moi un faux jeton ? Un traître ?

— Non, intervint Harry. Un consultant.

Impressionnée, Tessa battit des paupières. Son regard croisa celui de Gordon, visiblement désemparé.

— Un consultant ? répéta Tessa en savourant le mot.

— Je n'ai pas les moyens de payer des honoraires aussi somptueux que ceux de certains, déclara Gordon en jetant un regard venimeux en direction de Harry.

— Pas de problème, le rassura Tessa. Je me contenterai d'un pourcentage sur les bénéfices.

— Il n'y en a aucun pour le moment.

— Il y en aura bientôt, affirma-t-elle en adressant un clin d'œil complice à Molly.

Gordon hésita, se dandina d'un pied sur l'autre.

— Ma foi… Si nous en parlions autour d'un cappuccino ?

— Pourquoi pas ? Je n'ai rien à y perdre.

Sur quoi, Tessa empoigna sa besace et partit avec lui.

Quand la porte se fut refermée derrière eux, Harry leva un sourcil interrogateur.

— Faut-il me formaliser de ce soudain élan de compassion envers Gordon Brooke ?

— Je ne l'ai pas fait pour Gordon ! répondit Molly, sincèrement étonnée de sa question. Je l'ai fait pour Tessa.

— Ah, bon ?

— Tessa a un don inné de la vente et de la gestion. Elle pourrait en faire une carrière, mais elle ne s'insérera jamais dans le moule d'une entreprise. Son avenir m'inquiétait. Elle ne peut pas rester mon adjointe jusqu'à la fin de ses jours, il faut donc qu'elle trouve un créneau où ses talents puissent se développer. L'idée m'est venue que les Cafés Gordon Brooke pourraient être une bonne base de départ.

Un éclair amusé brilla dans les yeux de Harry.

— Tu sais ce que je pense ?

— Quoi ?

— Les Abberwick n'ont pas seulement l'esprit curieux, ils sont aussi des bricoleurs impénitents. Pour ta part, tu préfères bricoler les gens plutôt que les objets inanimés.

— Ne parlons plus de Tessa et de Gordon. As-tu des nouvelles de ton détective ?

La lueur amusée s'éteignit dans le regard de Harry.

— Rice m'a téléphoné il y a vingt minutes. Il a trouvé le casseur de voitures et a pris rendez-vous pour moi demain dans la matinée.

— Tu prendras l'avion pour Portland demain matin ?

— À la première heure.

— Bien, je pars avec toi.

— Et ton magasin ?

— Tessa s'en occupera. En cas de besoin, elle se fera aider par une de ses copines du groupe de rock.

Harry réfléchit brièvement.

— D'accord. Il vaudrait mieux, en effet, que tu sois avec moi.

— Tu crois que je pourrai t'être utile ? demanda Molly avec un sourire ravi.

— Non. Cependant, si Kendall a réellement été assassiné par quelqu'un qui cherche à brouiller sa piste, je préfère te savoir là où je peux veiller sur toi.

Molly prit son sac avec une grimace de dépit.

— Ça fait toujours plaisir de se sentir indispensable !

À dix heures, le lendemain matin, Harry et Molly se frayaient un passage entre des montagnes d'épaves tordues et rongées par la rouille. Une clôture grillagée surmontée de barbelés entourait le cimetière automobile. Le temps était à l'unisson du lugubre décor. Le ciel plombé promettait la pluie d'un instant à l'autre, un vent aigre soufflant du Pacifique faisait claquer les manches de Harry comme des voiles et rabattait les cheveux de Molly sur ses yeux.

Le propriétaire des lieux, dont une pancarte délavée à l'entrée annonçait qu'il s'appelait Chuck Maltrose, était un grand et gros homme à la carrure d'haltérophile. Ses jours de gloire athlétique devaient cependant se situer dans un lointain passé, car ses muscles tournés en graisse avaient à jamais perdu l'espoir de retrouver leur tonus.

— C'est celle-là que vous vouliez voir ? demanda-t-il en désignant du pouce une berline Ford bleue en piteux état.

Harry consulta la feuille de papier sur laquelle il avait consigné les renseignements transmis par Fergus Rice.

— C'est celle-là, confirma-t-il.

— Prenez votre temps. Pour cinquante dollars, vous avez le droit de regarder tant que vous voulez, déclara le serviable Chuck.

— Merci, répondit Harry distraitement.

— Prévenez-moi quand vous aurez fini, je retourne au bureau, dit-il en désignant à l'autre bout du terrain une caravane déglinguée montée sur des cales.

— Je n'y manquerai pas.

Fasciné par la carcasse de la Ford, Harry ne pensait déjà plus au ferrailleur. Avant même d'avoir touché l'épave, il sentait quelque chose d'anormal. En dépit de son état, la Ford aurait dû éveiller en lui un écho, un souvenir. À peine quelques jours plus tôt, cette voiture avait frôlé la sienne au bord d'un précipice où elle tentait de le faire basculer. Certes, il n'en avait eu que de brefs aperçus, d'abord dans son rétroviseur puis de profil, quand elle l'avait dépassé, tandis que son attention se concentrait sur sa périlleuse manœuvre. Malgré tout…

— Qu'y a-t-il, Harry ? demanda Molly.

— Je ne sais pas. Rien, peut-être.

— Penser qu'un homme est mort dans ce tas de ferraille, dit-elle en frissonnant. C'est horrible.

Harry garda le silence. Ce n'était pas le trépas

de Wharton Kendall qui le mettait mal à l'aise, plutôt une sensation indéfinissable qui semblait émaner de la carcasse tordue. Et il n'était pas même entré dans une de ses périodes d'intense concentration...

Harry se rendait compte que la partie de son cerveau grâce à laquelle il pratiquait ce qu'il qualifiait pudiquement de *raisonnement logique* devenait hypersensible depuis quelque temps – plus précisément, depuis qu'il faisait l'amour avec Molly. Son imagination échappait-elle à son contrôle ? Était-ce un signe avant-coureur du pire ? Allait-il perdre la raison pour de bon ? Les paroles rassurantes de Molly lui revinrent à l'esprit : *Le seul fait de te demander si tu es fou prouve que tu ne l'es pas*. Il devait s'en tenir là, et rester à l'écart du gouffre et de son fragile pont de verre.

Molly lui effleura le bras.

— Harry... Ça ne va pas ?

— Mais si, ça va ! J'essaie de réfléchir, voilà tout.

Il se détourna volontairement de son regard anxieux et se pencha sur l'épave en se promettant de se faire pardonner plus tard son accès de mauvaise humeur.

Le capot arraché exposait les entrailles de la bête, les portières pendaient pitoyablement, il ne restait plus une vitre intacte. Harry retroussa ses manches.

— Que vas-tu faire ? s'enquit Molly.

— Regarder.

— Tout a été fracassé dans la chute. Si tu découvres une avarie ou une trace de sabotage, comment sauras-tu si elle date d'avant l'accident ?

— Je ne sais même pas si je découvrirai quoi

que ce soit, répondit-il en contemplant la culasse avec perplexité. Pour le moment, je cherche.

La sensation persistait, mais elle ne provenait pas du compartiment moteur. Harry s'en écarta et alla inspecter l'intérieur. Le volant gisait sur le siège du passager, le tableau de bord était distordu sous le Plexiglas craquelé. Harry s'accroupit, posa une main sur la pédale de frein, pesa de tout son poids. La pédale résista.

Molly se pencha près de lui.

— Tu crois que les freins auraient été sabotés ?

— Non, les circuits sont encore intacts.

— Tu es sûr ?

— Autant qu'on puisse l'être dans de telles circonstances.

— Il est vrai que cisailler les tuyaux des freins aurait été un peu trop évident.

— Tu as l'air déçue.

— J'ai vu des vieux films, comme tout le monde.

— Ce genre de sabotage ne marche qu'au cinéma. En réalité, celui qui le commet ne peut absolument pas savoir si les freins lâcheront au bon moment. Or, notre homme – en supposant qu'il existe – ne paraît pas vouloir se fier au hasard pour tuer ses victimes.

— Qu'est-ce qui te le fait penser ?

— Réfléchis, Molly. Il a essayé de nous pousser dans un ravin et de te tuer à coups de pistolet.

— Autrement dit, il favoriserait la manière forte ? La brutalité sans fioritures ?

— Pour tuer, oui. Il fait preuve au contraire de beaucoup de subtilité pour organiser sa machination et se couvrir à l'aide d'un bouc émissaire. Ce qui peut vouloir dire que nous avons affaire à un individu plus doué pour la mise en scène que pour

357

le crime. C'est peut-être la première fois qu'il tue quelqu'un.

Molly ne put refréner un nouveau frisson.

— Comment, dans ces conditions, aurait-il l'expérience de la mise en scène ?

— Peut-être parce qu'il n'avait jusqu'alors pas besoin d'autres moyens pour parvenir à ses fins. Son comportement est celui d'un escroc habile plutôt que d'un tueur endurci.

— Encore heureux !

— Ne le dis pas trop vite.

— Tu as raison… Puisque nous savons qu'il ne s'agit pas d'un accident, ajouta-t-elle, il faut découvrir comment la voiture de Kendall a été sabotée.

— Nous ne savons pas avec certitude s'il s'agit ou non d'un accident. Ce n'est encore qu'une hypothèse de travail.

— Tes hypothèses sont en fait des intuitions, Harry, tu le sais aussi bien que moi.

Harry serra les dents, à la fois irrité et troublé par la conviction de Molly. Pour elle, le doute n'était plus permis : Kendall avait été victime d'un meurtre. Qu'elle soit capable de capter ses intuitions, passe encore ; mais qu'elle s'y fie aussi aveuglément les rendait plus inquiétantes à ses propres yeux.

Se forçant à chasser ces pensées importunes, Harry s'écarta de l'habitacle pour revenir vers l'avant de la voiture. La sensation l'assaillit à nouveau et se fit plus précise quand il posa une main sur l'aile gauche.

Pendant la chute, les rochers de la falaise avaient raclé et arraché la peinture. La tôle nue apparaissait par endroits. Palpant du bout des doigts, il remonta le long de l'aile cabossée et déchirée. À hauteur d'un trou béant qui avait été le logement d'un phare, il se figea.

— Tu as trouvé quelque chose ? demanda Molly.

— De la peinture bleue.

— Qu'y a-t-il d'extraordinaire ? La voiture est bleue.

— Je sais.

De l'ongle, Harry fit sauter un éclat de cette peinture qui le troublait sans qu'il sache pourquoi. Il se concentra sur le fragment d'émail en prenant soin de ne pas y consacrer la totalité de ses capacités d'attention de peur d'en perdre le contrôle. Laisse venir d'elles-mêmes les informations, se dit-il. Réfléchis. Cherche les anomalies.

Et il s'engagea malgré lui sur le pont de verre.

Au même moment, le vent redoubla de force au point de menacer de le précipiter dans le vide. Il vacilla, lutta afin de reprendre son équilibre.

— Harry ?…

La voix de Molly lui parvint de très loin. Intriguée. Douce. Consolante. Inquiète.

Sous ses pieds, le pont de verre frémissait. Il se força à lever les yeux de l'infini obscur qui le fascinait et à regarder devant lui. Sur l'autre rive du gouffre, Molly l'attendait, les bras tendus. Il se remit en marche d'un pas plus assuré, tous les sens en éveil. Autour de lui, le monde paraissait plus clair, plus coloré qu'un instant auparavant. Le ciel n'était plus uniformément gris, mais arborait mille nuances d'ombre et de lumière. Le sourire de Molly était plus éclatant que le soleil, ses yeux verts plus brillants que les plus précieuses des émeraudes.

Entre ses doigts, l'éclat de peinture palpitait.

— Je suis là, Harry…

Il fit presque en courant les derniers pas jusqu'au bout du pont de verre, les bras tendus vers Molly qui s'y précipita, douce, tiède. Vivante. Il n'était plus seul dans le noir absolu au-dessus de l'abîme.

Les yeux clos, il la serra contre lui de toutes ses forces. Le monde retrouva son équilibre et ses couleurs normales, le vent s'apaisa. Le pont de verre et le gouffre s'évanouirent comme s'ils n'avaient jamais existé. Harry rouvrit les yeux. Molly levait vers lui un regard angoissé.

— Harry ? Tout va bien ?

— Oui, tout va bien.

— Tu as une mine à faire peur. Il y a une minute, tu étais brûlant. Les hommes auraient-ils eux aussi des bouffées de chaleur ? ajouta-t-elle en souriant.

Partagé entre sa terreur encore récente et l'envie de rire, il poussa une sorte de grognement. Puis, se sentant encore loin d'avoir repris sa maîtrise de soi, il s'accroupit près de la roue tordue.

— Qu'as-tu découvert sur l'aile ?

— Je te l'ai dit, de la peinture bleue. Mais ce n'est pas la même que celle de cette voiture.

Un instant, Molly resta muette de stupeur.

— Tu veux parler d'une… autre voiture bleue ?

— Oui. Bleu sur bleu, la différence était imperceptible, les policiers ne pouvaient pas la remarquer. Cet éclat de peinture provient sans doute de la Ford bleue qui a tenté de nous pousser dans le ravin. Car je suis maintenant certain que cette voiture-ci n'est pas la même que celle qui nous avait pris en chasse à la sortie d'Icy Crest.

— Deux Ford bleues ? Grand Dieu…

— L'individu est très fort pour la mise en

scène, je te l'ai déjà dit. Il n'en est pas à son coup d'essai.

— Tu n'es pas parvenu à cette conclusion par un de tes raisonnements logiques, n'est-ce pas ? En fait, tu as *senti* sur l'aile la présence d'un élément anormal.

Une intense curiosité brillait dans les yeux de Molly.

— Je suis capable de *voir* une différence de teinte, si minime soit-elle. Je me suis entraîné à observer les détails les plus infimes, c'est pourquoi on s'accorde à me reconnaître des qualités professionnelles, répondit-il avec froideur.

— Ne me raconte pas d'histoires, Harry, encore moins à toi-même ! Au premier coup d'œil sur cette voiture, tu as su que quelque chose clochait. Pourquoi refuses-tu de l'admettre ?

En temps normal, il aurait réagi au harcèlement de Molly par une riposte ironique ou, au pire, agacée. Mais il avait les nerfs encore trop à vif pour se dominer. L'insistance de Molly à invoquer son don de double vue réveilla ses terreurs, contre lesquelles il ne sut opposer qu'une explosion de colère.

— Enfin, bon sang, que diable veux-tu que je te dise ? Que j'ai un sixième sens ? Autant clamer sur les toits que je suis mûr pour la camisole de force !

— Tu n'es pas fou, je te l'ai déjà dit.

— Te prendrais-tu pour une autorité sur la question ?

Molly ne se laissa pas démonter.

— Si tu possèdes un quelconque don paranormal, Harry, tu dois l'accepter une fois pour toutes et t'en accommoder de ton mieux. Il fait partie intégrante de ta personnalité, t'obstiner à en nier l'existence ne te mènera à rien.

— C'est toi qui es cinglée si tu t'imagines que je vais raconter à tout le monde que je jongle avec la perception extrasensorielle ! Les gens qui se vantent de ce genre de choses finissent en général abrutis par des sédatifs – sinon pire, ajouta-t-il en voyant défiler dans sa tête des visions d'asiles psychiatriques et de cellules capitonnées.

— Tu n'as besoin d'admettre la vérité qu'envers toi-même. Et moi, bien entendu ! s'exclama-t-elle en esquissant un sourire. Tu ne peux plus me la cacher.

— Je n'ai rien à admettre !

— Écoute-moi, Harry. Tant que tu continueras à nier la réalité de tes facultés, quelles qu'elles soient, tu ne sauras pas comment les maîtriser. Tu n'espères quand même pas les refouler éternelle-ment !

— On ne peut pas refouler ce qui n'existe pas.

— Tu consacres ta vie à la recherche et à la défense de la vérité, Harry. Reconnais-la quand tu la vois ! Considère ce sixième sens comme tu considères tes réflexes, rien de plus ni de moins qu'une aptitude innée, un talent naturel.

— Qualifier de *naturelles* ces âneries paranor-males ? S'il fallait croire Olivia, tu es plus timbrée que moi !

— Ne sois pas injuste avec Olivia. Elle estime simplement que tu souffres de dépressions récur-rentes et…

— Pas du tout ! Elle me juge mûr pour l'asile de fous, je le sais mieux que toi. Et elle n'a peut-être pas tort…

— Enfin, Harry…

Le ciel s'assombrit à nouveau, le vent fraîchit. Les poings serrés, Harry fit un pas en avant.

— Je ne tolérerai pas un mot de plus sur ces sornettes parapsychiques ! Est-ce clair ? Plus un mot !

Molly posa sur son épaule une main apaisante.

— Je te demande de m'écouter, Harry...

— J'ai dit : l'incident est clos !

Il sentait la chaleur de sa main à travers l'étoffe. Sa colère le déserta d'un coup, laissant derrière elle un grand vide.

— Euh... Je vous dérange ou quoi ?

La masse imposante de Chuck Maltrose apparut dans le champ visuel de Harry. Il prit une profonde inspiration et tourna son attention vers le ferrailleur :

— Nous discutions d'un sujet personnel.

— Ne croyez pas que je sois du genre à me mêler des affaires des autres, mais je ne vous voyais pas revenir et je voulais simplement savoir si vous aviez fini de regarder.

— Oui, monsieur Maltrose, intervint Molly avec son plus beau sourire. M. Trevelyan a terminé son examen de l'épave.

Maltrose coula un regard inquiet à Harry, qui se demanda si son accès de rage se lisait encore dans ses yeux. Il avait besoin d'un peu de temps pour se ressaisir. Quelques secondes lui suffiraient. Une minute, au plus...

Molly avait déjà pris le ferrailleur en charge et l'entraînait vers la sortie en lui parlant de la tempête qui menaçait. Harry les suivit à distance. Quand il les entendit conclure que la pluie ne tarderait plus, il était redevenu lui-même.

— Nous sommes maintenant certains qu'il y a une autre Ford bleue, dit Molly en refermant la portière de la voiture de location. Quel est le programme, Sherlock ?

— J'appellerai Fergus Rice d'une cabine téléphonique, répondit Harry en tournant la clef de contact. Il fera le nécessaire pour alerter la police.

— Il doit y avoir un million de Ford bleues dans les parages.

— Oui, mais, avec un peu de chance, elles n'auront pas toutes une aile ou une portière droite enfoncée.

— Ce n'est quand même pas gagné d'avance… Et puis, je comprends de moins en moins. Quel mobile a pu pousser cet individu à tuer Kendall ? Cela paraît aberrant.

— J'y pensais aussi, dit Harry en s'engageant sur la route. Il doit pourtant y en avoir un.

— Tu sais aussi bien que moi que les mobiles des crimes entrent dans trois grandes catégories : vengeance, passion, cupidité.

— Jusqu'à présent, nous n'envisagions que la vengeance.

— J'ai peine à me croire en butte aux menées criminelles de deux inventeurs frustrés. Un, à la rigueur, mais deux à la fois ? Quant à la passion… Je menais une vie plus que paisible jusqu'à ces derniers temps.

— Il reste donc la cupidité.

— Me tuer ne constitue pas le moyen le plus efficace d'obtenir une subvention de la fondation, observa Molly.

Harry ne répliqua pas. Une hypothèse se formait dans son esprit, qui prenait consistance avec une telle force et une telle clarté qu'il ne s'expliquait pas comment elle lui avait si longtemps échappé.

— Je ne sais plus si c'était au cours de ta dispute d'hier soir avec Gordon Brooke, mais je me souviens de t'avoir entendue dire que tu ne commettrais jamais l'erreur de confier la responsabilité de la fondation à quelqu'un d'autre.

— Je l'ai dit à beaucoup de gens et dans de nombreuses circonstances. À toi aussi, d'ailleurs.

— Que deviendraient les capitaux de la fondation si tu disparaissais ?

— Hein ?

— Tu m'as très bien compris. S'il t'arrivait quoi que ce soit, à Dieu ne plaise, la direction de la Fondation Abberwick reviendrait-elle à ta sœur Kelsey ?

— Pas avant ses vingt-huit ans. J'ai tenu à inclure cette clause dans les statuts afin de ne pas lui imposer cette corvée avant qu'elle ait pu terminer ses études et s'engager dans une carrière valable.

— Dans ce cas, qui serait nommé administrateur par intérim ?

— Tante Venicia.

Harry laissa échapper un léger sifflement.

— J'aurais dû m'en douter depuis le début !

— Où diable veux-tu en venir ? s'indigna Molly. Tu ne vas quand même pas accuser tante Venicia de vouloir me faire assassiner, c'est grotesque ! Elle n'a aucune envie de diriger la fondation, elle en serait d'ailleurs bien incapable.

— Elle, oui. Mais pas l'homme avec lequel elle va se marier.

Bouche bée, Molly le dévisagea avec une incrédulité qui, peu à peu, fit place à une stupeur horrifiée.

— Oh, mon Dieu… Cutter Latteridge !

19

Il fallut une longue minute à Molly pour encaisser le choc de cette révélation.

— Arrête-toi à la première cabine téléphonique, Harry ! s'écria-t-elle. Il faut que j'alerte tante Venicia.

— Du calme, elle ne court aucun danger. Cutter n'est pas encore marié avec elle, l'effrayer ou la brutaliser ne lui servirait à rien. S'il veut mettre la main sur l'argent de la fondation, elle doit rester vivante au moins jusqu'à leur mariage.

— C'est vrai. Encore une chance que Venicia ait tenu à prendre son temps pour organiser une noce à tout casser !… Mais nous, qu'allons-nous faire ?

— Pour le moment, rien. Nous ne disposons pas de l'ombre d'une preuve contre Latteridge. Il faut avant tout réunir des informations sur son compte. S'il n'en est pas à sa première escroquerie, comme je le crois, il doit figurer dans les dossiers de la police et des tribunaux. Je lance immédiatement Fergus Rice sur la piste.

Molly retrouva peu à peu son calme. Avec le retour de sa lucidité, les interrogations affluèrent.

— C'est incroyable ! Comment Latteridge a-t-il pu concevoir et exécuter un scénario aussi tortueux ?

— Il n'en est pas à son coup d'essai, je te l'ai déjà dit. Ce n'est pas du travail d'amateur. Il ne néglige aucun détail – au moins dans la conception et la mise en scène. Car, pour ce qui est de commettre des crimes, son inexpérience est flagrante.

— Remercions-en notre bonne étoile ! soupira Molly.

— Donc, poursuivit Harry sans relever, nous avons affaire à un escroc professionnel. Pour le dénoncer aux autorités, il faut déterrer tout ce qui concerne ses méfaits passés.

— Ce qui m'étonne, intervint Molly, c'est qu'il connaisse la Fondation Abberwick. Seul un inventeur ou une personne familiarisée avec les milieux de l'invention aurait entendu parler de mon père et de la fondation qu'il a voulu créer.

— Exact. Il a peut-être même rencontré ton père ou ton oncle à un moment ou à un autre.

— Je ne crois pas.

— Pourquoi ? J'étais au courant des travaux de ton père bien avant d'avoir fait ta connaissance. Le nom de Jasper Abberwick est connu de la plupart des ingénieurs de production s'intéressant aux applications de la cybernétique.

La pluie qui menaçait survint enfin, de grosses gouttes s'écrasèrent sur le pare-brise. Harry actionna les essuie-glaces et continua à conduire en silence. Molly coulait de temps à autre un regard dans sa direction en s'abstenant de troubler ses réflexions. Elle sentait son intelligence au travail, qui disséquait le problème sous tous les angles.

— Quand Latteridge a-t-il fait son entrée en scène ? demanda-t-il au bout de quelques kilomètres.

— Au printemps dernier, au cours d'une croisière. Je te l'ai déjà dit.

— J'essaie de reconstituer le déroulement des faits.

Le silence retomba.

— Je crois avoir assez d'éléments pour Fergus Rice, dit Harry plusieurs kilomètres plus loin. Cherchons un téléphone.

Une station-service se profila peu après dans la brume. Harry ralentit et stoppa la voiture près d'une rangée de cabines téléphoniques.

— Je n'en ai pas pour longtemps, dit-il en ouvrant sa portière.

À travers la vitre brouillée par la pluie, Molly le suivit des yeux pendant qu'il courait s'enfermer dans une cabine. De temps à autre, elle se sentait assaillie par un sentiment de danger imminent. Au début, elle n'en comprit pas la cause. Certes, elle avait peur pour Venicia et pour elle-même, cependant cette sensation bizarre ne semblait pas naître en elle-même, mais lui parvenir de l'extérieur.

Ce fut seulement en voyant Harry raccrocher qu'elle comprit : elle percevait les échos de son inquiétude sur le sort des deux femmes. Elle les captait de la même manière qu'elle lisait, de plus en plus souvent, dans les pensées de Harry quand ils étaient couchés l'un près de l'autre.

Harry l'arracha à ses réflexions troublantes quand il vint se rasseoir derrière le volant.

— Il tombe des cordes ! dit-il en passant une main dans ses cheveux trempés. Qu'est-ce qui ne va pas ? ajouta-t-il en voyant l'expression de Molly.

Elle s'éclaircit la voix afin de gagner du temps. À quoi bon l'interroger ? S'il avait éprouvé quelque chose, il ne consentirait jamais à l'admettre devant elle.

— Rien. Je suis un peu inquiète, voilà tout.

— On le serait à moins. J'ai eu Rice au téléphone. Je lui ai demandé de fouiller dans le passé de Latteridge. Avec un peu de chance, il aura récolté quelques renseignements préliminaires quand nous serons de retour à Seattle.

— Mais qu'allons-nous faire au sujet de tante Venicia ? On ne peut pas la laisser continuer à fréquenter un assassin !

Harry lui prit la main d'un geste rassurant.

— La mettre en garde dès maintenant contre Latteridge serait vous exposer, elle et toi, à un grave danger. Laisse-moi m'en occuper, Molly.

— Tu finis toujours par jouer ce rôle, soupira-t-elle.

— Lequel ?

— Celui de l'ange gardien, du héros. Ce n'est pas juste. Quelqu'un devrait te protéger, toi aussi.

Il lui lâcha la main. Tout en manœuvrant pour sortir de la station-service, il lui lança un regard perplexe.

— Je n'ai rien d'un héros, grommela-t-il.

— Oh si, crois-moi ! dit-elle en souriant. Je reconnais les héros au premier coup d'œil.

Le voyant du répondeur clignotait furieusement quand Harry pénétra dans son cabinet de travail ce soir-là. Le compteur indiquait trois messages.

— Ta ligne privée, observa Molly. Encore la famille.

— Peut-être pas tous. J'ai aussi donné ce numéro à Fergus Rice.

Il pressa le bouton. Le premier appel était de Josh, qui avait l'air d'excellente humeur :

Harry ? Josh. J'ai pensé que ça te ferait plaisir d'apprendre que grand-père est sorti de l'hôpital ce matin. Il marche avec des béquilles, mais il jure d'être de retour dans les stands au plus tard demain soir.

Le deuxième émanait de Danielle :

Harry, ici ta tante. J'apprends que tu mets Brandon en rapport avec des financiers. Il persiste à ne pas demander de capitaux à la famille, mais j'estime qu'il a tort. Rappelle-moi, je veux t'en parler.

— J'étais sûr qu'elle s'affolerait comme une mère poule qui voit son unique poussin s'éloigner, grommela Harry.

— Que comptes-tu faire ?

— Essayer de lui faire comprendre qu'il serait grand temps de ficher la paix à Brandon.

Le troisième message était celui que Harry espérait :

Harry, Fergus Rice à l'appareil. Rappelez-moi dès votre retour, je crois avoir des nouvelles intéressantes à vous communiquer.

Harry composa aussitôt le numéro. Rice décrocha à la première sonnerie.

— Ici Harry. Qu'avez-vous trouvé, Fergus ?

— Les bonnes nouvelles d'abord. Grâce à vos tuyaux, j'ai eu de la chance dès le départ. J'ai commencé par me renseigner auprès de quelques organismes semblables à la Fondation Abberwick. Cutter Latteridge est le pseudonyme d'un escroc notoire, Clarence Laxton, qui opère depuis cinq ans sous une demi-douzaine de faux noms. Il se

spécialise dans l'arnaque des fondations à vocation charitable. Cela marchait le mieux du monde
jusqu'à ce qu'il se soit fait pincer il y a environ
un an.

— Une condamnation ?

— Non. Il s'est évanoui dans la nature juste
avant d'être appréhendé. Quand la police est arrivée chez lui, tout était nettoyé. Aucun indice,
aucune piste. Cela vous intéressera peut-être
d'apprendre qu'il n'avait jamais fait usage de la
violence jusqu'à présent.

— Je me doutais qu'il manquait d'expérience
dans ce domaine. Je le soupçonne d'avoir eu pour
premier objectif d'obtenir la confiance de Molly.

— Vous voulez dire qu'il lui aurait proposé ses
services d'ingénieur-conseil ?

— Exactement. Ensuite, il l'aurait persuadée de
lui confier la gestion de la fondation. Étant ingénieur de profession et membre de la famille par-
dessus le marché, il croyait avoir toutes les chances
de son côté.

— Le temps d'escamoter les capitaux et de
disparaître, approuva Fergus. Mais, quand Molly
vous a engagé, il a paniqué et s'est rabattu sur une
autre solution…

— Consistant à se débarrasser purement et simplement de Molly, compléta Harry, en utilisant
comme couverture un autre inventeur frustré,
Wharton Kendall.

— C'est tout à fait vraisemblable. Il a la réputation d'être un homme méticuleux. En découvrant
qui vous étiez, il a craint que vous ne le démas-
quiez.

— Vous parliez de bonnes nouvelles, au début.
Il y en a de mauvaises ?

— À vrai dire, je ne sais pas si c'est bon ou

mauvais, cela dépend du point de vue. Latteridge aurait quitté le pays cet après-midi.

— Vous en êtes sûr ?

— Autant qu'on puisse l'être en de telles circonstances. Un individu répondant au signalement de Latteridge est monté à bord du vol British Airways de 14 h 30 à destination de Londres. Il était muni d'un passeport en règle, de plusieurs bagages. Bref, la panoplie du parfait voyageur.

— Un passeport au nom de Latteridge ?

— Oui, selon mes sources à la police. Le malheur, c'est que nous ne pouvons rien faire. Nous ne détenons aucune preuve de manœuvres frauduleuses, encore moins d'assassinat ni même de tentative de meurtre.

Couvrant le combiné d'une main, Harry se tourna vers Molly :

— Latteridge a pris l'avion pour Londres cet après-midi.

— Quoi ? Il est parti ?

— J'en ai l'impression… Que disiez-vous, Fergus ?

— Que l'affaire est terminée, Harry.

— Vous m'avez dit la même chose quand la voiture de Kendall est tombée du haut de la falaise.

— Cette fois, je crois que c'est vrai. Vous connaissez la mentalité des escrocs. Ils préfèrent s'esquiver dès que leurs manigances commencent à sentir le roussi.

— Est-ce que tante Venicia est au courant de son départ ? intervint Molly. Il faut l'appeler tout de suite.

— Non, nous irons la voir, répondit Harry. On n'assène pas de coups pareils par téléphone.

— Oui, soupira Molly. Tu as raison, comme toujours.

— Harry ! fit la voix de Fergus dans l'écouteur. Vous êtes encore là ?

— Oui. Je serais curieux de savoir comment Latteridge s'est douté qu'on était sur sa piste.

— Je ne sais pas. Il surveillait sans doute de très près vos déplacements et votre soudaine expédition dans l'Oregon a dû lui mettre la puce à l'oreille. Et puis, il a toujours réussi à disparaître avant d'être pris. Voulez-vous davantage de détails ?

— Bien sûr, répondit Harry en se munissant d'un stylo. Dites-moi tout ce que vous savez, j'en prends note.

La visite à Venicia fut pour Molly l'une des plus rudes épreuves qu'elle ait eu à affronter. Sans la présence réconfortante de Harry près d'elle, elle n'aurait pas eu le courage d'apprendre à Venicia, dans son salon fraîchement redécoré en mauve et en vert, que Cutter Latteridge était parti sans esprit de retour.

Chez Venicia, la colère et l'incrédulité firent place à l'accablement et aux larmes. Molly pleura aussi puis, quand elle fut hors d'état de poursuivre, Harry prit le relais.

— Mais, je ne comprends pas ! s'exclama Venicia en se tamponnant les yeux avec un mouchoir en papier. C'était un homme à son aise. Sa belle maison de Mercer Island…

— Il s'en est emparé par des manœuvres frauduleuses si bien élaborées, à l'aide de crédits fictifs sur une banque de la côte est, que la banque d'ici et l'agent immobilier sont encore en train d'essayer d'en démêler l'écheveau.

— Et son yacht ?

— Même procédé. Le vendeur s'arrache les cheveux pour réussir à prouver qu'il a été escroqué.

— Je ne sais plus que dire… Un homme si poli, si aimable… Un vrai gentleman.

— Les bonnes manières et le charme sont indispensables à l'exercice de ce coupable métier, lui fit observer Harry.

— Je ne suis qu'une vieille idiote, n'est-ce pas ? dit Venicia en adressant à Molly un regard à fendre l'âme.

— Non, tante Venicia, répondit Molly qui la prit dans ses bras. Tu n'es pas vieille et tu n'as jamais été une idiote. Ce Cutter ou ce Clarence, ou Dieu sait quoi encore, nous a tous honteusement roulés.

— Comme il en a abusé beaucoup d'autres, ajouta Harry. C'est un spécialiste de l'escroquerie.

— C'est surtout dans l'art de faire souffrir qu'il s'y connaît ! déclara Venicia. Que faire s'il revenait ? Vous affirmez qu'il est dangereux.

Molly consulta Harry du regard.

— Il ne se montrera probablement pas à Seattle d'ici longtemps, je doute même qu'il ose y revenir un jour. C'est avant tout un filou, pas un assassin. Il doit se fondre dans l'anonymat pour accomplir ses méfaits. Il va donc faire oublier jusqu'à l'existence de Cutter Latteridge afin de mieux tromper ses nouvelles victimes, qu'il choisira le plus loin possible d'ici.

Venicia se tassa tristement dans son fauteuil design.

— Je comprends maintenant pourquoi il insistait pour avancer la date de notre mariage. Il se prétendait trop amoureux de moi pour attendre…

— C'est en partie ma faute, dit Harry. Il se sentait sans doute sur le point d'être démasqué.

— Et moi qui devais aller au dernier essayage de ma robe, gémit Venicia avec un soupir qui se termina par un sanglot. Elle est si belle – et elle coûte une fortune. Ah ! Je viens d'avoir une idée, ajouta-t-elle.

— Laquelle, tante Venicia ?

Au bout de trente ans de mariage avec un inventeur, une femme ne peut se laisser longtemps abattre par l'adversité. Venicia en apporta la preuve en arborant sans transition un sourire radieux :

— Je dirai de la mettre à ta taille, ma chérie !

Dix jours plus tard, Molly était à la boutique en train de peser des doses de safran lorsqu'une jeune femme en jean, gilet de cuir noir et ceinture cloutée entra. Ses cheveux courts, hérissés en épis, semblaient avoir été teints à l'encre de Chine et un lacis de tatouages variés recouvrait ses bras nus. Elle marqua un temps d'arrêt sur le pas de la porte et s'approcha en hésitant.

— Vous êtes Molly Abberwick ?

— Oui, répondit Molly en souriant. Vous désirez ?

— Je suis Héloïse Stickley. Salut, Tessa ! s'exclama-t-elle en voyant son amie sortir de l'arrière-boutique.

— Ah ! Te voilà, Héloïse ! répliqua Tessa. Molly, c'est l'amie dont je te parlais, l'inventeur. Tu sais, celle qui tient la guitare basse dans notre groupe, Ruby Sweat.

— Celle qui veut demander une subvention à la fondation ? s'enquit Molly sans enthousiasme.

— Elle-même. As-tu apporté tes croquis et tes notes ? questionna Tessa.

Héloïse acquiesça d'un signe.

— Je vous promets de ne pas vous faire perdre trop de temps, dit-elle à Molly d'un air contrit.

— Il s'agit d'un appareil de mesure des ondes paranormales du cerveau, n'est-ce pas ?

— J'ai découvert quelque chose de passionnant, je vous assure, répondit Héloïse en s'animant. Si vous pouviez m'accorder quelques minutes, que je vous expose ma théorie, je vous en serais sincèrement reconnaissante. Personne ne veut m'écouter, ajouta-t-elle piteusement.

Molly poussa un soupir résigné.

— Bon, allons dans mon bureau.

Sourire aux lèvres, Héloïse la suivit avec empressement.

Le lendemain, vers trois heures de l'après-midi, Harry eut la vague impression d'une anomalie dans son environnement. Non sans peine, il se détourna des notes préparatoires à son exposé sur les travaux de François Arago et regarda autour de lui. Tout lui parut normal, familier. Il lui fallut un moment pour prendre conscience de ce qui l'avait troublé.

Son téléphone privé n'avait pas sonné de la journée.

Ce matin-là, prévoyant de s'absorber dans son étude, il avait branché sa ligne professionnelle sur le répondeur et coupé la sonnerie afin de ne pas être distrait par les appels éventuels. Mais il n'avait pas fait de même avec sa ligne privée. Nul n'ignorait dans sa famille que, lorsqu'il restait chez lui, Harry était disponible à tout moment.

Or, la ligne privée n'avait pas sonné une seule fois depuis le matin, événement à tout le moins inhabituel. Harry ne se souvenait même pas d'avoir passé une journée entière sans recevoir au minimum un appel de l'un ou l'autre clan.

Le calme n'était pourtant pas revenu par miracle. Du côté Stratton, Danielle se rongeait toujours les sangs au sujet de Brandon et de sa décision de faire appel à des capitaux extérieurs pour financer son entreprise. Parker fulminait autant – sinon plus que jamais – et exigeait un droit de regard sur les activités de son petit-fils. Brandon s'efforçait par tous les moyens de se libérer de l'emprise étouffante de son grand-père. Gilford accusait Harry à mots à peine voilés de provoquer la fureur de Parker à seule fin de hâter sa mort. Quant à Olivia, elle insinuait que Harry et Molly seraient bien avisés de consulter des conseillers matrimoniaux avant de se lancer dans une aventure conjugale vouée à la catastrophe. La veille encore, elle avait appelé Harry, lui indiquant les noms de psychologues spécialisés.

L'atmosphère n'était pas moins fiévreuse chez les Trevelyan. Évangéline faisait le siège de Harry pour qu'il participe au financement d'une attraction inédite, censée dégager des bénéfices considérables. Josh communiquait régulièrement les bulletins de santé de Léon. Raleigh laissait entendre que ses finances se trouvaient une fois encore au plus bas, alors même que la naissance du bébé était imminente.

Le doute n'était donc pas permis : à un moment ou à un autre, la ligne privée aurait dû sonner.

Les doigts joints, Harry réfléchit au silence de l'appareil. Son regard se posa sur le fil qui retombait du bureau, puis en suivit le parcours jusqu'à l'endroit où il disparaissait derrière une chaise. Un instant plus tard, Harry se levait, poussait ledit siège et constatait que le fil reposait sur le parquet.

Il était absolument sûr de ne pas avoir débranché la prise par erreur, de même qu'il était certain que, si Ginny l'avait fait en passant l'aspirateur, elle se serait empressée de rétablir le contact.

Ce qui réduisait le champ des hypothèses…

Harry rebrancha la prise, revint s'asseoir à son bureau, composa le numéro de sa ligne profession-nelle et attendit le message enregistré sur le répon-deur. Il ne s'étonna pas outre mesure d'entendre alors la voix de Molly au lieu de la sienne :

Vous êtes chez le Dr Harry Stratton Trevelyan. Si vous l'appelez pour une raison professionnelle, veuillez laisser un message après le top sonore, il vous rappellera dès que possible. Si vous êtes un membre de l'une ou l'autre branche de sa famille et que vous appeliez ce numéro faute de pouvoir le joindre sur sa ligne privée, composez immédiate-ment le numéro qui suit. Vous y prendrez connais-sance d'informations urgentes, vitales pour votre avenir à court et à long terme.

Harry écouta le numéro indiqué par Molly en guise de conclusion et reconnut, toujours sans sur-prise excessive, celui de l'Abberwick Tea & Spice Co.

Molly avait donc trouvé le moyen de dérouter les appels de sa famille…

Harry s'absorba un long moment dans ses réflexions avant de penser à raccrocher. Une chose était sûre, en tout cas : avec la fille d'un inventeur de génie, son existence ne risquait pas de sombrer dans la monotonie.

Le téléphone sonnait avec insistance dans son bureau, mais Molly finit de servir sa cliente, une romancière des environs de Seattle, qui venait régulièrement s'approvisionner d'un mélange spécialement composé pour elle.

— Voilà, Jayne Ann, dit Molly en lui tendant son paquet de thé. Au mois prochain, comme d'habitude ?

— Sans faute ! Je suis incapable de m'asseoir devant mon ordinateur sans une théière de votre délicieuse mixture.

Tessa passa la tête par la porte du bureau.

— Molly, c'est pour toi !

— J'arrive !

Elle prit le combiné que lui tendait Tessa.

— Molly Abberwick à l'appareil.

Il y eut un silence à l'autre bout de la ligne.

— Molly ? s'exclama Olivia avec indignation. Que signifie cette plaisanterie ? Où est Harry ?

— Il est très occupé pour le moment.

— Passez-le-moi immédiatement !

— Désolée, Harry est indisponible.

Perchée sur le bord de son bureau, Molly balançait distraitement une jambe. Cet appel était le quatrième depuis qu'elle avait débranché la ligne privée de Harry et substitué son message à celui du répondeur de la ligne professionnelle. Son stratagème fonctionnait à merveille : elle avait déjà eu Brandon, Évangéline et Danielle. La nouvelle s'étant répandue dans les deux clans, les autres suivraient à coup sûr.

— C'est grotesque ! fulmina Olivia. Allez-vous m'expliquer ?…

— Je vais vous répéter ce que j'ai dit à ceux qui m'ont déjà appelée. Je fais cela pour donner aux Stratton comme aux Trevelyan un avant-goût du pouvoir que j'exercerai après mon mariage avec Harry.

— Du… *pouvoir* ?

— Oui. Quand je serai sa femme, je serai en mesure de contrôler et de limiter les appels intempestifs que Harry doit subir à longueur de temps.

— Si c'est une plaisanterie, elle est de mauvais goût !

— Je ne plaisante pas le moins du monde. Aujourd'hui, je me contente de compliquer un peu les communications avec Harry. Si mes exigences ne sont pas satisfaites, cela pourra devenir bien pire. Je n'hésiterai pas à faire en sorte que personne ne puisse plus le joindre.

— Avez-vous perdu la raison ?

— Question amusante venant d'une personne pratiquant votre profession ! Non, je n'ai pas perdu la raison, je suis simplement déterminée à obtenir ce que je veux. Sachez donc que, si les Stratton et les Trevelyan refusent de souscrire à mes conditions, je leur interdirai à l'avenir tout contact avec mon mari.

— Je n'y comprends rien ! s'écria Olivia, manifestement désarçonnée. Que signifie ce charabia ?

— Vous le saurez quand j'aurai présenté mes desiderata aux Stratton et aux Trevelyan demain à midi. Tout deviendra alors parfaitement clair, je vous le garantis.

— Harry entendra parler de cette indigne comédie ! clama Olivia d'un ton menaçant.

— Pas si vous désirez continuer, les uns et les

autres, à abuser de son temps, répliqua Molly avec suavité. Je vous exposerai mes conditions demain. Midi précis au restaurant végétarien à côté de mon magasin. Soyez tous présents à l'heure, sinon vous vous en mordrez les doigts.

Et Molly raccrocha sans laisser à Olivia le temps de lui conseiller de courir chez un psychiatre.

20

Les Stratton arrivèrent les premiers.

Du bout de la longue table, dressée à sa demande dans une salle privée du restaurant végétarien à la mode, Molly vit entrer leur délégation, que menait Danielle avec la dignité hautaine d'une reine outragée.

— C'est un scandale ! déclara celle-ci en guise d'avant-propos.

Molly la salua d'un signe de tête :

— Bonjour, madame Hughes. Ravie que vous ayez pu venir.

— Votre grossièreté au téléphone était inqualifiable, mademoiselle Abberwick. Vous ne manquez pas d'audace : nous soumettre à ce chantage éhonté !

— Le mot chantage est fort exact, approuva Molly.

Elle devina sans peine Parker et son fils Gilford dans les deux hommes qui suivaient Danielle. Outre leur expression identique de rage froide, leurs âges respectifs et leur ressemblance les identifiaient aussi sûrement que des empreintes digitales. Brandon et Olivia fermaient la marche avec circonspection.

— Bonjour à tous, dit Molly en désignant les sièges alignés du côté gauche de la table. Veuillez vous asseoir.

Parker fronça ses sourcils blancs, qui formèrent au-dessus de son nez aquilin une épaisse ligne continue.

— Nous savons qui vous êtes. Je suis Parker Stratton.

— En effet, nous nous sommes parlé ce matin au téléphone, répondit Molly avec un sourire aimable. Vous désiriez savoir, je crois, ce que j'avais derrière la tête.

— Alors, écoutez-moi bien, jeune fille ! J'ai mieux à faire que de perdre mon temps à vos petits jeux stupides. J'ignore où vous voulez en venir, mais si c'est de l'argent que vous essayez de nous extorquer, vous pouvez…

— Il ne s'agit pas de cela, grand-père, l'interrompit Brandon sans élever la voix. J'ignore moi aussi ce que Mlle Abberwick veut obtenir de nous, mais ce n'est pas de l'argent. Elle en possède largement assez.

— Je vais vous dire, moi, de quoi il s'agit, déclara Olivia en se postant derrière une chaise. Il n'est question que de pouvoir et de manipulation, n'est-ce pas, Molly ? Parce que vous allez épouser Harry, vous vous croyez permis de nous faire faire vos quatre volontés.

Les mains crispées sur le dossier de sa chaise, Molly parvint à garder le sourire.

— Asseyez-vous donc, Olivia. Si cela vous amuse, vous me psychanalyserez plus tard tant que vous voudrez. Mais, de grâce, ne m'envoyez pas de note d'honoraires.

— Personne ne peut se vanter de manipuler un Stratton, énonça Gilford sur le ton de l'évidence. Je suis un homme très occupé, mademoiselle Abberwick. Je suis venu ici parce que vous prétendiez qu'il s'agissait d'une sorte de crise familiale. Je vous accorde cinq minutes pour m'en convaincre, pas une de plus.

— Prenez place, monsieur Stratton. Je vous expliquerai tout en temps voulu.

Danielle ouvrit la bouche pour protester et la referma en découvrant sur le pas de la porte un groupe de nouveaux venus, qu'elle contempla avec une incrédulité horrifiée.

— Grand Dieu ! s'exclama-t-elle. Comment osent-ils ?

Parker se retourna afin de voir ce qui provoquait l'alarme de sa fille et devint écarlate de fureur.

— Qu'est-ce que ces gens-là viennent faire ici ? demanda-t-il.

Molly constata avec satisfaction qu'elle avait réussi à mobiliser un assez bon contingent de Trevelyan. Bien entendu, Josh avait accepté sans hésiter. Mais elle n'avait pas osé espérer la présence simultanée d'Évangéline et de Raleigh qui flanquaient Léon, appuyé sur ses béquilles.

Aussi sculpturale et imposante en tailleur que drapée dans ses oripeaux bariolés de pythonisse, Évangéline balaya le commando Stratton d'un regard courroucé qu'elle posa ensuite sur Molly.

— Vous ne m'aviez pas avertie qu'*ils* seraient là !

— Il y a beaucoup de choses que je n'ai pas encore eu le temps d'expliquer. Asseyez-vous, dit-elle en désignant les sièges du côté droit, vous saurez bientôt tout.

Congestionné comme s'il était sur le point

d'exploser ou de périr d'apoplexie, Parker s'apprêta à sortir.

— Je préfère être pendu que de m'asseoir en face de ce ramassis de va-nu-pieds, de pitres et de voleurs de poules !

Léon sursauta sous l'injure et brandit une béquille en travers de la porte pour barrer le passage à Parker.

— Pas question de vous défiler, vieux fils de pute ! Si les va-nu-pieds de Trevelyan sont venus voir de quoi il retournait, votre bande de foutus pisse-froid prétentieux de Stratton en fera autant !

— Pisse-froid ? rugit Parker. Qui donc traitez-vous de pisse-froid, espèce de saligaud ?

— Suffit ! ordonna Molly en tapant à coups de fourchette sur le verre placé devant elle. Asseyez-vous tous ! Je me moque que vous mangiez ou non le déjeuner que j'ai commandé et payé, mais vous allez m'écouter. Sinon, aucun d'entre vous ne pourra jamais plus entrer en contact avec Harry.

Réunis par la même indignation, les Stratton et les Trevelyan firent front commun contre elle.

— Je ne vois pas ce qui vous permet d'agiter une menace aussi ridicule, déclara Danielle. Harry est un Stratton, personne ne pourra nous empêcher de lui parler où et quand nous le voudrons.

— Moi, je peux ! répliqua Molly. Je vous l'ai prouvé hier en débranchant sa ligne privée et ce n'était encore qu'un jeu d'enfant. Je dispose de ressources illimitées pour vous interdire tout contact avec Harry si bon me semble. Et maintenant, asseyez-vous. Tous, sans exception !

En maugréant et sans un regard pour leurs voisins d'en face, les ennemis irréductibles prirent place de chaque côté de la table. Restée debout, Molly passa en revue leurs visages unanimement empourprés par la colère. Seul celui de Josh exprimait une attention amusée.

— Merci, dit-elle dans le silence enfin revenu.

— Venez-en au fait, grommela Léon.

— Fort bien. J'ai deux exigences à vous présenter. Si elles sont toutes deux satisfaites, je rétablirai vos contacts avec Harry. Je me réserve toutefois la possibilité de les limiter si j'estime que vous en abusez à l'avenir, néanmoins je ne les supprimerai pas comme je le fais depuis hier.

— Qu'est-ce qui vous fait croire que nous mourons tous d'envie de communiquer avec Harry ? ricana Parker.

Molly lâcha le dossier de sa chaise et commença à faire à pas lents le tour de la longue table.

— Le fait que vous soyez venus me permet de le penser. Harry occupe une place importante, je dirais même vitale, dans votre vie à tous, tant Stratton que Trevelyan. Parce que vous avez tous de bonnes raisons de l'exploiter.

— Que voulez-vous insinuer ? demanda Olivia.

— Revenons à l'époque du retour de Harry à Seattle qui remonte, si je ne me trompe, à environ sept ans. Harry avait perdu ses parents moins d'un an auparavant. Il n'avait ni frères ni sœurs, il n'était pas marié. De fait, étant seul au monde, il cherchait à retrouver ses proches.

— Faux, déclara Gilford. Il est venu à Seattle parce qu'il avait reçu une bourse pour entreprendre des recherches à l'université du Washington.

— Non, répliqua Molly. La bourse dont Harry était bénéficiaire ne stipulait aucune université en particulier. Il aurait pu choisir d'autres établissements plus prestigieux. Il est revenu ici parce qu'il y avait ses racines. Les Stratton vivaient à Seattle depuis trois générations et les Trevelyan s'étaient fixés dans l'État du Washington depuis plusieurs décennies.

Olivia pianotait distraitement sur la table.

— Harry m'a dit une fois qu'il était resté ici après la fin de ses études parce qu'il se plaisait à Seattle, qu'il y avait noué des contacts utiles et qu'il pourrait s'y établir professionnellement avec de bonnes chances de succès.

— Il aurait aussi bien réussi ailleurs, rétorqua Molly. Non, s'il s'est fixé ici, c'était afin de se ménager une place au sein de ses deux familles.

— Une place ? protesta Parker. Il n'a pas mâché ses mots pour me signifier qu'il ne voulait pas entendre parler des Stratton ni de l'héritage auquel il aurait eu droit.

— C'est inexact, objecta Molly. Il ne refusait des Stratton que leur argent.

— C'est la même chose, grommela Parker.

— Non, monsieur Stratton, ce n'est pas la même chose dans l'esprit de Harry, du moins.

Parvenue au bout de la table, Molly commença à la remonter du côté Trevelyan.

— Le refus de Harry de s'intégrer à notre entreprise revenait à nous déclarer qu'il se considérait plus Trevelyan que Stratton, précisa Gilford.

— Mais il est un Trevelyan plus qu'un Stratton ! déclara Évangéline d'un ton triomphant.

— Fichtre oui ! renchérit Raleigh. Il a nos réflexes. Et ma grand-mère disait qu'il avait aussi reçu le Don.

— Pour l'amour du ciel, intervint Olivia avec une moue dégoûtée, soyons sérieux ! Harry n'a pas de facultés paranormales, il souffre simplement de troubles psychologiques.

Pour la première fois, Évangéline daigna darder sur elle un regard à frigorifier un Esquimau.

— Que vous refusiez de croire à ce genre de choses ne veut pas dire qu'elles n'existent pas.

— Je ne crois sûrement pas à ces balivernes ! riposta Olivia. Aucune personne intelligente ne peut y ajouter foi, y compris Harry lui-même.

— Dites donc, vous !... commença Léon.

— Assez ! l'interrompit Molly. Que Harry possède ou non des facultés paranormales n'a rien à voir avec ce qui nous occupe. Harry vit à Seattle afin de rester proche des deux branches de sa famille. Parce qu'il veut obtenir d'elles ce à quoi ses parents ont toujours aspiré sans jamais y parvenir : la fin de leur guerre civile.

— Ce sont les Stratton qui l'ont déclarée, affirma Léon en décochant à Parker un regard incendiaire.

Parker sursauta.

— Quoi ? fit-il d'une voix étranglée par l'indignation. Espèce de vieux débris, de propre à rien, de...

Molly le fit taire d'un impérieux coup de fourchette sur le verre de Josh :

— Je n'avais pas fini de parler !

Le silence revint, malaisé.

— Merci. Et maintenant, reprenons : dans son désir de trouver sa place au sein de sa famille, Harry vous a tous laissés, les uns et les autres, abuser de sa bonne volonté.

— Voudriez-vous insinuer, demanda Danielle, que nous sommes des profiteurs et des égoïstes ?

Molly la gratifia d'un sourire approbateur.

— Oui, madame Hughes. Mais je ne l'insinue pas, je l'affirme.

Danielle en resta bouche bée avant de rougir de colère.

— Vos injures sont intolérables, mademoiselle Abberwick !

— Nous, exploiter Harry ? lança Évangéline avec une égale indignation. C'est une calomnie pure et simple !

— Ce n'est que la stricte vérité, déclara Molly. Vous l'exploitez tous d'une manière ou d'une autre.

— Harry est un Trevelyan ! fulmina Évangéline. Il a des responsabilités envers sa famille.

— Sa mère était ma sœur, ce qui fait de lui un Stratton, ne l'oubliez pas ! tonna Gilford en fusillant Évangéline du regard. Il n'a de responsabilités qu'envers nous, non pas envers les parasites que vous êtes, vous autres Trevelyan !

Léon se souleva sur son siège en rugissant :

— Dites donc, espèce de minable, Harry ne vous doit rien ! Vous entendez ? Rien !

— Rasseyez-vous, Léon ! ordonna Molly. Et taisez-vous tous. Maintenant, écoutez-moi. Je vis avec Harry depuis assez longtemps pour avoir entendu les messages que vous laissez sur son répondeur. Au moins deux ou trois par jour.

— Et alors ? s'enquit Gilford d'un air de défi.

— Alors, il m'a résumé certaines de vos requêtes, et je n'ai pas pu m'empêcher de vous entendre pleurnicher dans son gilet en lui exposant vos problèmes…

— Pleurnicher ? l'interrompit Gilford, scandalisé.

— Oui, j'ai bien dit pleurnicher, confirma Molly. Et je me suis alors rendu compte que vous tous qui harcelez Harry avez un point commun.

Sur quoi, Molly marqua une pause.

— Vous allez, je suppose, nous apprendre quel

est ce fameux point commun ? demanda Olivia au bout d'un instant.

— Le voici : les Stratton et les Trevelyan ont en commun de ne s'adresser à Harry qu'à seule fin de lui demander, sinon de lui soutirer, quelque chose.

Un nouveau silence, incrédule cette fois, salua la déclaration de Molly.

Mais le calme ne dura pas. La tempête de protestations qui s'ensuivit rendait impossible toute conversation sensée. Interjections indignées et épithètes malsonnantes s'entrecroisaient dans un vacarme assourdissant. Josh était le seul à ne pas avoir bondi sur ses pieds en braillant à pleins poumons. Détendu sur sa chaise avec la grâce nonchalante des Trevelyan du sexe masculin, il fit à Molly un sourire complice auquel elle répondit par un clin d'œil.

Lorsque, au bout de longues minutes, l'explosion initiale eut fait place à un simple tohu-bohu, Molly ramena le calme en tapant à nouveau sur un verre.

— Vous avez eu votre petite récréation, dit-elle d'un ton sévère. À présent, rasseyez-vous. Sinon, je m'en irai et je ne répondrai plus de rien.

Sur un dernier concert de grommellements étouffés, les Stratton et les Trevelyan reprirent leurs sièges.

— Pour ceux d'entre vous qui douteraient encore de mon interprétation des faits, je me ferai une joie d'énumérer les diverses manières dont vous abusez des bonnes dispositions de Harry. Commencerons-nous par les Trevelyan ?

— Bonne idée, gronda Parker. C'est un ramassis de filous, de bons à rien et de saltimbanques sans foi ni loi qui vendraient leur propre mère.

Écumant de fureur, Léon se dressa sur ses béquilles.

— Espèce de !...

— Assis, Léon ! Et vous, n'envenimez pas les choses à plaisir, ajouta Molly à l'adresse de Parker. Commençons donc par les Trevelyan. Évangéline, vers qui vous êtes-vous tournée il y a quatre ans pour financer votre Palais des Glaces ?

— Mais... il s'agissait d'un investissement ! se récria Évangéline sur le ton de l'innocence outragée.

— Un investissement que vous n'auriez pas pu réaliser sans la généreuse contribution de Harry. Pour ne pas faire de jaloux, passons au côté Stratton. Brandon, de qui avez-vous sollicité le concours et les relations pour lancer votre nouvelle affaire de gestion immobilière ?

— Cela n'a rien à voir, protesta Brandon. J'avais juste besoin de prendre contact avec des financiers...

— Dont Harry vous a fourni les noms, compléta Molly. Revenons aux Trevelyan. Qui a payé votre camion, Léon ?

Les yeux de Léon lancèrent des éclairs :

— C'est une affaire entre Harry et moi, bon Dieu !

— C'est bien ce que je disais, Harry en a encore fait les frais. Au tour des Stratton, maintenant. Gilford, à qui avez-vous demandé d'intervenir auprès de votre père pour le décider à engager Stratton Properties dans les nouveaux lotissements industriels de l'Eastside ?

Gilford eut un haut-le-corps.

— Comment l'avez-vous appris ? Il s'agit d'informations confidentielles, que diable !

— Harry l'a mentionné en passant, au cours d'une conversation, répondit Molly avec calme.

— Je toucherai deux mots à Harry du respect des secrets de famille, déclara Danielle, ulcérée.

— C'est un peu tard, j'en ai peur. Que cela vous plaise ou non, Harry me considère d'ores et déjà comme un membre de la famille, ce qui veut dire que vous devrez vous aussi vous accoutumer à cette idée.

Ces propos furent accueillis par un silence pesant. Les Stratton et les Trevelyan se fusillèrent mutuellement du regard, puis s'accordèrent à reporter leur hostilité sur Molly.

— Puisqu'il est question d'informations confidentielles et de secrets de famille, reprit celle-ci, le moment me semble opportun de vous rappeler, madame Hughes, à quel point vous avez compté sur Harry au cours de ces dernières années.

— Moi ? s'exclama Danielle, indignée. Je suis sa tante ! J'ai le droit d'entretenir mon neveu de certains problèmes.

— Afin qu'il les résolve à votre place, enchaîna Molly, imperturbable. Vous n'avez sûrement pas oublié comment vous avez sollicité ses conseils et son intercession quand vous vous inquiétiez des projets de Brandon.

— Je ne vois pas l'intérêt d'aborder ce sujet, répondit Danielle en lançant à son père un regard embarrassé.

— À votre aise. Peut-être pourrions-nous alors évoquer la commodité d'avoir Harry sous la main quand l'argent se fait rare ? poursuivit Molly en se tournant vers Raleigh.

L'intéressé ne put retenir une grimace de dépit.

— Ça va, j'ai compris, bredouilla-t-il.

— Je crois que nous avons tous compris, intervint Parker avec une lassitude résignée. Nous voyons où vous voulez en venir, mademoiselle Abberwick. En résumé, vous estimez que Harry est exploité par les deux branches de sa famille, qui abusent sans scrupules de sa bonne volonté.

— Ce n'est pas tout à fait aussi simple, le corrigea Molly. Je crois que Harry se laisse volontairement exploiter parce que, au fond de lui-même, il a toujours voulu maintenir des liens étroits avec ses proches et n'a pas trouvé d'autre moyen de s'intégrer dans leur existence.

— C'est faux ! protesta Danielle. Nous avons toujours souhaité, au contraire, que Harry assume son rôle et ses responsabilités légitimes au sein de notre famille.

— Vraiment ? Harry ne l'a pas compris de cette manière, en tout cas. Dans la haine absurde que se vouent vos deux clans, vous avez toujours voulu lui imposer de prendre parti pour les uns ou contre les autres.

— Vos propos sont excessifs ! s'exclama Olivia.

— Vous êtes coupables, poursuivit Molly sans relever, de le contraindre à se déclarer soit un Stratton, soit un Trevelyan. Et, puisqu'il refuse de renier l'une ou l'autre moitié de son hérédité, vous cherchez à l'en punir chacun de votre côté.

— Cette opinion n'engage que vous, mademoiselle Abberwick, lui fit observer Parker. La personnalité de Harry comporte un autre aspect que vous paraissez ignorer. Quand il veut obliger l'un de nous à en passer par ses quatre volontés, il n'est pas précisément un enfant de chœur.

— C'est le moins qu'on puisse dire, bougonna Léon. Par moments, Harry se conduit comme un vrai voyou.

— Mon père et Léon ont raison, commenta Gilford d'un air ironique. Harry n'a jamais hésité à manier le chantage et la menace pour parvenir à ses fins.

— Je n'en doute pas un instant, répondit Molly avec un sourire approbateur. Il tient ce trait de caractère des deux côtés de sa famille, j'en ai peur.

— Qu'est-ce que vous insinuez ? demanda Évangéline.

— Je veux dire que Harry peut se montrer aussi dur que vous l'y contraignez. Après tout, il est moitié Stratton, moitié Trevelyan, n'est-ce pas ? Le malheur, c'est qu'aucun d'entre vous ne fait l'effort de le comprendre.

Olivia intervint d'un air supérieurement dégoûté.

— Votre zèle vous amène à proférer des âneries, Molly. Je comprends fort bien Harry, croyez-moi.

— Non, laissa tomber Molly, vous en êtes incapable.

— Vous oubliez que ma profession...

— C'est votre problème. Sans vous offenser, Olivia, vous êtes bornée. Votre profession vous donne des œillères qui vous font considérer le comportement des gens dans la perspective exclusive de certaines théories.

— Une perspective fondée sur des années de recherches et d'études scientifiques ! protesta Olivia.

— Vous avez voulu analyser Harry à l'aide de techniques conventionnelles, sans comprendre qu'elles ne pouvaient pas s'appliquer à lui. Je m'abstiendrai de m'étendre sur ce sujet, mais je vous prie de me croire quand je vous affirme que Harry est différent des autres hommes.

Olivia laissa échapper un ricanement dédaigneux.

— Cette affirmation ridicule démontre avec éclat votre ignorance et votre naïveté. Vous n'avez aucune expérience de la psychologie clinique, Molly. Votre affection pour Harry vous aveugle et vous prenez vos désirs pour des réalités, un point c'est tout.

— Puisque tu parles de désirs et de réalités, Olivia, intervint Brandon d'un ton sec, j'aimerais que tu cesses de disserter sur les problèmes psychologiques de Harry. Je lui ai plus ou moins promis de te dissuader de le psychanalyser à tout bout de champ.

Olivia piqua un fard.

— Que veux-tu dire ?

— Que cela l'agace, et je serais le dernier à le lui reprocher. Tu sais quoi ? Molly a raison. Harry m'a rendu un service inestimable, je ne peux pas faire moins qu'essayer de mettre fin à ton harcèlement. Quoi que tu penses ou que tu dises de lui, Harry n'a rien d'un imbécile. S'il estime avoir besoin de conseils professionnels, laissons-le au moins les chercher ailleurs que dans la famille. D'accord ?

Désarçonnée, Olivia ne sut que répondre et sombra dans un silence maussade.

— Je crois, reprit Brandon, que nous avons tous compris l'essentiel de votre message, Molly. Je dois convenir en ce qui me concerne que, de votre point de vue, nous donnons sans doute l'impression d'avoir tous cherché à profiter de Harry d'une manière ou d'une autre.

— Et à le contraindre de prendre parti dans une guerre dont il n'a jamais été responsable, compléta Molly.

— Exact, commenta Josh qui prenait la parole pour la première fois. J'ai vécu des années avec lui, je suis bien placé pour savoir ce qu'il endurait. Tout le monde était pendu à ses basques, chacun essayait de lui faire renier un camp ou l'autre. Molly a cent fois raison. Personne ici ne s'est jamais gêné d'abuser de lui quand cela lui convenait.

— Ah, mais non ! protesta Danielle avec un impérieux mouvement de menton. Aucun d'entre nous n'a jamais abusé de Harry. Il a des responsabilités envers sa famille, il les assume de temps à autre, rien de plus.

— Inutile d'ergoter davantage, déclara Gilford. De toute évidence, Molly ne considère pas la situation de la même manière que nous, mais, ne nous en déplaise, c'est elle qui sera mariée avec Harry. Nous savons maintenant ce qu'elle veut, et aucun de nous ne peut se résoudre à passer par son intermédiaire pour communiquer avec Harry. Si elle décide de protéger son mari, elle le fera et nous n'y pourrons rien.

— Alors, qu'attendez-vous de nous au juste ? s'enquit Évangéline avec moins de colère que de perplexité.

— Comme je vous l'annonçais au début de ce débat, j'ai deux requêtes à vous soumettre.

— Lesquelles ? demanda Josh avec un sourire amusé.

— Primo, je veux que Harry, en l'honneur de son prochain mariage, soit le héros d'une soirée pour enterrer sa vie de garçon. Une soirée à l'ancienne mode à laquelle participeront tous les hommes valides des deux familles. Je n'admettrai aucune excuse. Josh et Brandon se chargeront de l'organiser.

Un murmure de stupéfaction s'éleva des deux côtés de la table. Brandon et Josh se dévisagèrent avec méfiance.

— Secundo, poursuivit Molly, je veux que les deux familles au grand complet assistent au mariage. Quiconque n'y sera pas présent rencontrera ensuite les plus grandes difficultés à joindre Harry au téléphone ou de vive voix. Et ce, pendant au moins une cinquantaine d'années.

Parker étouffa à grand-peine un chapelet de jurons.

— Me suis-je bien fait comprendre ? conclut Molly.

— Message reçu cinq sur cinq, confirma Josh avec un sourire épanoui.

Molly lui décocha un regard sévère.

— Une dernière chose : à la soirée entre hommes, pas question de femmes nues dans des gâteaux en carton. Compris ?

— Oui, boss ! répondit Josh sans cesser de sourire. Pas de filles à poil dans les gâteaux, c'est vu.

Un serveur chargé d'un plateau fit alors son entrée.

— La séance est levée, déclara Molly. Déjeunons. Et ne vous lancez pas le contenu de vos assiettes à la tête, je vous prie, nous ne sommes pas dans une cantine scolaire.

Ce soir-là, vers minuit, Harry se réveilla, non pas en sursaut mais peu à peu, presque insensiblement. Les yeux clos, il resta étendu quelques secondes sans bouger et se demanda ce qui le tirait ainsi du sommeil. Tout semblait normal autour de lui, il n'avait pas fait de cauchemar, il n'entendait aucun bruit inquiétant ou simplement dérangeant.

Il se rendit alors compte que Molly avait les yeux grands ouverts. Il l'attira contre lui, elle se blottit dans ses bras, il glissa une jambe entre les siennes.

— Qu'est-ce qui ne va pas ? murmura-t-il en bâillant.

— Rien.

— Tu es sûre ?

Il posa les lèvres sur son épaule, se délecta de l'odeur douce et chaude qui émanait de tout son corps – et réveillait sans transition une partie du sien encore assoupie.

— Qu'est-ce que tu fais, Harry ?

— Tu ne t'en doutes pas encore ?

Il prit la pointe du sein entre ses lèvres. Elle leva une main, lui effleura l'épaule.

— Harry ?

Il laissa sa main descendre le long de son ventre.

— Oui ?

— Le début du mois prochain, dans une quinzaine de jours, cela te va ?

— Que se passe-t-il au début du mois prochain ?

Ses doigts exploraient sa toison veloutée, s'attardaient. Elle se tourna légèrement pour mieux s'offrir à lui.

— Notre mariage, voyons ! Kelsey sera revenue de son séminaire, et je… Oh ! Harry…

Il se sentit envahi d'un sentiment de bonheur. Chaque fois qu'ils faisaient l'amour, elle réagissait sous ses mains comme un instrument précieux, dont il tirait une musique toujours plus belle et plus mélodieuse.

— Aucune objection pour le début du mois. Pour ma part, plus tôt ce sera, mieux cela vaudra.

Alors, serré entre ses cuisses soyeuses, il ne

différa pas davantage le plaisir qu'ils se donnaient l'un l'autre et dont l'intensité ne cessait de les émerveiller.

Jusqu'à sa rencontre avec Molly, Harry avait eu le sentiment de vivre confiné dans une pièce aux volets clos. Désormais, quand il se fondait ainsi en elle, les fenêtres s'ouvraient toutes grandes, et il pouvait enfin admirer les vraies couleurs du monde.

Bien plus tard, Harry se laissa bercer aux frontières du sommeil par la délicieuse lassitude qui vient après l'amour. Vaguement conscient d'un rayon de lune dans la chambre et de la présence de Molly blottie contre lui, il éprouvait aussi une impression qu'il ne parvenait pas à définir. Intrigué, il tenta de l'analyser.

Douce comme l'écho d'un chant dans le lointain, elle était moins une sensation qu'une présence immatérielle dans son esprit. Elle n'avait rien de déplaisant, au contraire. Elle était plutôt apaisante. Rassurante.

Molly était encore en train de fredonner…

— Sois tranquille, murmura-t-elle, tu t'y habitueras.

— M'habituer à quoi ?

Mais Molly ne répondit pas. Elle dormait déjà.

21

Olivia but une gorgée du Royal Ceylan que Molly venait de lui servir. Des caisses de livres parsemaient le living, prêtes pour les déménageurs.

— Savez-vous où ils ont emmené Harry ?

Molly se versa à son tour une tasse de thé et vint s'asseoir près d'Olivia sur le canapé.

— Non, répondit-elle en souriant, et cela vaut sans doute mieux. J'ai mis Josh en garde contre les gros gâteaux garnis de filles nues, mais il y a d'autres distractions auxquelles je préfère ne pas trop penser.

— Il est vrai que les enterrements de vie de garçon ont souvent la réputation de dégénérer.

— Ne m'en parlez pas ! dit Molly en faisant la moue. La tradition doit remonter au moins au Moyen Âge, quand les invités de la noce enivraient le marié avant de le pousser de force dans le lit conjugal.

— Pourquoi, dans ces conditions, avoir insisté pour que les Stratton et les Trevelyan organisent cette soirée entre hommes en l'honneur de Harry ?

— Vous n'avez pas déjà deviné la réponse ?

Leurs regards se croisèrent.

— Si. Pas besoin d'un doctorat en psychologie pour comprendre que vous vouliez amener les deux familles à lui prouver qu'elles l'aimaient assez afin de conclure une trêve.

— C'est la seule chose qu'il ait jamais voulu obtenir d'elles. La seule, en fait, qu'il leur ait jamais demandée.

— Et vous avez fait en sorte qu'il ait enfin satisfaction, enchaîna Olivia. J'avoue que vous m'avez soufflée. Je n'aurais jamais cru qu'il y ait sur terre une force capable de pousser les Stratton et les Trevelyan à enterrer la hache de guerre, ne serait-ce qu'une minute.

— Ils ne sont pas aussi féroces qu'ils s'en donnent l'air. Il suffit de savoir les prendre.

Olivia la dévisagea un instant avec intérêt :

— Vous aimez sincèrement Harry, n'est-ce pas ?

— Oui.

— Vous a-t-il ?... Pardonnez-moi de vous poser une question aussi personnelle, reprit-elle en hésitant. Je comprendrais fort bien que vous refusiez d'y répondre et m'ordonniez de me mêler de mes affaires, mais je ne peux pas m'en empêcher. Vous a-t-il dit qu'il vous aimait ?

— Pas en toutes lettres, admit Molly.

Elle se perdait en conjectures sur ce qui avait motivé Olivia à venir la voir une dizaine de minutes plus tôt. Il était près de neuf heures du soir. Une heure auparavant, Josh avait entraîné Harry dans le parking de l'immeuble sous le fallacieux prétexte de lui montrer une Ferrari flambant neuve, d'un modèle inédit, garée dans un des box. Harry possédait une dose de sang Trevelyan assez forte pour se laisser prendre à un tel appât. Ce qu'il ignorait, en suivant son cousin sans méfiance pour admirer le bolide mythique, c'est qu'il allait se faire kidnapper dans une limousine affrétée par Brandon pour la soirée.

Molly avait d'abord été sur des charbons ardents, mais le fait que Harry et Josh ne soient pas remontés du parking au bout de dix minutes prouvait que le complot avait été mené à bien. Satisfaite du succès de son stratagème, elle s'apprêtait donc à patienter avec un livre après avoir fini la vaisselle du dîner quand Olivia était arrivée.

Jusqu'à présent, et à moins de dévoiler quelque autre mobile à sa visite inattendue, Olivia ne souhaitait apparemment que bavarder entre femmes.

— Et cela ne vous inquiète pas, qu'il ne vous ait pas encore dit qu'il vous aime ? s'enquit Olivia.

— Il y viendra. Harry choisit toujours le moment et la manière qui lui conviennent. Il n'est pas comme les autres.

En fait, Molly espérait que Harry finirait par prendre conscience que le sentiment qu'elle lui inspirait était bel et bien de l'amour.

— Vous répétez sans cesse qu'il est différent !

— Parce que c'est vrai. Je suis bien placée pour le savoir, ajouta-t-elle en souriant. Dans ma famille, personne n'est tout à fait comme tout le monde depuis des générations.

— Peut-être, mais la *différence* de Harry, comme vous la qualifiez, n'a rien de superficiel. Elle prend racine au plus profond de sa personnalité.

— Puis-je vous poser à mon tour une question personnelle, Olivia ?

— Oui, répondit-elle sans enthousiasme.

— Qu'est-ce qui vous a d'abord attirée, chez Harry ? Il est assez évident, je crois, que vous étiez mal assortis.

— Vous ne me croirez peut-être pas, soupira Olivia, mais j'étais sincèrement persuadée au début que nous étions faits l'un pour l'autre. J'avais fait sa connaissance au cours d'une réception en son honneur, à la fin d'une de ses conférences sur la contribution des philosophes du siècle des Lumières au développement de la psychologie moderne.

— Et vous en avez tout de suite déduit que vous aviez des points communs ?

— Bien sûr. Harry est respecté dans les milieux universitaires. Il est cultivé, intelligent. Il me semblait pourvu d'un bon équilibre affectif – les premiers temps, du moins.

— Ah, oui ! Sa redoutable maîtrise de soi. Quand avez-vous découvert qu'elle dissimulait une marmite infernale de passions dévorantes et de désirs inavouables ?

— Euh… comment ? demanda Olivia, désarçonnée.

— Rien, je plaisantais. Quand êtes-vous parvenue à la conclusion que vous n'étiez décidément pas faits l'un pour l'autre ?

— Tenez-vous vraiment à le savoir ?

— Absolument ! Je suis dévorée de curiosité.

— Pour être franche, je m'étais vite rendu compte que Harry souffrait de sévères troubles affectifs et qu'il devait se soumettre à un traitement avant d'être en état d'entretenir de saines relations avec une femme.

— Hum…

— Dieu sait si j'ai tout tenté pour l'en convaincre ! Mais il ne voulait rien entendre, il repoussait l'idée même d'une analyse. Quand je lui parlais de nouveaux remèdes susceptibles de le soulager, il refusait de consulter un médecin simplement pour se renseigner. Et puis…

— Et puis ?

— Eh bien, il a commencé à… à m'angoisser, si vous voulez savoir la vérité.

— Pourquoi ?

— J'avais le sentiment qu'il attendait de moi quelque chose que, l'aurais-je voulu, j'étais incapable de lui donner. J'ignorais ce dont il avait tant besoin, je savais seulement que je ne pouvais pas le lui apporter.

— Et vous, qu'attendiez-vous de lui ?

Olivia lui lança un bref regard.

— La satisfaction de rapports sains et équilibrés, un mariage fondé sur le respect mutuel, l'entente, la confiance.

— Vous estimiez ne pas pouvoir les trouver avec Harry ?

— C'était impossible ! Harry, voyez-vous…

Olivia s'interrompit, chercha ses mots avec difficulté.

— Harry, reprit-elle, paraissait si maître de lui, au début. Mais vers la fin de nos fiançailles, il était devenu étrange. Déroutant. Et puis, il me… il m'accablait.

— Il vous accablait ? Comment cela ?

— C'est difficile à expliquer, je ne l'ai jamais bien compris moi-même. Je n'avais pas eu l'occasion de rencontrer ces symptômes dans ma pratique ni de syndromes comparables au cours de mes études. Avec le recul, je sais désormais que son comportement aberrant était dû au stress post-traumatique mais, sur le moment, je manquais de la lucidité nécessaire. J'avais peur, très peur, au point de devoir mettre fin à nos engagements.

— Et Brandon était là à point nommé pour vous sauver.

Un éclair de colère brilla dans les yeux d'Olivia.

— Ce n'est pas lui qui m'a sauvée ! Je me suis sauvée seule.

— Excusez-moi.

— Brandon et moi avions fait connaissance pendant mes fiançailles avec Harry. Immédiatement, nous avons été très attirés l'un vers l'autre, je l'avoue. Nous étions tous deux conscients de cette attirance et nous nous efforcions de ne pas y céder. Puis Brandon s'est rendu compte que j'étais de plus en plus bouleversée par les accès dépressifs de Harry et sa… disons, sa frénésie, faute d'un meilleur terme.

— Vous discutiez du comportement de Harry avec Brandon ?

— Oui. Avec lui, je pouvais m'exprimer avec une liberté, une confiance que je n'aurais jamais pu avoir avec Harry. Nos conversations m'apportaient un grand réconfort.

— Inutile de vous torturer, Olivia. Vous n'avez pas à vous sentir coupable.

— Je ne me sens pas du tout coupable à ce sujet !…

Elle s'interrompit, les yeux soudain brillants de larmes.

— Le remords est un sentiment paralysant, destructeur, reprit-elle. Je n'ai aucune raison de me sentir coupable.

— Aucune en effet, approuva Molly d'un ton apaisant. Harry et vous n'étiez pas destinés l'un à l'autre, croyez-moi. J'en suis absolument certaine.

Olivia parvint à se ressaisir.

— Comment pouvez-vous l'affirmer ?

— Les rapports affectifs de Harry avec les

autres ne peuvent être ni décortiqués ni expliqués par des théories psychologiques, Olivia. Il est trop différent, vous ne seriez jamais arrivée à le comprendre.

— Dieu sait pourtant si j'ai essayé de l'aider.

— Je sais.

Olivia prit à la hâte un mouchoir en papier dans son sac et se tamponna les yeux.

— J'ai tout fait pour l'amener à accepter une analyse. Mais vous ne pouvez pas comprendre… J'avais l'impression de revoir mon père, de revivre tout ce que j'avais vécu…

— Ma pauvre amie, murmura Molly.

— Mon père souffrait d'accès dépressifs qui ne cessaient d'empirer, poursuivit Olivia. Ma mère a tout tenté pour qu'il se soigne, moi aussi, mais il s'obstinait à refuser. Et puis, un jour, il est parti dans les bois avec son fusil et il n'en est jamais revenu.

Molly posa sa tasse sur la table basse, prit Olivia dans ses bras. Olivia ne la repoussa pas et se mit à sangloter, le visage enfoui au creux de son épaule.

— Allons, Olivia, dit Molly quand la crise se fut un peu calmée. Une professionnelle comme vous n'a sûrement pas besoin de moi pour lui expliquer que vous n'êtes pas responsable de la mort de votre père.

— Non, je sais. Je suis passée par assez de séances d'analyse au cours de ma formation.

— Vous n'avez pas davantage besoin de moi pour vous rappeler que Harry n'est pas votre père. Vous n'avez pas à vous soucier de l'aider ou de le sauver. Ses problèmes, s'ils sont réels, ne vous concernent en rien.

Olivia renifla, s'essuya les yeux et parvint à sourire.

— Vous savez quoi ? Je crois que vous avez manqué votre vocation. Vous auriez dû étudier la psychologie.

— Merci. Je préfère malgré tout le thé et les épices.

— C'est sans doute votre absence de formation dans ce domaine qui vous permet de juger une situation avec lucidité.

— Peut-être. Tout ce que je sais, c'est que vous croyez avoir échoué vis-à-vis de Harry et que vos relations personnelles avec lui aggravent ce sentiment d'échec. Ma pauvre amie, dans quel guêpier vous vous étiez fourrée !

— Un guêpier ?

— Bien sûr. Vous voilà fiancée à un homme que vous considérez plus en patient qu'en amant et dont les problèmes vous ramènent à ceux de votre père. En même temps, vous tombez amoureuse d'un autre, apparenté par-dessus le marché à votre patient-fiancé. Et, pour ne rien arranger, ce patient devient de plus en plus détraqué et refuse énergiquement de se laisser soigner. Pas étonnant que vous ayez perdu les pédales et rompu vos fiançailles, c'était la seule décision sensée que vous puissiez prendre dans ces conditions.

Il y eut un silence.

— L'expression *perdre les pédales* ne figure pas au vocabulaire habituel de la psychologie clinique, dit enfin Olivia. Après tout, elle semble adaptée au cas présent puisque j'ai pris mes jambes à mon cou.

— Et moi qui croyais les psys dépourvus de sens de l'humour ! Vous me surprenez agréablement, Olivia.

Olivia sourit du bout des lèvres.

— Si vous voulez entendre une histoire vraiment drôle, je peux vous raconter celle du nombre de psys qu'il faut pour changer une ampoule grillée.

Molly pouffa de rire.

— Allez-y, je vous écoute.

Le sourire d'Olivia gagna enfin son regard.

— Après tout, vous avez raison, dit-elle. Il est grand temps de ne plus me sentir coupable au sujet de Harry. Je sais qu'il est désormais en de bonnes mains.

Parker Stratton balaya la taverne bruyante et enfumée d'un regard méprisant. Sur scène, moulée dans une combinaison en lamé argent, une chanteuse *country and western* nasillait une complainte où il était question d'amours frelatées et d'alcool fort. Les consommateurs accoudés au bar ne s'étaient pas donné la peine de se débarrasser de leurs chapeaux. Au fond de la salle, un groupe surexcité s'agglutinait autour d'un billard. À l'évidence, les enjeux étaient respectables.

— Qui diable a choisi ce bouge ? demanda-t-il.

Josh adressa à Brandon un muet appel à la rescousse.

— Nous deux, répondit-il.

— Oui, déclara Brandon avec un enthousiasme factice, nous pensions que ce serait un terrain neutre. Prenez donc une bière, grand-père, ajouta-t-il en faisant signe à une serveuse déguisée en cow-boy.

— Je ne bois que du whiskey, grommela Parker.

— Moi aussi, approuva Léon tout en coulant le

regard du connaisseur à la serveuse qui s'appro-chait. T'as de belles bottes, ma jolie ! lui lança-t-il.

— Je t'en prie, oncle Léon, ne commence pas à faire l'imbécile, grogna Raleigh.

— Mes bottes vous plaisent ? s'enquit la ser-veuse.

Léon la gratifia d'un sourire canaille.

— Plutôt, oui.

— Prenez-les si vous voulez. La soirée n'est pas finie que j'ai déjà les pieds en compote.

— Je serais trop content d'arranger ça, ma toute belle.

— Pas la peine, merci, rétorqua la serveuse avec un sourire froid. Je connais quelqu'un qui sait très bien me masser les pieds.

— Il est costaud ? s'enquit Léon avec intérêt.

— Pas il, elle, l'informa la serveuse. Elle fait un mètre quatre-vingts, roule en Harley-Davidson, s'habille en cuir et tient la batterie dans un groupe de rock qui s'appelle Ruby Sweat. Déjà entendu parler ?

— Non, admit Léon. Sans doute pas mon genre de musique.

— Sans doute pas. Je ne crois pas non plus que vous seriez le genre de ma copine.

— Et voilà comment on vous traite quand on sort avec une bande de Stratton ! gémit Léon d'un ton ulcéré.

— Ne vous rendez pas encore plus ridicule que vous l'êtes, Trevelyan ! le rabroua Parker. Je tiens à ma réputation.

— Une réputation de quoi ? gronda Léon.

— Suffit, grand-père ! lui souffla Josh à l'oreille.

Impavide, la serveuse tapota le bout de son crayon sur son bloc pour attirer leur attention.

— Je peux prendre votre commande ?

— Une bière pour moi, se hâta d'annoncer Josh.

— Même chose, enchaîna Brandon.

— S'il n'y a que de la bière, je serai bien forcé de m'en contenter, bougonna Parker.

— Moi aussi, l'approuva Raleigh.

Gilford réfléchit un instant :

— Auriez-vous, par hasard, les produits de nos brasseries locales ?

— Bien sûr, le rassura la serveuse, nous avons une marque d'ici. Skid Road.

— Je ne crois pas en avoir entendu parler, constata Gilford avec un certain dépit.

— C'est une petite brasserie qui vient de s'installer dans le quartier de Pioneer Square.

— Bon, je vais l'essayer.

La serveuse se tourna vers Harry, assis au bout de la table, qui avait jusqu'alors gardé le silence.

— Et vous ?

— Va pour une Skid Road.

— Skid Road pour tout le monde, décida Gilford.

— O.K., c'est comme si vous les aviez.

La serveuse lâcha son bloc dans la poche de sa jupette et se perdit dans la foule. Léon la suivit des yeux.

— Décidément, dit-il avec un soupir mélancolique, les cow-girls ne sont plus ce qu'elles étaient.

— Taisez-vous, vieux satyre, le rabroua Parker. Vous ne savez donc pas ce que c'est que le harcèlement sexuel ?

Léon feignit la stupeur émerveillée :

— Mais non ! Je ne demande pas mieux que de me faire harceler, moi ! Où faut-il aller ?

Josh poussa le soupir du martyr résigné à son sort.

410

— Alors, demanda-t-il à Harry, on s'amuse, non ?

Harry considéra le groupe qui l'entourait, composé de la quasi-totalité de ses proches parents du sexe masculin âgés de plus de vingt et un ans. Pour la première fois de sa vie, il les voyait réunis dans la même pièce.

— Cette petite soirée est due à une initiative de Molly, je suppose ? lança-t-il à la cantonade.

— Où as-tu pris une idée pareille ? grommela Gilford.

— Elle m'est venue comme ça.

La serveuse reparut avec un plateau. Harry se demanda quand les acteurs de cette mauvaise farce se décideraient à y mettre fin et le laisseraient rentrer chez lui.

— Écoute, Harry, dit alors Raleigh, je me doute de ce que tu penses, mais ce n'est pas ça du tout. Nous voulions te donner tous ensemble une petite fête avant ton mariage. N'est-ce pas, oncle Léon ?

Léon s'écarta un peu pendant que la serveuse déposait une canette devant lui.

— Bien sûr, approuva-t-il. D'ailleurs, je suis toujours partant pour faire la fête, moi.

— Veux-tu répondre à une question, Harry ? demanda Parker en examinant sa canette de bière comme s'il découvrait un objet provenant d'une autre galaxie.

— Laquelle ?

— Je n'ai aucune objection contre le fait que tu veuilles te marier, c'est toi que cela regarde. Mais pourquoi diable veux-tu épouser une « Mademoiselle J'ordonne » comme cette Molly Abberwick ? Crois-en mon expérience, mon garçon, elle te rendra la vie impossible.

— C'est vrai ! renchérit Léon. Je vais te dire

une bonne chose, Harry : cette nana, elle a des couilles comme un mec.

— Non, elle n'en a pas, déclara Harry.

— Hein ? fit Léon, désarçonné.

— Elle a des tripes, pas des couilles. La différence est d'importance. Tu n'es peut-être pas regardant quand il s'agit de ce genre de choses, oncle Léon, mais moi, je préfère le terme exact.

Un silence ahuri salua la déclaration de Harry. Tous les regards se tournèrent vers lui. Un instant plus tard, Brandon éclata d'un rire bruyant, bientôt suivi par Josh. Gilford lui-même ne put s'empêcher de sourire.

— Ce fils de pute m'aura toujours au tournant, grommela Léon avant de se joindre à la vague d'hilarité.

Parker et Raleigh échangèrent un regard écœuré.

Harry fut le seul à remarquer l'entrée de trois costauds en cuir et en jean. Rien, à première vue, ne les distinguait des autres clients de la taverne ; pourtant, quelque chose dans leur allure l'alerta. Le trio avait visiblement trop bu et cherchait la bagarre.

Harry reposa sa bière en étouffant un juron.

— Je crois qu'il est temps de partir, annonça-t-il.

— Qu'est-ce qui te prend ? s'étonna Raleigh.

— Rien. Enfin, pas encore.

Les trois terreurs piquaient droit sur leur table. Léon les vit à son tour et, avec un instinct jamais pris en défaut, comprit aussitôt de quoi il retournait. Un sourire épanoui lui vint aux lèvres.

— Eh bien, ça alors ! murmura-t-il d'un air gourmand.

— Qu'y a-t-il ? s'enquit Parker, les sourcils froncés.

— Avec un peu de chance, je crois qu'on ne va pas tarder à s'amuser, l'informa Léon.

Les trois hommes arrivèrent près de la table. Le premier arborait une barbe de trois jours et un catogan graisseux. Les pouces plantés dans sa large ceinture de cuir cloutée, il s'avança d'un air avantageux.

— C'est pas vous, par hasard, la bande de pédés à la grosse bagnole garée devant la porte ?

— Qui c'est que vous traitez de pédés, les enfants ? s'enquit Léon avec un sourire angélique.

— Cette table est retenue, déclara sèchement Parker. Allez vous asseoir ailleurs.

Le deuxième s'approcha et lui fit un large sourire qui exhibait deux rangées de dents noirâtres.

— Dommage, il y a plus de place ailleurs. On voudrait s'amuser, nous aussi.

— Pas à notre table, mon petit bonhomme, lui dit Léon avec un sourire tout aussi épanoui.

— Pourquoi ? Y a pas de raison, déclara le premier.

Sur quoi il tendit un bras velu, empoigna le bord de la table et la fit basculer. Les Stratton et les Trevelyan se levèrent d'un bond, les verres et les bouteilles cascadèrent avec fracas, des braillements fusèrent des tables voisines.

— Putain ! s'exclama Léon en brandissant une béquille. On va enfin se marrer !

— Oh, merde ! lâcha Raleigh. On est gâtés.

Harry avait rattrapé sa canette au vol et la pointait comme un couteau.

— Josh, la sortie ! lança-t-il. Tout de suite.

— D'accord.

Josh s'arma d'une canette et entama son mouvement de repli. Gilford restait figé sur place, indigné. Parker avait l'air surpris. Harry les empoigna tous deux par une épaule et les poussa en direction de la porte.

Harry ne vit pas d'où était parti le premier coup, mais Léon avait déjà réagi en plantant sa béquille dans le ventre du gros au catogan qui s'écroula, plié en deux, avec un bruit de pneu crevé. Peu importait, d'ailleurs, qui avait commencé car les événements suivaient déjà leur cours inéluctable. En moins de temps qu'il ne fallait pour crier « Pouce ! », la taverne était métamorphosée en champ de bataille. Les coups pleuvaient, les jurons fusaient. L'orchestre avait monté le volume de la sono, tentant de noyer le vacarme sous des flots de décibels.

Soucieux avant tout de mettre sa parenté en sécurité dans la limousine, Harry esquiva le poing d'un des trois agresseurs initiaux et s'en débarrassa d'un uppercut qui l'expédia au sol. Il s'aperçut alors que son grand-père restait au cœur de la mêlée en dépit de ses instructions.

— Espèce de sale voyou ! clama Parker en fracassant une canette sur l'épaule du troisième homme.

Avant que celui-ci ait pu réagir, Harry empoigna de nouveau Parker et le tira sans ménagements vers la sortie.

— Josh, occupe-toi de Raleigh ! ordonna-t-il. Brandon, fais sortir Parker et Gilford. Je me charge de Léon.

Brandon obtempéra et prit son oncle et son grand-père chacun par un bras. Josh s'empara de Raleigh.

— Filons, cousin, la fête est finie.

— Merde ! On commençait tout juste à se marrer, protesta Raleigh, qui se laissa néanmoins entraîner vers la sortie.

Harry agrippa Léon par le col au moment où il brandissait une béquille meurtrière.

— Fous-moi la paix, bon Dieu ! brailla Léon. J'ai pas fini de m'expliquer avec ces pourris !

— C'était ma fête, lâcha Harry d'un ton sans réplique. Et moi, je suis prêt à partir. En route.

— Toi, mon garçon, t'es vraiment pas un rigolo, dit Léon avec amertume lorsqu'il émergea sur le parking. C'est ça ton problème dans la vie. T'as jamais su t'amuser.

Harry dédaigna de répondre et compta les rescapés à mesure qu'ils s'entassaient dans la limousine. Une béquille de Léon se coinça dans la portière, mais Harry parvint à la dégager au moment où la bagarre débordait sur le parking.

— Nous sommes au complet, lança Harry au chauffeur. Allons-y.

Le chauffeur obéit sans se faire prier. Le luxueux véhicule démarra en trombe alors qu'on entendait déjà s'approcher des sirènes de police. Il était temps.

Le silence régna pendant quelques minutes. Sous la lumière tamisée du plafonnier, les passagers échangeaient des regards exprimant des sentiments variés. Puis, au bout d'un moment, Léon pouffa de rire et extirpa de ses poches des canettes de Skid Road qu'il avait réussi à sauver du massacre au cours de son repli stratégique.

— Quelqu'un veut boire un coup ?

— Bon Dieu, oui ! proclama Raleigh. Donnem'en une, oncle Léon, j'en ai grand besoin.

— Pour ma part, grommela Parker, je préférerais quelque chose de plus reconstituant.

Josh s'empressa de fouiller le mini-bar de la limousine.

— Il doit y avoir une bouteille de whiskey là-dedans, monsieur Stratton… Oui, la voilà !

— Dieu soit loué, commenta Parker en surveillant la dose que Josh versait dans un gobelet. Je n'avais pas eu la chance de participer à une aussi belle bagarre depuis la fin de mon service dans les marines.

Léon se tourna vers lui avec un soudain intérêt :

— Quoi ? Vous étiez dans les marines, vous ?

— Oui.

— Ça, par exemple ! clama Léon en lui tendant la main. Moi aussi.

Surpris, Parker marqua une brève hésitation avant de serrer fermement la main de Léon.

Harry sentit alors l'atmosphère se transformer dans l'espace confiné de la limousine. Il n'aurait su dire au juste quel nouveau caractère elle prenait, mais il savait que c'était dans le bon sens.

Il n'était pas le seul à avoir perçu ce changement d'ambiance.

— Messieurs, déclara Brandon, je crois que nous vivons en ce moment ce que ma femme, psychologue renommée, qualifierait dans son jargon de phénomène corrélatif masculin.

— Je n'y comprends rien, commenta Léon avec bonne humeur, mais ça s'arrose !

Le bruit de la clef dans la serrure réveilla Molly. Elle se redressa sur le canapé où elle s'était endormie en lisant et constata qu'il était près d'une heure du matin. Harry rentrait enfin. Pour s'être prolongée aussi tard, se dit-elle avec soulagement, la soirée avait donc été réussie.

Elle se leva en bâillant et alla dans le vestibule accueillir son futur époux. La clef grattait toujours dans la serrure. Harry semblait bien maladroit, ce soir.

— J'espère que tu n'es pas ivre mort, lui dit-elle à travers la porte en manœuvrant le verrou. La réconciliation de la famille est une chose, mais si ces braves gens se sont amusés à te faire rouler sous la table, je leur en voudrai.

Molly ouvrit… et se figea, horrifiée.

— Rassurez-vous, ma chère, je suis tout à fait sobre, déclara Cutter Latteridge avec son plus charmant sourire en lui mettant un pistolet sous le nez. Et je n'en aurai pas pour longtemps. Juste un ou deux détails que je tiens à régler avant de me consacrer à de nouvelles activités.

— Cutter ! dit Molly, paralysée de stupeur. Comment êtes-vous entré ?

— En réalité, je m'appelle Clarence, mais Cutter me convient aussi bien. Pour répondre à votre question, je suis entré par le garage. La sécurité laisse souvent à désirer dans les parkings. Regrettable, n'est-ce pas ?

Il lui fit signe de reculer, entra derrière elle et referma la porte.

— On nous a dit que vous aviez disparu et que vous n'aviez pas l'habitude de revenir quand vous vous saviez démasqué, murmura Molly.

— En général, c'est exact, répondit-il avec un soupir navré. La violence physique me déplaît, je préfère gagner ma vie grâce à ma seule intelligence. Dans le cas présent, je suis toutefois contraint de faire une exception.

— Dites plutôt deux exceptions. C'est vous qui avez tué Wharton Kendall, non ?

— Je ne pouvais plus me fier à lui et il y avait trop d'argent en jeu. Ce malandrin prétendait avoir droit à une part plus importante que ce que nous

417

étions convenus, vous vous rendez compte ? C'est incroyable comme l'appât du gain peut amener les gens à renier leur parole !

Molly se creusait désespérément la tête à la recherche d'arguments lui permettant de gagner du temps.

— Vous ne pouvez plus compter mettre la main sur les capitaux de la Fondation Abberwick, lui fit-elle observer. Pourquoi prendre le risque de revenir à Seattle ?

— Parce que Trevelyan ne veut pas me lâcher ! cria-t-il dans un soudain accès de rage. Il a lancé son détective sur ma piste pour fouiller mon passé, accumuler des preuves, déterminer mes habitudes. Nous avons tous nos petits travers, vous le savez aussi bien que moi. Il aurait fini tôt ou tard par me retrouver, et ça je ne veux pas en prendre le risque.

Molly ignorait que Harry avait maintenu Fergus Rice sur l'affaire, mais la nouvelle ne l'étonna pas.

— Vous ne pourrez jamais stopper Harry.

— Il le faut. Si je ne me débarrasse pas de lui, je ne connaîtrai plus la paix jusqu'à la fin de mes jours.

Molly sentit la peur lui nouer l'estomac.

— Que comptez-vous faire ?

— Je vais vous liquider tous les deux, Trevelyan et vous, d'une manière élégante et efficace.

— Et vous croyez vous en sortir impuni ? C'est absurde ! Tout le monde saura que vous nous avez assassinés.

— Je ne crois pas, ma chère amie, répondit Cutter avec un sourire froid. J'ai consacré du temps à la mise au point de cette opération et j'ai attendu le moment, que dis-je ? la minute propice pour la réaliser.

— Qu'est-ce que cela signifie ?

— C'est facile à comprendre. Il apparaîtra que Harry Trevelyan, personnage notoirement déséquilibré au dire de psychanalystes dignes de foi, aura finalement sauté le pas. Rentré chez lui ivre mort et en pleine dépression à la fin d'une soirée dont il espérait une impossible réconciliation entre les membres de sa famille, il tuera d'un coup de pistolet sa fiancée, accusée à tort d'avoir renoué avec son ex-amant Gordon Brooke. Puis, par désespoir, il retournera l'arme du crime contre lui-même. Un scénario classique qui se reproduit tous les jours, ou presque, n'est-ce pas ?

— Si vous croyez que cela prendra, vous êtes complètement fou !

— Mais cela prendra, ma chère, cela prendra, soyez-en assurée. Pour soigner la mise en scène, je n'ai pas mon pareil. Nous ferions aussi bien de nous asseoir en attendant, dit-il en consultant sa montre. Nous ne pouvons rien faire d'utile jusqu'au retour de Trevelyan. Ce genre de soirées bien arrosées se prolonge souvent jusqu'à des heures indues.

Molly savait qu'elle n'avait aucune chance de s'échapper. Latteridge restait trop près d'elle, le pistolet braqué. Au moindre geste, au moindre bruit, il pourrait l'assommer ou même la tuer. Quand il l'avait prise au piège dans l'atelier de son père, Harry était arrivé sur les lieux quelques minutes à peine après le départ précipité de Cutter…

Harry ne se résoudrait sans doute jamais à l'admettre, pourtant Molly savait qu'il était venu ce jour-là parce qu'il l'avait sentie en danger. Elle l'avait appelé par la pensée et il l'avait entendue. Il était arrivé avec un peu de retard, certes, mais il était venu.

Dans le regard froid de Cutter Latteridge, Molly

vit sa condamnation à mort. Alors, du fond de sa détresse, elle lança dans la nuit un long cri silencieux.

Au secours, Harry !

Danger ! Danger de mort !

Attention ! Sois prudent ! Attention !

Harry ouvrit la portière de la limousine qui venait de s'arrêter devant l'entrée de son immeuble.

— Tu es sûr de vouloir rentrer chez toi d'aussi bonne heure ? demanda Léon avec un regard de reproche. La nuit commence tout juste, mon garçon.

— Il est une heure et demie et je n'ai pas l'habitude de ce genre d'émotions fortes, répondit Harry en mettant pied à terre. Mais je tiens à vous dire à tous que je ne suis pas près d'oublier cette soirée.

— On devrait le faire plus souvent, suggéra Raleigh.

— Ne comptez pas trop sur moi, dit Brandon en bâillant. Je suis mûr pour aller me coucher, moi aussi.

— Et moi de même, renchérit Gilford.

Parker lâcha un ricanement dédaigneux :

— Ces jeunots n'ont décidément pas le tonus que nous avions de notre temps. N'est-ce pas, Léon ?

— Pas étonnant, opina ce dernier. Ils se la sont toujours coulée trop douce.

— C'est bien vrai, approuva Parker avec conviction.

— Josh, dit Harry, surveille Léon, veux-tu ? Empêche-le de se mettre encore dans des situations impossibles.

— Je ferai de mon mieux… Dis donc, ça ne va pas ?

— Si, tout va bien. Je tombe de sommeil, voilà tout, répondit-il en s'apprêtant à refermer la portière.

— Un triple hourra pour le futur ! brailla Léon. Une fois marié, un homme n'est plus jamais le même !

Harry claqua la portière, la voiture démarra. Il écouta un instant les cris et les rires joyeux qui s'estompaient dans la nuit et se dirigea vers la porte de l'immeuble.

À mi-chemin, il partit au pas de course.

Danger de mort. Sois prudent. Attention.

Le sentiment instinctif d'un danger avait fait voler son euphorie en éclats quelques secondes plus tôt, pendant qu'il donnait ses dernières recommandations à Josh. Par réflexe ou, plutôt, par habitude, Harry avait tenté de le refouler. Mais ce sentiment s'imposait maintenant à lui, car il le sentait lié d'une manière ou d'une autre à Molly.

Danger. Danger de mort.

« N'essaie pas de lutter contre ta nature. » Les paroles de Molly lui revinrent à l'esprit et, pour la première fois, Harry admit qu'elle avait raison. S'il s'obstinait à refuser d'accepter la vérité, il se rendrait fou à coup sûr.

Il s'astreignit à se détendre et à mettre tous ses sens en éveil.

Il est ici. L'assassin est ici.

Sous l'impact de ce hurlement muet, Harry vacilla. À la porte de l'immeuble, il tenta de se ressaisir en cherchant ses clefs. Le portier le vit à travers la vitre et sortit de derrière son comptoir pour venir lui ouvrir.

— Bonsoir, monsieur Trevelyan. Vous ne rentrez pas de bonne heure, cette nuit.

— J'enterrais ma vie de garçon.

Il dut faire un effort démesuré pour se dominer tout en gardant ses sens en éveil.

— Félicitations, dit le portier d'un air entendu.

— Merci.

Un vertige le prit en traversant le hall vers l'ascenseur. Il rata le bouton d'appel. La panique le saisit. Trop tard. Je vais encore arriver trop tard…

— Tout va bien, monsieur Trevelyan ?

— Oui. Dites-moi, Chris, y a-t-il eu des visiteurs chez moi en mon absence ?

— Oui, Mme Hughes.

— Laquelle ? Olivia ?

— Oui, monsieur. Elle est partie il y a longtemps.

— Personne d'autre ?

— Non, personne.

— Pourriez-vous me rendre un petit service, Chris ?

— Bien sûr, monsieur.

— Je voudrais faire une blague à Molly. Vous savez ce que c'est, une blague de retour de soirée…

— Oui, je vois, approuva Chris avec un sourire indulgent. Que voulez-vous que je fasse, monsieur ?

— Donnez-moi, disons, cinq minutes pour arriver chez moi et appelez-moi à l'interphone. Quand je répondrai, dites que l'inspecteur… voyons, l'inspecteur Foster de la brigade criminelle veut me voir. Précisez que c'est urgent.

— Urgent ? s'étonna Chris.

— Oui, c'est juste une blague. Vous voulez bien ?

— Bien sûr, monsieur Trevelyan.

— Merci, Chris.

La porte de l'ascenseur s'ouvrit. Harry entra dans la cabine, réussit à presser du premier coup le bouton de son étage et s'adossa à la paroi. Les yeux clos, il concentra toute sa volonté afin de garder l'équilibre sur le pont de verre qu'il sentait vibrer sous ses pieds.

Cette fois, se jura-t-il, il allait suivre les conseils de Molly, écouter sa nature sans chercher à la contrarier ni à l'étouffer. Ce sixième sens était tout à fait normal, lui avait dit Molly. Un sens comme les autres, le goût, la vue, le toucher… Il lui suffisait de s'y accoutumer, d'en accepter la réalité. De s'en servir, surtout. La vie de Molly en dépendait peut-être. Il n'avait pas le droit de laisser inemployée une telle faculté.

La vie de Molly en dépendait…

Harry prit une profonde aspiration, avança d'un pas plus ferme sur le pont de verre.

Alors, sans que rien l'ait annoncé, un calme vigilant l'envahit. Il respirait librement, ne tremblait plus, ne vacillait plus. Sans avoir besoin de les mettre à l'épreuve, il sut que ses réflexes avaient retrouvé toute leur acuité.

L'ascenseur stoppa à son étage. Harry s'écarta de la paroi, sortit de la cabine, parcourut le couloir jusqu'à la porte de son appartement. D'une main sûre, mais la poitrine oppressée par l'imminence du danger, il introduisit la clef dans la serrure, ouvrit.

Il entra en titubant.

— Molly ? appela-t-il d'une voix pâteuse à souhait. Je suis là, chérie. Sacrée soirée ! Si t'avais vu la bagarre à la taverne, tout à l'heure…

— Par exemple ! Saoul comme un Polonais. Je n'aurais pas pu rêver mieux.

Souriant, Cutter Latteridge apparut dans le vestibule. D'une main il tenait Molly par le bras, de l'autre il braquait sur Harry un pistolet dont le canon, muni d'un silencieux, était pointé à hauteur de son cœur.

22

— J'essayais de t'avertir, Harry, dit Molly, les yeux pleins de larmes.

Il la dévisagea en clignant les yeux comme s'il avait du mal à mettre sa vision au point.

— Qu'est-ce que ce type fout ici ? s'étonna-t-il en avalant la moitié de ses syllabes.

— Je suis venu organiser votre départ selon les règles de l'art, Trevelyan, l'informa Latteridge.

— Je vais nulle part, moi…

Harry fit un pas, trébucha, se rattrapa au mur et s'affala jusqu'à terre, hors d'état de se tenir debout.

— Rangez donc ce pétard, Latteridge, reprit-il. Vous n'allez pas tirer sur nous, ce n'est pas votre genre.

— Mon style a changé. Grâce à vous, Trevelyan.

Molly se débattit en vain pour échapper à la poigne qui lui serrait le bras.

— Harry ! Tu t'es fait mal ? Tu es malade ?

— Jamais senti si bien de ma vie…

Il se mit à quatre pattes pour tenter de se relever. Au cours de ses efforts malhabiles, sa main droite effleura sa cheville. Quand il parvint enfin à se remettre sur pied, le poignard était glissé dans une manche de sa chemise.

— Qu'est-ce que c'est que ce cirque, à la fin ? demanda-t-il en dodelinant de la tête.

— Harry, il veut me tuer et maquiller ta mort, dit Molly d'une voix tremblante.

— Mais non, il fera pas ça. Hein, Latteridge ou Laxton ou je sais pas qui, vous le ferez pas ?

Tout en parlant, Harry avança en titubant de plus belle. L'autre recula sans lâcher Molly.

— Restez où vous êtes ! Ne bougez plus !

Harry pouffa de rire.

— Vous allez quand même pas me tirer un pruneau dans la poitrine ! Pour un suicide, ça aurait une drôle d'allure. Il faut tirer dans la tempe ou la bouche, un endroit comme ça.

— Vous êtes vraiment cinglé ! lâcha Cutter d'une voix sifflante de rage. Votre belle-sœur avait raison.

Harry fit un nouveau pas en avant comme s'il cherchait à reprendre son équilibre.

— D'abord, c'est pas ma belle-sœur. Et puis, je croyais que les psys étaient tenus au secret professionnel.

— Gardez vos distances ou je tue Molly ! Plus un geste, vous m'avez compris ?

— Mais oui, mais oui, dit Harry d'un ton conciliant en s'arrêtant tant bien que mal. Je suis pas sourd.

— Je suis enchanté de vous trouver ivre mort, Trevelyan, mais j'avoue que je n'en attendais pas tant.

— Voyez-vous, j'aime bien faire ce qu'à que... ce qu'à quoi... ce à quoi les gens ne s'attendent pas.

Harry se massa la nuque. Voyant dans le regard

de Molly qu'elle avait enfin compris qu'il jouait la comédie, il lui intima par la pensée l'ordre de ne pas le trahir.

— Plus un geste, Trevelyan ! ordonna Cutter en braquant son arme sur Harry.

Au même moment, le vibreur de l'interphone retentit.

— Oh ! on a de la visite ! s'esclaffa Harry. On va pouvoir faire la fête !

— Ne répondez pas ! aboya Cutter.

— Bien obligé, bredouilla Harry avec un geste fataliste qui faillit de nouveau compromettre son équilibre. Le portier m'a vu rentrer. Il sait aussi que Molly est là. Alors ?

Rouge de fureur, Cutter réfléchit.

— Bon, d'accord, répondez. Mais dites que vous allez vous coucher et que vous ne voulez aucune visite. Compris ?

— Compris. Je vais au lit.

D'une démarche hésitante, Harry s'approcha de l'interphone. Pendant qu'il tendait la main vers le commutateur, il évalua la position de sa cible. Latteridge tenait Molly devant lui comme un bouclier. À cette distance, Harry estimait pouvoir l'atteindre à l'épaule, mais ce serait insuffisant. Il devait être en mesure d'abattre l'agresseur avant qu'il ait eu le temps de se servir de son arme.

— Ouais, Chris ?

— Désolé de vous déranger à cette heure-ci, monsieur Trevelyan, mais il y a un inspecteur Foster de la brigade criminelle qui insiste pour monter vous voir. Il dit que c'est urgent, ajouta le portier d'une voix forte qui retentit en écho dans le vestibule.

Déjà désarçonné par l'interruption, Latteridge explosa.

— La police ? Qu'est-ce que ça signifie, Tre-velyan ? Qu'avez-vous encore manigancé, espèce de salaud ?

— J'en sais pas plus que vous, répondit Harry avec un sourire béat. Que peut bien me vouloir un inspecteur à cette heure-ci, hein ? Si j'avais oublié de payer mes contredanses, ils n'enverraient pas un gars de la criminelle.

— Allez vous faire foutre ! hurla Latteridge.

— C'est dommage pour vous, c'est vrai. À mon avis, le vieux truc du crime maquillé en suicide est râpé pour ce soir. Vous auriez du mal à l'expliquer à cet inspecteur Foster quand vous le croiserez en sortant d'ici.

— Il faut que je parte !

Les traits déformés par la rage, Cutter lâcha le bras de Molly, la poussa à l'écart et fit un pas vers la porte.

— Vous savez, l'informa Harry d'un ton plein de bonne volonté, il y a deux ascenseurs. Avec un peu de veine, vous en prendrez un et l'inspecteur arrivera dans l'autre.

À égale distance de Molly et de Harry, Latte-ridge agitait frénétiquement son arme pour les tenir en respect.

— Les mains en l'air ! Plus un geste, vous m'entendez ?

Harry leva docilement les bras.

— Je ne bouge pas.

— Salaud ! éructa Latteridge en se rapprochant de la porte. Je nen ai pas fini avec vous !

— Vous me rappelez mon cousin Josh. Ce gamin a le chic, lui aussi, pour faire du mauvais mélodrame.

Latteridge tourna les talons, s'élança.

Le poignard glissa souplement de la manche

dans la main de Harry, qui attendit le moment propice. Il lisait dans les pensées de Latteridge comme dans un livre ouvert et prévoyait ses réactions avant même que l'autre ait décidé ce qu'il allait faire.

Sa lucidité n'avait rien de surnaturel : elle procédait d'observations précises et d'une logique rigoureuse. Aveuglé par la rage, déstabilisé par la panique, Cutter ne pouvait plus agir de manière rationnelle. Incapable de résister au désir de se venger de son cuisant échec, il allait vouloir tuer Harry avant de prendre la fuite. Harry le savait avec certitude. Il était prêt.

Comme prévu, Latteridge ouvrit la porte et se retourna sur le seuil. La rage lui déformait les traits en un masque moins effrayant que grotesque.

— Vous avez tout gâché, Trevelyan. Vous allez payer !

Il leva son pistolet, le braqua.

Non pas sur Harry. Sur Molly.

Une fraction de seconde, Harry crut perdre la raison pour de bon. Trop tard. Toujours trop tard…

Mais ses réflexes avaient déjà pris le relais.

Comme s'il obéissait à sa volonté propre, le poignard s'envola de sa main et se planta jusqu'à la garde dans la poitrine de Latteridge. Celui-ci recula sous la puissance de l'impact, puis vacilla. Dans son regard, la fureur fit soudain place à l'incrédulité. Il lâcha le pistolet, étreignit à deux mains le manche du poignard, tomba à genoux.

— Je ne comprends pas, murmura-t-il d'une voix rauque. J'avais tout prévu, tout calculé. J'étais sûr de réussir.

Et il s'affala, inerte, sur le dallage de marbre vert.

D'un bras, Harry attira Molly contre lui. Le

visage au creux de son épaule, elle fondit en larmes.

— Tu nous as sauvé la vie, dit-elle entre deux sanglots. Tu nous as sauvés tous les deux.

Cette fois, Harry n'était pas arrivé trop tard.

— Tu le savais, n'est-ce pas ? Avant même de franchir la porte, tu savais qu'il était là.

Harry serra plus fort Molly dans ses bras. Ils n'avaient pu ni l'un ni l'autre trouver le sommeil. Derrière la baie vitrée, l'aube finissait de chasser la nuit. Depuis peu, la police était partie, le corps de Latteridge emporté à la morgue, le dallage lavé de la mare de sang.

— Je savais... non, je pressentais quelque chose.

— Non, Harry, tu as eu plus qu'un pressentiment. Tu savais que Latteridge était là.

— C'était une déduction logique, puisqu'il représentait le seul danger auquel nous étions exposés.

— Épargne-moi ta logique, je t'en prie ! protesta Molly en le fixant d'un regard pénétrant. Tu le savais parce que je t'en avais averti.

— Tu crois ?

— Oui et, de plus, tu m'as entendue. Dans ta tête.

Il se pencha pour lui effleurer la bouche de ses lèvres.

— Disons que j'ai eu une de mes intuitions.

— Tu es têtu !...

Elle lui prit la nuque, l'attira vers elle, lui donna un long baiser.

— Un de ces jours, reprit-elle en souriant, je saurai bien te le faire admettre.

Harry la poussa avec douceur sur le canapé, l'étendit, se coucha sur elle.

— Tu es indemne, Molly. Pour moi, c'est tout ce qui compte.

— Et tu es vivant également, répondit-elle en lui caressant la bouche du bout des doigts. Pour moi aussi, rien d'autre n'a d'importance.

Harry se sentit tout à coup submergé par une irrésistible vague de désir. La partie rationnelle de son cerveau savait qu'il s'agissait d'une réaction normale à la violence qu'il venait de vivre et à l'angoisse d'avoir failli perdre Molly, mais la passion balaya sa raison.

— Molly, murmura-t-il.

— Oui.

Leurs bouches se joignirent, leurs souffles se mêlèrent. Emportés l'un et l'autre par le même ouragan de désir, ils n'eurent pas même le temps de se dévêtir entièrement avant d'y céder.

Plus qu'un désir, c'était un besoin profond, impérieux, qu'ils devaient assouvir. Harry avait besoin de la chaleur, de la vie, de l'énergie sans limite qu'il puisait en Molly. Il avait besoin de se sentir littéralement fondu en elle, de participer à tout son être comme elle participait au sien. Ils découvraient ensemble dans l'amour des mystères inaccessibles autrement, ils se révélaient l'un l'autre les secrets de leurs âmes qu'aucune parole n'aurait pu exprimer.

Avec confiance, Harry s'engagea sur le pont de verre qui surplombait l'abîme. Il savait que Molly l'attendait sur l'autre rive, et qu'aussi longtemps qu'elle y serait il ne tomberait pas dans le gouffre.

Désormais, il n'était plus seul dans la nuit sans fin.

Bien plus tard, blotti dans les bras de Molly, Harry se laissa pénétrer jusqu'à l'âme par les ondes de chaleur et de douceur qui émanaient d'elle.

Je t'aime, Molly, pensa-t-il.

Elle lui prit le visage entre ses mains.

— Je t'aime, Harry, répondit-elle.

Il eut alors conscience de n'avoir pas prononcé ces mots à haute voix. Pas une seule fois. Incroyable ! Absurde ! Il ne pouvait imaginer ce que serait à l'avenir sa vie sans elle. Il était plus que temps de lui dire ce qui palpitait au fond de son cœur depuis qu'il la connaissait :

— Je t'aime, Molly.

Avec un sourire amusé, elle posa sur lui le regard lumineux de ses yeux verts. Un regard chargé d'amour.

— Inutile de te répéter, mon chéri. J'avais entendu, la première fois.

23

Par une belle journée de printemps, Harry ramena Molly et leur fils nouveau-né chez eux, au « château Abberwick ».

Il les installa tous deux sur le canapé victorien du grand salon et s'apprêta à limiter la durée et le nombre des visites. Les familles Trevelyan, Stratton et Abberwick au grand complet avaient annoncé leur intention de venir saluer la mère et l'enfant dans les jours à venir. Les cadeaux s'amoncelaient déjà dans le vestibule.

Debout près du divan, Harry contempla son fils avec un sentiment de révérence émerveillée, qui dépassait de loin tout ce que les lois de Newton et d'Einstein lui avaient jamais inspiré.

— Incroyable, murmura-t-il. Il est absolument incroyable.

— C'est tout à fait mon avis, approuva Molly avec un sourire heureux. Que dirais-tu pour lui du nom de Sean Jasper Trevelyan ?

— Plutôt difficile à porter, mais pourquoi pas ? Il sera de taille à s'en débrouiller, répondit Harry en effleurant avec précaution la main minuscule du nouveau-né. Fabuleux !

— Si tu crois que celui-ci est fabuleux, attends de voir le prochain.

— Le prochain ?

— Il aura une petite sœur, tu le sais bien. Dans environ deux ans, je crois.

— L'aurais-tu déjà planifiée ? s'étonna Harry avec un sourire indulgent.

— Mais non, je l'ai *vue*, souviens-toi. Le jour où elle et le petit Sean, ici présent, m'ont sauvé la vie dans l'atelier de mon père en me suggérant de me servir de mes anciens jouets. Nous l'appellerons Samantha Brittany, comme nos deux mères.

— Tout ce que tu voudras, mon amour, je ne suis pas en état de discuter, répondit Harry toujours souriant. Le docteur a insisté pour vous laisser quitter l'hôpital, Sean et toi, mais moi, je suis loin d'avoir récupéré. Il me faudra un moment pour redevenir capable de soutenir le choc.

— Tu as été merveilleux, affirma Molly.

— Non, j'ai été au-dessous de tout.

— Ce n'est pas vrai ! Tu n'as pas quitté mon chevet une seconde. Ni mes pensées, ajouta-t-elle à mi-voix en posant un doigt sur le bout du nez de son fils.

Harry feignit de n'avoir pas entendu les derniers mots. La moitié de lui-même qui, naguère encore, paniquait devant de tels sous-entendus ne protesta cependant pas.

Des pas résonnèrent dans le vestibule.

— J'ai dit à Ginny de n'admettre aujourd'hui qu'un minimum de visiteurs, commenta Harry.

La porte s'entrouvrit, Tessa passa la tête. Son amie Héloïse Stickley apparut derrière elle.

— Salut ! Nous sommes venus rendre hommage au nouveau membre de la famille.

— Entrez ! leur dit Molly. Bonjour, Héloïse.

Porteuse d'un volumineux paquet, Héloïse s'approcha en souriant timidement.

— Bonjour, mademoiselle Abber... euh, pardon, madame Trevelyan. Il est adorable, ce petit.

— Nous le pensons aussi, répondit Molly. C'est trop gentil d'avoir apporté un cadeau, Héloïse.

Héloïse piqua un fard.

— Euh, c'est-à-dire... ce n'est pas vraiment un cadeau. J'ai fini de construire mon prototype et je me disais que cela vous intéresserait peut-être de le voir.

Harry poussa un grognement agacé.

— Non merci, pas aujourd'hui !

— Mais il marche ! plaida Héloïse. En principe, du moins, je n'ai pas encore eu l'occasion de l'expérimenter. Il me faut un sujet dont le cerveau émette des ondes.

— Je vous serais obligé de ne pas me regarder, protesta Harry en reculant d'un pas.

Héloïse parut sincèrement étonnée.

— Mais je ne pensais pas à vous, docteur Trevelyan ! Le sujet doit avoir fait preuve d'aptitudes paranormales.

— Ce n'est donc pas mon cas, en effet, dit Harry avec un sourire froid.

Molly lui lança un regard amusé et se tourna vers Tessa.

— Comment va le brillant ingénieur-conseil en marketing ?

Tessa se rengorgea :

— Nous ouvrons un nouveau bar à cafés Gordon Brooke au mois de juin et, cette fois, il marchera du tonnerre ! Il y a intérêt, ajouta-t-elle avec un clin d'œil complice, je touche un paquet sur les bénéfices.

— Il est grand temps, je crois, que j'engage une

nouvelle assistante, soupira Molly. J'ai l'impression que je ne te verrai plus aussi souvent à l'avenir.

— Je resterai toujours fidèle à mes racines, déclara Tessa. Par contre, j'envisage d'abandonner mon anneau dans le nez.

— Ne prends pas de décision trop hâtive, lui conseilla Molly. Il faut entretenir ton image de marque.

— Tu as peut-être raison, acquiesça Tessa pensivement.

Un léger coup à la porte annonça un nouveau visiteur.

— Je peux entrer ? demanda Josh.

— Bien sûr ! répondit Molly. Viens que je te présente Sean Jasper.

— Sean Jasper ? Joli nom, approuva Josh en s'approchant. On dirait qu'il va ressembler à son père.

— Que veux-tu dire, au juste ? s'enquit Harry d'un air méfiant.

— Eh bien… disons que, pour le moment, il n'est pas vraiment le plus beau mâle du clan Trevelyan.

— Il est superbe ! protesta Molly. Comme son père.

— Merci, murmura Harry.

— L'amour rend aveugle, c'est vrai, commenta Josh avec un sourire épanoui. Il aura sans doute meilleure allure quand il aura perdu ses rides et son teint d'écrevisse.

De nouveaux pas résonnèrent dans le vestibule, la porte s'ouvrit : Kelsey fit son entrée, chargée d'un sac à dos.

— Je viens tout juste d'arriver, Molly. L'avion

avait du retard. Ginny m'a dit que j'avais tout raté.
Tu vas bien ?

— Nous allons très bien tous les deux,
l'informa Molly.

— Oh ! qu'il est mignon !...

Kelsey s'approcha – et s'arrêta net en voyant
Josh.

— Salut, lui dit-elle en rougissant.

— Salut, répondit Josh.

Il ouvrit et referma la bouche à plusieurs reprises, comme s'il avait subitement perdu l'usage de
la parole.

— Je ne t'ai plus revue depuis Noël, dit-il enfin.

— Tu veux dire, depuis que tu m'as douchée
avec ton verre de punch, précisa Kelsey.

— Ce n'était pas moi ! protesta Josh. J'ai des
réflexes de premier ordre, comme toute la famille.
Ça va, tes études ?

— Sensass. Et toi ?

— Bien. Très bien.

Un silence malaisé suivit. Josh et Kelsey se
dévisageaient comme s'ils étaient seuls dans la
pièce. Molly lança à Harry un clin d'œil complice.
Il n'eut pas besoin de la télépathie pour savoir ce
qu'elle pensait. Depuis qu'ils avaient fait connaissance peu avant leur mariage, Josh et Kelsey se
conduisaient exactement de la même manière chaque fois qu'ils se rencontraient.

— Voilà, c'est prêt à fonctionner ! annonça
Héloïse, si absorbée par ses préparatifs qu'elle
n'avait pas remarqué le silence qui régnait depuis
cinq minutes. Reculez-vous tous un peu, je mets
l'appareil en marche.

— Hein ? s'écria Harry.

Il se retourna pour voir ce qui justifiait ces
instructions péremptoires. Héloïse avait sorti de sa

boîte une machine d'allure bizarre, composée d'une série d'anneaux et d'un panneau de contrôle, surchargé de cadrans et de voyants, d'où partait un long fil électrique branché dans la prise murale la plus proche.

— Tout le monde est prêt ? s'enquit Héloïse.

— Un instant ! protesta Harry en se dirigeant d'un pas décidé vers la prise. Ce n'est pas ici que vous allez faire fonctionner votre engin ridicule !

Héloïse avait déjà actionné un commutateur. Le panneau de contrôle s'illumina comme un arbre de Noël.

— Ça alors ! s'exclama-t-elle. J'enregistre quelque chose. C'est la première fois que je reçois un signal de cette nature !

Kelsey jeta son sac à dos dans un coin et s'approcha vivement, intriguée.

— Qu'est-ce que c'est ? Que se passe-t-il ?

— Je ne sais pas encore, répondit Héloïse en tripotant des boutons.

Penché sur l'épaule de Kelsey, Josh voulut à son tour savoir de quoi il s'agissait.

— C'est un détecteur des ondes paranormales du cerveau, l'informa Héloïse. Je travaille dessus depuis des mois, grâce à la subvention que m'a accordée la Fondation Abberwick. Oh ! quelqu'un dans cette pièce émet des ondes d'une puissance extraordinaire !

Harry tendait déjà la main vers la prise de courant.

— Emportez cet instrument dehors, Héloïse ! Ce n'est ni le lieu ni le moment d'en faire la démonstration.

— Attends, Harry ! l'arrêta Molly en s'asseyant au bord du canapé, Sean dans les bras. Je veux voir ce qu'Héloïse a mis au point.

— Tu es censée te reposer, protesta Harry.

— Je vais très bien. Cette machine m'intéresse.

Harry maudit en silence la curiosité innée des Abberwick et recula d'un pas. Les voyants lumineux du panneau de contrôle brillaient de tout leur éclat.

— Ne bougez plus ! ordonna Héloïse en braquant une sorte d'antenne. J'enregistre un signal très net. C'est fabuleux ! Il y a une personne qui émet des ondes d'une intensité incroyable !

— J'espère que c'est moi, dit Kelsey. J'ai toujours rêvé d'avoir des pouvoirs paranormaux.

Héloïse tourna l'antenne vers elle.

— Non. Ce n'est pas vous.

— Essayez Harry, suggéra Josh. Tout le monde dans la famille dit qu'il a le don de seconde vue.

— Si vous approchez cet objet de moi, l'avertit Harry, je ne répondrai plus de rien. Vous avez obtenu cette subvention contre mon avis professionnel, c'est de l'argent jeté par les fenêtres. Il n'existe absolument aucune base scientifique valable à ce genre de fumisterie.

— Voyons, Harry, intervint Molly, laisse au moins Héloïse faire un essai. Ça ne peut pas te faire de mal.

— C'est vrai, renchérit Josh. Tu ne risques rien.

— Le mal, déclara Harry, vient de ce que cette… chose viole toutes les lois de la science. Je ne me rendrai complice d'une telle farce sous aucun prétexte.

— Tu exagères, Harry…

Molly s'interrompit en voyant Héloïse s'arrêter devant elle et diriger l'antenne dans sa direction.

— Qu'y a-t-il, Héloïse ? s'étonna-t-elle.

— Je n'en crois pas mes yeux ! s'exclama

Héloïse en regardant ses cadrans avec ravissement. Le signal est à son maximum de puissance !

— C'est moi ? s'enquit fièrement Molly.

— Non, je ne crois pas. Attendez…

Héloïse procéda à de nouveaux réglages, balaya avec précaution l'espace autour de Molly à l'aide de l'antenne.

— Ce n'est pas vous, déclara-t-elle.

— Dommage, dit Molly avec dépit. Moi qui espérais tant avoir quelque pouvoir psychique.

— Le bébé ! s'écria Héloïse d'un air triomphant. Les ondes paranormales sont émises par le cerveau de Sean Jasper !

— Grand Dieu ! soupira Molly, visiblement impressionnée. C'est donc héréditaire…

Harry baissa les yeux vers son fils. Un sourire apparut sur ses lèvres.

— Ne me reproche rien, de grâce. J'ai plus qu'une vague impression qu'il tient cela de ses deux parents.

Molly éclata de rire.

En cet instant, Harry n'avait nul besoin de pouvoirs psychiques surnaturels pour prévoir un avenir débordant d'amour et de joie. Il lui suffisait d'en voir l'image reflétée dans les yeux verts de Molly.

Et cela, il en était absolument certain.

"Une ville trop calme"

(Pocket n° 11303)

Renonçant brutalement à l'empire familial qu'elle dirige et au mariage brillant auquel elle est promise, Charity se réfugie dans une petite ville côtière pour y ouvrir une librairie. Parfaitement intégrée dans la sympathique communauté formée par les commerçants du bord de mer, Charity apprend peu à peu à connaître le mystérieux Elias, un brasseur d'affaires à la réputation sulfureuse. La découverte de cadavres au sein de la paisible bourgade les rapprochera plus encore.

Il y a toujours un Pocket à découvrir

"Amour interdit"

ROMAN

Teresa Crane

LE TALISMAN D'OR

POCKET

(Pocket n°10841)

Illustratrice de livres pour enfants, Cathy mène une vie agréable et paisible sur la côte du Suffolk. Elle est heureuse avec son mari Léon, mais celui-ci est souvent retenu à Londres pour son travail. Bien qu'elle soit très attachée à lui, la jeune femme ne souhaite pas le rejoindre dans la capitale anglaise. Un jour, le fils de Léon rend visite pour la toute première fois à Cathy, sa belle-mère. Dès lors, la vie de Cathy sera bouleversée car ce bel homme de vingt-six ans est loin de la laisser indifférente…

Il y a toujours un Pocket à découvrir

"Un de perdu…"

(Pocket n°10837)

En 1996, Diana Foster dirige un grand magazine. Si, pour le public, elle symbolise jeunesse, beauté et réussite, sa vie sentimentale est loin d'être épanouie : son fiancé vient de la quitter et la presse à scandale ne s'est pas privée d'exploiter l'événement. La jeune femme décide tout de même de se rendre au Bal des Orchidées blanches, l'événement mondain de la saison à Houston. Ce qu'elle ne sait pas encore, c'est que cette soirée va changer sa vie.

Il y a toujours un Pocket à découvrir

Impression réalisée sur Presse Offset par

BRODARD & TAUPIN

GROUPE CPI

20908 – La Flèche (Sarthe), le 19-11-2003
Dépôt légal : décembre 2003

POCKET – 12, avenue d'Italie - 75627 Paris cedex 13
Tél. : 01.44.16.05.00

Imprimé en France